Паве
Баси

Любов

**Павел
Басинский**

ное

чти

**Роман-
фейк**

во

РЕДАКЦИЯ
ЕЛЕНЫ ШУБИНОЙ

Издательство
АСТ
Москва

УДК 821.161.1-31
ББК 84(2Рос=Рус)6-44
Б27

Художник — *Андрей Рыбаков*

Б27   **Басинский, Павел Валерьевич.**
        Любовное чтиво : роман-фейк / Павел Басин-
ский. — Москва : Издательство АСТ : Редакция
Елены Шубиной, 2020. — 408, [8] с.

ISBN 978-5-17-126883-1

Павел Басинский, автор бестселлеров о Льве Толстом,
написал новую книгу, определив ее жанр как «роман-фейк».
Это роман-игра, пародия, головоломка, где каждая новая
глава опровергает предыдущую. И в то же время это искус-
ная психологическая проза.
      Писатель Иннокентий Иноземцев, гордец и женофоб,
неожиданно для себя принимается за любовный роман.
В это время в его жизни происходит настоящий любовный
роман с запутанной интригой...

УДК 821.161.1-31
ББК 84(2Рос=Рус)6-44

ISBN 978-5-17-126883-1

|ОГЛАВЛЕНИЕ|

*Все персонажи этой книги, включая собачку Лизу,
существуют на самом деле.*

Выражаю сердечную благодарность поэту,
прозаику и журналисту Екатерине Барбаняге
за поддержку и советы во время написания романа.

Ты смела! Так еще будь бесстрашней!
Я — не муж, не жених твой, не друг!
Так вонзай же, мой ангел вчерашний,
В сердце — острый французский каблук!

Александр Блок

Пролог

Кажется, это было в 2012 году. Или позже? В общем, дела давно минувших дней. Почему же спустя целых семь лет (или больше?) я так часто вспоминаю эту историю?

Может, в ней что-то про меня?

Нет, это не про меня.

Совсем не про меня...

В тот прекрасный весенний вечер я выпил, поругался с женой и пошел в парк зализывать душевные раны. По дороге свернул в «Пятерочку», купил фляжку водки «Флагман» и ириски «Meller» (кто еще не знает, отличный закусон для одинокого пьянства на природе), расположился на лавочке у пруда, огляделся — никого нет — и, как крыловская ворона, собрался уж...

— Вы разрешите?

Черт побери! Откуда он нарисовался? Я замечал его и раньше. Мы гуляем в парке в одно и то же время, непоздним вечером. Я обдумываю свои авторские колонки для разных изданий и электронных порталов. Пытаюсь поиграть во фрилансера, хотя мне это не слишком удается. Он гуляет с розовой коляской и маленькой собачкой на тонком, как провод, поводке с автоматической подачей расстояния. Ирландский шпиц, у которого не хватает левой передней лапки. Он (или она?) так трогательно скачет впереди хозяина, тявкая на всех, кто к нему приближается... Охранник!

Мужчина в возрасте, но еще не старик, с заметной проседью в волосах и особенно в небольшой бороде, но не седой, моложавый и с той фактурной красотой подчеркнуто мужественного лица, которая отличает, как правило, не самых талантливых актеров. Благодаря его необычной собачке я и обратил на него внимание — сначала на фигуру, а потом на лицо. Лицо меня поразило! На меня смотрели глаза абсолютно счастливого человека. Это был взгляд постаревшего князя Мышкина или Папанова в советском фильме «Приходите завтра...», в котором, если помните, известный скульптор-конъюнктурщик, испытав творческий кризис и душевно переболев, встречается с героиней в трамвае, и у него такое же счастливое лицо... идиота. Скульптор отказался от гордыни и понтов советского селебрити, но что он будет делать с собой дальше — непонятно.

— Присаживайтесь, — говорю, стараясь не показать в голосе явного недовольства.

— Благодарю, — говорит. — Простите, все скамейки заняты.

Сидим... Молчим... Он иногда машинально качает коляску.

— Внучка? — спрашиваю.

Улыбается:

— Мару-у-ся!

Ему приятно произносить это имя.

Выпить ужасно хочется. Но не при нем же? И уходить неловко — поймет, что недоволен его соседством.

Мужчина достает из кармана куртки книжку формата pocketbook и начинает читать. Краем глаза замечаю ее название: «А другой мне не надо». Вероятно, что-то серийное, из любовного чтива. Странный интерес для мужика в его возрасте!

— Вы не смущайтесь, — вдруг говорит он. — Выпивайте на здоровье! Меня вы этим точно не шокируете.

Откуда он знает, что у меня во внутреннем кармане ветровки водка?!

Кажется, я понял. Рыбак рыбака видит издалека. Протягиваю ему фляжку.

— Нет-нет! — говорит он. — Я с этим давно покончил. Но вас понимаю, так что не стесняйтесь!

А я и не стесняюсь. Когда выпью, то становлюсь немного развязным.

— Кто вы? — спрашиваю.

— Был писателем, — говорит он.

— Это как? На пенсию, что ли, вышли?

— Вроде того.

Кажется, мне знакома его внешность. Но откуда?

— Иннокентий Иноземцев, — представляется он.

— Неужели тот самый?

— Нет — совсем другой.

Он постоянно улыбается, и это начинает меня раздражать.

Он это замечает.

— Извините! Да, тот самый. А бывший — потому что больше ничего не пишу.

— Творческий кризис? Понимаю-понимаю!

Он морщится, но улыбаться не перестает.

— Просто не вижу в этом никакого смысла.

— Понятно.

На самом деле ничего не понятно, но молодой старик с просветленным лицом идиота становится мне все интереснее. Иннокентий Иноземцев когда-то был литературной звездой. Поговаривали даже, что ему прочили Нобелевскую премию. Потом исчез с горизонта, как это происходит сегодня со многими авторами, не способными писать по книге в год.

— Вы счастливы? — спрашиваю. — У вас такое лицо...

Он смеется.

— Да-да, я вас понимаю! Я похож на идиота? Наверно, так оно и есть.

— Так это внучка?

— Нет, дочь! Мару-уся!

— А где, извините, ее мама? — нагло спрашиваю я. — Что-то я ни разу не видел ее в парке.

Он наклоняется над коляской и что-то поправляет.

— Наша мама занята, — с серьезным видом говорит он. — Она очень деловой человек. Не то что мы с Марусей и Лизой.

— А Лиза — это кто?

Он кивает на собачку, которая сидит рядом с нами и преданно смотрит на хозяина глазенками-маслинами.

— Слушайте, — говорю. — Мы не торопимся, и каждый занят важным делом. Расскажите вашу историю.

— Да-да... — охотно соглашается он.

Собачка прыгает к нему на колени.

— Устала, Лизанька? — ласково говорит он и гладит ее по шерстке. Лиза зажмуривает глазки.

Он достает из коляски не слишком толстую папку с обычными тесемками и передает мне.

— Вот, — смущенно говорит он, — ношу ее с собой уже целый месяц и все не решаюсь выбросить. Найдет какой-нибудь дурак и будет смеяться. Мне все равно, а все-таки неприятно. А вы как-никак начинающий писатель. Поймете...

— С чего вы взяли, что я писатель?

— Ну, рыбак рыбака... Это, впрочем, даже и не роман, сам-то роман я давно уничтожил.

— Сожгли — как «Мертвые души»?

— Зачем? Нам, Гоголям, с этим сейчас гораздо проще. Есть на компьютере такая клавиша Delete — не замечали? В будущем советую и вам почаще ею пользоваться.

— Но рукопись сохранили.

— Я же сказал, это не роман. Это записки к нему. Роман я уничтожил, а записки зачем-то оставил на память. Подумал: а вдруг пригодятся? Но поскольку писателем я быть перестал и вряд ли когда-то вернусь к этому занятию, записки мне уже не нужны. Читайте, если это будет вам интересно. Только одно условие — никаких копий и публикаций!

— Договорились.

— Еще одно условие. Прочитав записки, вы поделитесь со мной своими впечатлениями.

— Слушаюсь, маэстро!

— О, мои девочки совсем замерзли, — вдруг озабоченно говорит он, сам при этом поеживаясь. — Нам пора домой. До встречи, несчастный вы мой!

— Почему несчастный? — обижаюсь.

— А разве бывают счастливые писатели? Дай вам бог как можно скорее избавиться от этой дурной болезни.

— Послушайте, — говорю я, — а вы, случайно, не сумасшедший?

— Нет-нет! — говорит он. — Именно сейчас я абсолютно здоров.

Бережно снимает собачку с колен и с важным видом катит коляску к выходу из парка.

Открываю папку.

ПРЕДИСЛОВИЕ

Я — Иннокентий Иноземцев. Я писатель и, следовательно, скучный человек. Это только в кино современные писатели изображаются бонвиванами, острословами и баловнями судьбы, обвешанными гроздью влюбленных женщин. Они важно вылезают из шикарных авто, а из карманов их дорогих пиджаков вместе с листами черновиков сыплются и разлетаются по ветру крупные купюры. Нельзя понять, когда эти щеголи находят время что-то писать, потому что они всегда среди поклонниц.

Итак, я — скучный человек... Но история, которая приключилась со мной в 2010 году (дата важна, запомните ее!), была не только не скучной, но... лучше бы она была поскучнее.

В это время я писал любовный роман. Зачем я, серьезный писатель, это делал? Не знаю. Решил попробовать себя в жанре. Попробовал. Это оказалось очень трудно. Гораздо труднее, чем писать нетленки.

Роман у меня не получился. Дело в том, что я не люблю женщин. Не то чтобы я их специально не любил, а просто не люблю, как, например, не люблю пиццу. Не подумайте, что я гей. С этим все в порядке. Но женщин не люблю. Как факт бытия.

Одновременно я вел эти записки. Они писались сами собой, потому что в жизни моей в это время происходили какие-то удивительные вещи, которые я не мог себе объяснить.

Несчастный роман я уничтожил, а записки оставил. В единственном распечатанном виде. Вот они. Может, кто-нибудь поймет, что это было? Если это кто-то когда-то прочитает.

ПРАВИЛО ТРЕХ Б.

Мне почти каждую ночь снятся горы. Непрерывно повторяющийся сон мучает меня двадцать лет, один в один.

Ослепительно-белый цирк*, похожий на гигантскую антенну-тарелку, вроде тех, что устанавливают на дачах, только больше в сто тысяч раз. Или на зеркало мегателескопа в горах Чили. Но это не Чили, а Кавказ. Ничто во сне не говорит об этом, я просто знаю, что это — Кавказ. Эту картинку я вижу с высоты птичьего полета, испытывая приятное головокружение и легкость в теле от парения в небесной вышине. Но я не птица, я — человек. Когда я поворачиваю голову, то вижу свои руки и ноги, распластанные в полете, как у парашютиста, у которого еще не раскрылся парашют. Я чувствую и слышу, как парусит капюшон пуховой куртки, натянутый на голову и схваченный металлической кнопкой на подбородке. На мне темные очки, потому что без них я ослепну от снежной белизны. Солнце в зените. Оно знойно палит, но не согревает снег, иначе снег бы расплавился и ринулся водопадом в весеннюю долину, которую я тоже вижу отчетливо, включая пастуший балаган у ручья...

---

* Котловина в горах в виде амфитеатра, замыкающая верхний конец ледниковой долины. — *Здесь и далее примеч. авт.*

Цирк начинается от ледника и упирается в горный хребет. В хребте — небольшая седловина. Это перевал, на который я должен подняться во что бы то ни стало. Дело в том, что я не только наверху, но и внизу. Я вижу себя в виде крохотной темной точки. Такие бывают в фарфоровых тарелках — вкрапления песчинок, оставшихся в белой глиняной массе перед формовкой. Их не замечаешь годами, но, однажды заметив, не можешь не обращать на них внимания. Они раздражают, как всякое нарушение идеала. В полете я не могу рассмотреть себя близко, но знаю, что я иду на перевал. А идти мне туда нельзя, смертельно опасно!

Впрочем, об этом знает я-верхний, а я-нижний не знает. Все мое существо стремится к нему, чтобы крикнуть, предостеречь! Я загребаю руками воздух, как плавают собаки, отталкиваюсь ногами, как лягушка, и мне удается немного спуститься вниз и приблизиться к самому себе, но встречный поток воздуха подхватывает меня и бросает еще выше...

Картинка мгновенно меняется, как в калейдоскопе. Я один в пастушьем балагане — временном жилище из дикого камня. Лежу на низких нарах, сооруженных из тонких бревен и устланных сухим мхом. Гудит печка-буржуйка, но не согревает меня. Бьюсь в ознобе, сучу ногами, пытаясь выбраться из поглотившего меня морока. Балаган маленький, три на три метра, но мне почему-то кажется, что в нем обитает немыслимое количество живых, а на самом деле давно уже мертвых существ. Они кричат истошными жалобными голосами, словно просят о чем-то, а иногда мне кажется, что их просто режут на куски. Но не это мне страшно.

Мне страшно другое. Страшно оттого, что я сплю и знаю, что это сон. Как выбраться из него, как проснуться? А если я никогда не проснусь? И тогда я тоже начинаю кричать. Я кричу, но не слышу своего крика. Зато слышу грудной ласковый девичий голос: «Успокойся! Успокойся! Это всего лишь сон!»

Поворачиваю голову и вижу рядом с собой желтый череп с пустыми глазницами, обрывками серой кожи и длинными волосами, сухими и жесткими, как прошлогодняя трава. Просыпаюсь от своего же крика. Подушка мокрая, хоть выжимай.

Сегодня был в издательстве у генерального. Когда-то мы со Славой учились в Литературном институте на одном курсе. Игумнов был звездой поэтического семинара, но в девяностые годы забросил поэзию и с головой ушел в книжный бизнес. Настойчиво звал туда и меня. Слишком настойчиво, из чего было понятно, что сам он в своем решении не был уверен.

— Я ничего не понимаю в бизнесе, — отнекивался я.

— А сейчас никто в нем ничего не понимает, — убеждал меня Игумнов. — Именно поэтому у всех примерно равные шансы.

Я колебался, но в конце концов соскочил. И правильно сделал. Слава, конечно, разбогател, но в него и стреляли. Однажды он проявил излишнюю жадность и отжал маленькое издательство у бывшего партнера. Бизнес, ничего личного. Но у издателя оказалась беременной молодая жена. Он занервничал и нанял киллера. К счастью, недорогого, на настоящего профессионала денег пожалел. Незадачливый убийца был с похмелья, руки дрожали, и он промахнулся. Оба, заказчик и исполнитель, естественно, сели. Слава проявил благородство и поддерживал беременную жену сидельца. Кажется, даже забирал из родильного дома.

Игумнов мне приятен. Успешный, амбициозный, не топчется на месте и смотрит в будущее. Пять лет назад он со скандалом покинул крупнейший книжный холдинг и, как говорит, *замутил* свое издательство принципиально нового типа. Что это такое, я плохо понимаю, потому что вообще ничего не понимаю в бизнесе. Но название издательства говорит за себя — «BE», то есть по-русски — БЫТЬ. Полностью — «Book Entertainment».

Идея, с одной стороны, проста. Слава убежден, что читатель не хочет больше интересоваться серьезными душевными проблемами выдуманных героев, а вот обманываться по-прежнему рад. Поэтому к черту всю так называемую настоящую литературу, и пора окончательно уходить «в жанр».

Но не в этом главная фишка.

Слава считает, что в условиях экономического кризиса и падения интереса к чтению нужен другой подход к схеме отношений «писатель — издатель — читатель». Что-то в ней необходимо поправить, перестроить, как меняют цепочки ДНК и редактируют гены для создания новых организмов. Слава придумал идею, которую держит в глубокой тайне, но при этом открыто говорит, что готовит настоящую революцию в отечественном и мировом книгоиздании. Еще он говорит, что не просто издает и продает книги, но создает новую популяцию писателей, которые со временем вытеснят остальных писателей. Последние вымрут, как ящеры и мамонты. Его бывшие компаньоны уверены, что Слава блефует и элементарно пиарит свое издательство. Но, зная Игумнова, не исключаю, что они ошибаются.

На двери его кабинета табличка «Без откатов не входить!». На стенах друг против друга висят Хемингуэй и Че Гевара. Свой отпуск Слава проводит на Кубе без жены.

— Почему не Майорка, не Канарские острова? — как-то спросил я.

— Это банально.

— Венеция, Барселона?

— Банально. И потом, я люблю не места, а людей.

Знаем мы этих людей. Знаем, какими красотками славится Куба и на какой мед летят на этот остров богатые папики...

Слава сама любезность. Угощает меня коньяком, роскошная молодая секретарша готовит настоящий кубинский кофе.

— Кеша, — говорит Слава, демократично отхлебывая благородный напиток из простой кружки с надписью «Nescafé». — Не буду с тобой темнить. Твои тиражи стремительно падают. Твоя серия «В поисках утраченной памяти» морально износилась. Мы, конечно, заключим с тобой новый договор на прежних условиях, но, возможно, он будет последним. Не обижайся! Я бы вообще не обсуждал с тобой этот вопрос, не будь ты моим другом.

— Заметь, — возражаю я, — не я придумал серию с пошлым названием под Марселя Пруста.

— Но разве критики не называют тебя вторым Прустом? — удивляется Слава.

— А ты веришь критикам? Ты не в Америке, старичок.

— Неважно, — говорит Слава. — Это бизнес. Серийные книги расходятся лучше, чем книги-одиночки. Название — это просто условность.

— Вы сажаете читателя на серийную иглу, а потом удивляетесь, что он к этому наркотику привыкает и зелье перестает на него действовать.

— Это бизнес, ничего личного.

— И что ты мне предлагаешь?

— Придумай новый наркотик.

— Я писатель, а не фармацевт.

— Слышал, ты ушел от Тамары? — спрашивает он. — Говорят, у тебя новая девушка? Недурна собой?

Другому я бы врезал за это в челюсть, но со Славой у меня дружеские отношения.

— Ну да, — говорю я равнодушным тоном, — пригрел одну симпатичную журналисточку. Странно, что о нас с ней уже ходят слухи.

Слава пожимает плечами.

— Что тут странного? Ты звезда, это в порядке вещей.

Молча пьем кофе. Слава смотрит на меня, пытаясь понять, насколько серьезно я вляпался. Славу просто раздирает мужское любопытство.

— Смотри, — наконец говорит он, — не лоханись со своей журналисточкой, как Сэлинджер.

— Хорошо, — говорю я, — давай поиграем в купца и товар. Что сейчас расходится лучше всего?

Слава опять пожимает плечами.

— Как и во всем мире... Фэнтези, детективы, любовные романы.

— И что ты мне предлагаешь?

— Ты серьезно? — смеется он. — А хочешь сигару?

— Ты знаешь, что я не курю.

Слава встает, подходит к бару и возвращается с коробкой сигар.

— Сигара — это не курение. Сигара открывает чакры, а тебе это сейчас необходимо. Если, конечно, ты не стебаешься.

— Что ты, я серьезен, как кот перед кастрацией.

Слава достает сигару и отрезает кончик специальной машинкой, похожей на маленькую гильотину.

— Не возражаешь, я раскурю тебе сам? — говорит он с лукавым видом. — Это не так просто, как кажется.

— Валяй.

— Рекомендую опустить попку в коньяк.

— Чего?!

Слава хохочет.

— Не свою попку, Достоевский! Опусти кончик сигары в коньяк.

— Она же потухнет.

Слава просто заливается смехом. Сообразив, окунаю кончик сигары в бокал с коньяком и делаю глубокую затяжку, как делал школьником, когда пытался курить, но мне не понравилось. Горло обжигает едкий дым и проникает до самых легких.

— Забыл тебе сказать, — невозмутимо комментирует Слава, — сигарами не затягиваются.

— Пошел к черту!

— Будем считать, твои чакры открылись. Ты знаешь Ш.?

— Зануда из зануд. Воображает себя новым Набоковым!

— Что ж, он имеет на это некоторое право. Может, он и есть новый Набоков. Только без «Лолиты».

— Что ты хочешь этим сказать?

— Набоков стал знаменит, когда написал «Лолиту». Иначе остался бы скучным писателем, которого никто бы не читал.

— Слышал это не один раз. Спорное утверждение.

— Бесспорное. Но обидное для писателей вроде тебя и Ш. Что-то меня сегодня тянет на откровенность... Ты же в курсе, что твои и его книги никто не читает?

— Что за ерунда?

— Возможно, я не совсем точно выразился. Кто-то читает, конечно. И даже убеждает себя, что ему это нравится. Но главное, он убеждает других...

— Не понимаю.

— Ты прекрасно понимаешь меня, Иноземцев, но не хочешь себе в этом признаться. Вокруг тебя и Ш. существует заговор эстетов. Рудиментарное наследие культурного совка. Нашим людям все еще нравится казаться умнее, чем они есть, вот они и выбрали вас в качестве идолов, которым приносят свои жертвы.

— Не сравнивай меня с Ш.! Не знаю, кто его там читает или не читает, но я читать его не могу.

— То же самое он говорит о тебе.

— Да пошел он в жопу...

— Ты меня не выдашь? — пугается Слава. — Мне незачем портить с ним отношения. В отличие от тебя он глуп и обидчив. Знаешь, почему я вспомнил о нем? В девяностые годы Ш. приходил ко мне. Я тогда сидел не в этом офисе, а в съемной квартире на проспекте Энтузиастов. Мы с компаньоном делали бабло на порнухе, чернухе и прочих непотребствах. Книжный бизнес по обороту сравнялся с водочным и был такой же криминальный.

— И зачем Ш. к тебе приходил?

— Тогда писателям вроде вас стало туго. Это в тучные годы читатели вспомнили, какие они умные, и вы снова вошли в моду. В общем, Ш. приходил сдаваться. При этом он был нагл и агрессивен. Не помню в точности, что он мне говорил, но примерно так: «Слава, до зарезу нуждаюсь в бабле, так и быть, готов на тебя поработать, но под псевдонимом. Заказывай свою хрень!»

— Забавно, — говорю я, — у тебя есть книги Ш. под псевдонимом?

— М-да… — говорит Слава. — Видно, твои чакры не до конца открылись. Ни одной книжки Ш. под псевдонимом не вышло. Ты серьезно думаешь, что работать «в жанре» проще простого?

— Разве нет?

— Знаешь, что здесь самое трудное? Любовь к читателю! Со всеми его пороками, со всем его невежеством и любопытством. И даже со всей его глупостью, как вы считаете, хотя этот читатель не глупее вас. Вот этой любви нет в тебе и Ш. У тебя же каждая строчка вопит: «Я — Иннокентий Иноземцев!» Ты требуешь любви к себе, а сам своего читателя не любишь. Ты вообще кого-нибудь любишь?

— Что-то такое я уже слышал, — отвечаю я. — «Вы любили кого-нибудь, поручик?» Я тебя понял. И что ты мне предлагаешь?

— Придумай что-то в своем стиле, но только свеженькое. Покопайся в недрах своей памяти. Наверняка там осталось что-то, что тебя сильно удивит. Если удивит тебя, удивит и читателя.

Слава дымит сигарой как паровоз, окутывая себя и меня ароматным облаком, а моя — потухла и воняет, вызывая тошноту. Я пытаюсь заглушить эту вонь коньяком, но мне кажется, что и от него несет потухшей сигарой.

— Кстати, — продолжает гнуть свое Слава, — эта девочка… Чем она тебя так зацепила? Ты изменился. Ты стал слабым. Пропускаешь удар за ударом. Раньше ты не был таким.

— Да нет. Просто плохо выспался.

— О! Тогда я тебя очень понимаю!

— Ты совсем оборзел, Игумнов! — уже всерьез возмущаюсь я. — Но, если уж ты так интересуешься, я тебя разочарую. У меня с этой девушкой ничего не было и не будет. Я пригласил ее… в качестве литературного секретаря.

— Врешь. Зачем тебе секретарь?

— Ну, не знаю. Может, не секретарь, а литературный агент.

— А знаешь, ты прав, — подумав, говорит Слава. — В самом деле, пора прекращать эти панибратские отношения с издателями. Вот хрен тебе теперь, а не коньяк и сигары. Это все наше русское свинство. Но какой из нее агент? Ее никто не примет всерьез, и я же первый.

— Между прочим, она уже работает у тебя консультантом.

— Да ты что?

— В редакции у Пингвиныча.

У Славы отваливается челюсть.

— Что? Викуся живет с тобой?

— Вот как? Для тебя она просто Викуся?

— Нет-нет! — спешит поправиться Слава. — Это не то, что ты подумал. Во-первых, я не завожу романы на территории своего бизнеса. Тут все должно быть стерильно. Во-вторых, Виктория не такая. Приставал к ней один наш сотрудник. Кстати, я его уволил. Так она как бы случайно уронила ему на штаны чашку с горячим чаем. Заметь, не на колени, а прямо на яйца! Яркая девушка. Мне кажется, у нее большое будущее. Если, конечно, ты не испортишь ее своим непробиваемым занудством. Уверен, что Вика, в отличие от тебя, напишет свой любовный роман и это будет бомба! Берегись, Иннокентий Иноземцев, ты пригрел змею на груди!

— Ты мне надоел! — снова возмущаюсь я. — Познакомь-ка меня с этим Пингвинычем.

— Это дело, — соглашается Слава. — Он тебе понравится. Профессионал высочайшего класса!

— Все вы здесь высокие профессионалы. Только мы, писатели, ни хрена не смыслим в литературе.

— Не нуди. И все-таки — зачем тебе Варшавский?

— Пойду сдаваться. Буду писать любовный роман.

— Хорошая идея! Ты уже знаешь правило трех Б.?

— А что это?

— В любовном романе не должно быть трех Б. Бани, блядства и беременности. Баню (ну, ты понимаешь, в каком смысле) и блядство ненавидят женщины, а беременности боятся мужчины. Мужчины, кстати, тоже иногда читают любовные романы.

Мы с секретаршей Игумнова идем по коридору. Ее зовут Вера. А ничего себе Верунчик! Топ-модель! Сошла с обложки журнала «Elle». Такое же нездешнее лицо, походка. Кажется, Игумнов слегка преувеличивает стерильность своего бизнеса.

Коридор напоминает бесконечную кишку со множеством стеклянных дверей. Отвратительный принцип: сотрудники должны быть на виду. А ведь почти все они — девушки и женщины. Сидят, уткнувшись в мониторы. Замечаю: многие что-то жуют, кто — банан, кто — яблоко, кто — бутерброд. Это нервное. Еда создает иллюзию независимости личного пространства.

— Скажите, Вера, а вы любите любовные романы?

Мой вопрос застает ее врасплох.

— Почему вы так решили?

— Одна моя знакомая сказала, что все женщины любят любовные романы, но не все в этом признаются.

— Я люблю любовные романы, — с вызовом говорит Вера. — Но не хочу, чтобы это знал Вячеслав Олегович.

Лев Львович Варшавский встречает меня у дверей своей редакции. Он и правда похож на пингвина — полный, в черном глянцевом пиджачке с оттопыренными фалдочками, застегнутом на одну пуговицу на круглом животике. Обе руки прижаты локтями к бокам и протянуты мне для приветствия.

— Иннокентий Платонович! — оперным тенором поет он. — Какая честь! Ах, какая честь!

Внутренне я морщусь, но внешне — улыбаюсь. Мне необходимо наладить с ним контакт.

Варшавский усаживает меня в глубокое кожаное кресло, а сам едва присаживается на край другого. Молчит и смотрит мне в глаза, словно я изреку сейчас что-нибудь эпохальное. «Все счастливые семьи похожи друг на друга».

— В вашей редакции, — говорю я, — работает одна молодая сотрудница. Мне рекомендовали ее

как секретаря. Не могли бы вы дать ей свою характе-
ристику?

— Вы о Викусе?

Проглатываю *Викусю* не поперхнувшись. Едва
ли этот толстый евнух способен на что-то в своем
гареме...

— Ах, Иннокентий Платонович! Это безупречный
выбор! Хотите отнять у нас лучшего работника?
Впрочем, я вас понимаю. Очень талантливая девушка! Запредельное IQ!

Мы болтаем с ним еще полчаса. Мы говорим
о технологии любовных романов. Ничего особенного, объясняет он. Рецепт прост. Не должно быть много героев, чтобы не забивать читательницам мозги.
Он и она. Она сексуальна, он чертовски сексуален.
Она хочет его с самого начала, но не сразу признается даже себе самой. Самое главное, говорит Варшавский, чтобы женщина так или иначе доминировала
над мужчиной. В конечном итоге это он должен быть
слабым, а она сильной. Причем это будет проявлять-
ся даже в сексе. Упаси вас бог изобразить ее сексу-
альной рабыней, даже если она и есть сексуальная
рабыня. Рабом должен стать он, а не она. И неважно,
кто это — султан, ковбой, бизнесмен или тренер фут-
больной команды. Важно, чтобы у него был плоский
мускулистый живот, мужественное лицо и хорошая
стрижка. Женщины от него без ума, и поначалу он
относится к героине свысока, но потом становится
ее пленником. Она и сама безумно его любит, но не
показывает этого и на протяжении всего романа
остается для него полнейшей загадкой. Нельзя сразу начинать с секса, должна быть томительная пре-
людия. Женщины это любят, в отличие от нас. Секс

должен быть подарком с ее стороны. Однако в какой-то момент она может почувствовать себя униженной, брошенной. Это женщины тоже любят в небольших дозах. Но самое главное: в любовном романе должен быть счастливый конец. Это закон, который нельзя нарушать.

— И все, что вы издаете, пишется по этому рецепту? — изумляюсь я. — Но это же так скучно!

— Скучно, Иннокентий Платонович! — вздыхает Пингвиныч. — Однако, если вы думаете, что написать любовный роман элементарно, вы глубоко ошибаетесь. Нужен талант, чтобы по одному рецепту каждый раз приготовить что-то новое.

ПЛЕННИЦА СУЛТАНА

В гостиной горит приглушенный свет. Вика в короткой маечке и трусиках, надев наушники, танцует ко мне спиной у зеркального шкафа-купе. Шкаф занимает всю противоположную от входа стену комнаты, что при первом осмотре квартиры-студии показалось мне удачным решением: есть иллюзия двойного пространства. Но сейчас мне кажется, что гостиная похожа на тренировочный танцпол. В зеркале я с грустью вижу серое лицо пожилого мужчины и ее детское личико с закрытыми глазами. Оригинально — танцевать у зеркала с закрытыми глазами!

Танцуя, Вика самозабвенно повторяет одно и то же движение. Плечики — вверх-вниз, головка — направо-налево, попа — налево-направо, соломенные волосы скачут с одного плечика на другое. Это глупо и смешно, но почему меня это так заводит?

Главное, не знаю, как поступить. Тронуть ее за плечо? Испугается. Чего доброго, брякнется в обморок. Не нахожу лучшего, как сесть в кресло и глядеть на нее.

Уверен, что Вика нарочно кривляется передо мной. И так же нарочно разгуливает по моей квартире в нижнем белье. Хотя я просил ее носить халаты.

— Ненавижу халаты! — говорит она, капризно надувая губки. — У них вечно застиранный вид. Кстати, когда мы купим стиральную машину? Ты забываешь, что уже полгода живешь не один, а с молодой женщиной.

— Какая ты женщина, Вика? — шутливо возражаю я. — От горшка два вершка. Ой, извини, я хотел сказать, у тебя молоко еще на губах не обсохло…

Наконец она громко вскрикивает, будто бы только что заметив мое появление, выключает музыку и поворачивается с гневным лицом.

— Это — подло!

— Что именно?

— Ты не имел права за мной подсматривать! Я ведь почти голая!

— Прости! Нужно было сразу дать пинка по твоей толстой попе?

— И совсем она не толстая!

— А какая же?

— Красивая!

Щурит на меня каштановые глаза…

Мы пьем на кухне чай.

— Был у Варшавского.

У Вики изумленное лицо.

— Ты шпионишь за мной?!

— Ты не поверишь, дорогая, — говорю я, — но иногда я захожу в издательство по своим делам, а не только для того, чтобы узнать, как ты льешь горячий чай на штаны сотрудников. Ты знаешь, что Игумнов уволил этого несчастного?

— Ничего, — мстительно произносит Вика, — не будет трогать меня сзади за мочку уха.

— Вика! — укоризненно говорю я. — Бедного парня уволили только за то, что он трогал тебя за мочку уха?

Она наклоняется ко мне через стол.

— Это моя самая эрогенная зона, чтобы ты знал.

И он, скотина, это понял.

— Ну ладно, — равнодушно говорю я, — но Игумнов-то чего так возбудился?

— Ясен пень, — таким же равнодушным тоном отвечает она. — Потому что Игумнов влюблен в меня по уши.

— Скажи, есть на свете мужчины, которые в тебя влюблены, но хотя бы не по уши? Или совсем не влюблены?

— К сожалению, есть один... — вздыхает Вика.

— Кто же этот бесчувственный идиот?

— Это ты!

— Ну разумеется...

— Как тебе наш Пингвин Пингвиныч?

— Неглуп и добряк. Лестно отзывался о тебе как о профи. При этом разрешает поработать у меня секретарем.

— Щедро с его стороны. Но я еще подумаю...

— Куда ты денешься? В общежитие? К горячим кавказским парням?

— О-о! — смеется Вика. — А ты ревнивый, папик!

— Не смей называть меня папиком! — свирепею я. — Папики содержат молодых дурочек за постель, а ты не берешь у меня ни копейки. Кстати, на какие деньги ты покупаешь себе одежду?

— О-о! — смеется Вика. — На что только не пойдет девушка из бедной семьи, чтобы женить на себе богатого мужчину.

— Мужчина — это я?

— Серьезный вопрос, — задумчиво произносит она, — но я еще не нашла на него окончательного ответа.

Сегодня один — ноль в ее пользу.

— Знаешь, — почти не шутя говорю я, — когда-нибудь я убью тебя, но суд меня оправдает.

— Это почему?

— Он сочтет это допустимой мерой самообороны.

Между тем мой ежедневный кошмар продолжается. Он начался месяц назад, потом расскажу — по какой причине. Мы с Викой вслух читаем любовные романы. В роли чтеца-декламатора выступаю я, по ходу чтения высказывая свои замечания. Вика заносит их в свой блокнотик в розовой обложке.

Сегодня у нас — «Пленница султана». Книга американская, перевод ужасный, но Вике нужно написать резюме, от которого зависит, пойдет у Варшавского «восточная» серия или он откажется от нее.

Он сжал ее в объятиях. Губы их встретились. Поцелуй был долгий и страстный.

— *Как ты красива, юная пери!* — *задыхаясь, бормотал он, освобождая ее от одежд.*

— *Я всего лишь слабая женщина, мой господин,* — *потупив взор, возражала она.*

— Вика, я не могу читать этот бред.

— Не бред, а женская литература.

— Какая еще литература, я тебя умоляю! Это же типичные фантазии сексуально озабоченных домохозяек!

— Что ты имеешь против домохозяек?

— Я не против домохозяек и их сексуальных фантазий. Я против того, чтобы это считалось литературой.

— Читай! Ты мне поклялся, забыл?

— Как же, забудешь... — вздыхаю я.

— *Пощади, мой господин!*

Он вонзил в нее свой возбужденный ствол, но тут же наткнулся на преграду ее девичества.

— Вика, это за гранью добра и зла.

— Просто ты сексист и женофоб.

— Может, я сексист и женофоб, но какой, к дьяволу, *возбужденный ствол*? И как можно куда-то *вонзить ствол*? И ты можешь представить себе возбужденный ствол?

— Это — ты сейчас.

— Спасибо, милая.

— Прости, папик, я не хотела тебя обидеть. Я запишу твое замечание в блокнот? Мне оно кажется важным.

— Да, так и пиши: *русский писатель Иннокентий Иноземцев пришел в ярость от возбужденного ствола.*

— Я и ты — отличный тандем, папик!

— Не смей называть меня папиком!

— А как мне тебя называть? Кешей, как попугая? Иннокентием Платоновичем? Господином Иноземцевым? Выбирай сам. А пока — читай!

— Послушай, Вика! Не будем размазывать кашу по тарелке, пропустим страниц тридцать и перейдем к тому, ради чего все это пишется.

— Ты этого хочешь?

— По-моему, этого хочешь ты.

Не в состоянии больше сдерживаться, он излился в нее до последней капли, сотрясаясь всем телом.

— Почему женщины, — интересуюсь я, — когда дело доходит до секса, обычно используют это клише: «до последней капли»? Вам непременно нужно, чтобы мы оказались в вас целиком?

— А знаешь, ты прав, — неожиданно легко соглашается Вика. — Я тоже это заметила. Можно запишу в блокнот?

Ее лицо становится задумчивым.

— Как ты думаешь, папик, — говорит она, — может, это в нас что-то материнское?

Я сижу в кресле, Вика напротив меня на диване в своей классической позе, поджав коленки к голове и положив на них подбородок. Со стороны это так уютно! Но однажды я попытался посидеть в такой же позе, и через минуту у меня страшно заныли спина и затылок. Видимо, скелет женщин как-то по-другому устроен.

— У меня такое странное чувство, — говорю я, — будто я эту «Пленницу султана» уже когда-то читал. Хотя точно не читал.

— Это прапамять, папик, — авторитетно заявляет Вика. — В одной из прежних жизней ты был падишахом. У тебя было сто наложниц, но ты любил только одну из них. А она тебя ненавидела. Она изображала в постели страстную любовь, но втайне мечтала тебя убить. И вот однажды она пришла к тебе на ложе, спрятав в шароварах острый клинок. И когда ты хотел ею в очередной раз овладеть — чик! — отрезала твое орудие страсти. И ты умер от потери крови.

— Ты добрая девушка! Надеюсь, ее казнили?

— Отнюдь! Ты был плохой падишах, злой и жестокий, хотя не жадный почему-то. Все твои придворные были счастливы избавиться от тебя, и твой преемник эту девушку даже наградил.

— Не понимаю, откуда в тебе эти фантазии?

— Я же говорю: это — прапамять.

— Этой ночью ты стонала во сне.

— Во сне я дико занималась любовью сразу с тремя мулатами. Один из них был блондин и вылитый ты.

— Чушь! Я не мулат и не блондин.

— Я и говорю: ужасно странный был сон.

— И чем же закончился твой странный сон?

— Вдруг потекла кровь! Отовсюду — со стен, с потолка… Весь пол оказался залит кровью!

— Врешь. Начало твоего сна — из фильма «Эммануэль», а конец — из «Сердца ангела».

— Какой ты просвещенный, папик!

— Не смей называть меня папиком!

— Если честно, мне снилась мама.

— Прости… Почему ты не хочешь познакомить меня с ней?

— Потому что этого не хочешь ты…

Девочка продолжает думать и одновременно поправляет подол длинной ночной рубашки, натягивая ее на коленки.

— Я говорил тебе, чтобы ты не разгуливала передо мной в белье? Я же не хожу перед тобой в нижнем белье.

— Я тоже не хожу. И это не нижнее белье. Это babydoll из чистого шелка. Просто ты этого не замечаешь.

Вика вскакивает с дивана и начинает вертеться передо мной, демонстрируя свою ночнушку.

— Это нынче не модно, — замечаю я. — Ночнушки не носят современные девушки, их носят восьмидесятилетние старушки.

— Что ты говоришь! А что носят современные девушки?

— Ну, какие-нибудь сексуальные пижамы с шортиками.

— Ты это видел? Где?

— В Караганде.

Ее лицо вдруг становится грустным.

— Это не babydoll, как я тебе соврала, — признается она. — Это мамина ночная сорочка. Но это правда чистый шелк. Она мне всегда так нравилась, что я выклянчила ее себе еще девочкой. Сначала она была мне велика, и я выглядела в ней смешной. Папа надо мной смеялся. Но сейчас она мне в самый раз, ты не находишь?

Прыгает мне на колени, тыкается мокрым носом в ухо и шепчет:

— Папик, почему ты со мной не спишь?

— Не смей называть меня папиком!

— Иннокентий Платонович, почему вы со мной не спите?

— Во-первых, — говорю я, — быстро вернись на свое место.

— Я тебе не собака, — обижается Вика.

— Извини... Во-первых, сядь на диван.

Подчиняется.

— Во-вторых, я уже говорил тебе...

— Знаю-знаю! Ты не спишь с детьми. Ты сказал это при нашем первом знакомстве, а потом пригласил меня к себе домой. Скажи, что должна была подумать честная девушка?

— Не то, что подумала ты.

— А что я подумала?

Бросаю книгу на журнальный столик и отправляюсь к себе наверх, в свой кабинет на антресоли. Вика, громко пыхтя, раскладывает диван. Знаю, что через десять минут я услышу ее храп.

Это Вика уговорила меня читать вслух любовные романы, на которые она пишет внутренние рецен-

зии для Варшавского. Она сказала, что висит в редакции на волоске. Редакционные дамы ее просто
ненавидят и уверены, что она любовница Пингвиныча. Он ее ценит, но говорит, что, конечно, ей еще не
хватает опыта. А я настоящий профессионал, и мои
замечания помогут ей и укрепят ее позиции.

— Но почему вслух? — удивился я.

— А как иначе я заставлю тебя это читать? И потом, у тебя такой сексуальный голос!

Что-то здесь было не так, но я согласился. Не знаю,
почему я во всем иду этой Вике на уступки?

Кого-то она мне напоминает. Кого?

Девочка с пирсингом

В самом деле — не забацать ли любовный романчик? Тем более что Вика действительно меня кое в чем поднатаскала — низкий ей поклон! Не пойму только, кто из нас чей секретарь?

Но пора рассказать, как я познакомился с Викой. История странная, и я бы сам в нее не поверил, если бы она не случилась в действительности и не изменила бы так круто мою жизнь.

Вика ворвалась... Нет, неудачное слово... Вика нахально, но как-то естественно вошла в мою жизнь полгода назад и успела обосноваться в ней, словно была прописана от рождения...

В квартиру-студию в центре Москвы я влюбился с первого взгляда и снял ее сперва как убежище, куда можно на время сбежать из семьи — от слишком частых скандалов с Тамарой и от слишком выразительного молчания сына Максима, — но вскоре перебрался сюда надолго, если не навсегда. К тому же и мой новый психотерапевт посоветовал сменить обстановку. Тогда-то Вика появилась в моей жизни и поселилась не только в ней, но и в моей уютной берлоге.

Вот ее портрет. Ничего особенного. Прямые соломенные волосы и большие выразительные каштановые глаза. Детское, слегка конопатое у переносицы личико. Узкие плечики. Небольшая, но заметная грудь. Дальше — из другой оперы. Слишком широкие бедра и полноватые ноги. Словно ее слепили из двух женщин. Сверху — Рафаэль, внизу — Рубенс. Сверху — Модильяни, внизу — Ренуар. Кстати, хорошее сравнение, надо бы где-то использовать.

Почему я начинаю с ее тела? Как-то Вика насмешливо сказала мне: «Все вы, мужчины, одинаковы: смотрите в глаза, а лезете под юбку». Она еще ребенок и выразилась неточно. На самом деле мы не обязательно сразу лезем женщине под юбку. Но, конечно, смотрим. Под нее. Даже когда смотрим прямо в глаза.

При этом Вика, пожалуй, сексапильна. Как бы две в одной. Ребенок и зрелая женщина. Это провоцирует мужские фантазии. Не только мои — я заметил, как смотрят на нее другие мужчины. И ей, черт возьми, это небезразлично!

Теперь ее психологический портрет. Тут она для меня полная загадка. Иногда она кажется совсем глупенькой, но это не так. Она неглупа и, пожалуй, остроумна, хотя всегда на грани фола. Она самостоятельна. Принципиально не берет у меня деньги, только на продукты. Неплохо готовит и вообще недурная хозяйка. Поселившись у меня, она через неделю, не спросив моего согласия, выставила за дверь приходящую домработницу с высокой репутацией. Та ушла с выплаченной вперед за полгода зарплатой, оставив на столе записку в стиле домработниц с высокой репутацией:

«Ваша girlfriend заявила мне, что не потерпит в своем доме другую женщину. Когда вы ее прогоните, дайте мне знать. Может быть, я вернусь к вам, но уже на других условиях».

— Зачем ты это сделала? — спрашиваю. — Какое ты имела на это право? Ты не представляешь, во что мне обошлась эта женщина!

— Фу! — фыркает Вика. — Неужели эта старая Тортилла чего-то стоит?

— Не отвечай вопросом на вопрос! — рявкаю я. — Может, ты ревнуешь меня к ней?

— Не знала, что ты любишь женщин, которые не бреют усы.

— Усы? — удивляюсь я. — Не заметил.

— Ты вообще ничего и никого не замечаешь, кроме себя.

— Послушай, Вика, — миролюбиво говорю я, — у меня определенный круг знакомых. В нашем кругу принято нанимать домработниц с высокой репутацией.

— Тебе нужна ее репутация или чистые полы?

— А она плохо моет полы?

— Она моет их шваброй! А посуду — в желтых перчатках, фу!

— А как нужно мыть полы?

— Ручками и тряпкой! И не с гордо поднятой головой, а с высоко задранной попой.

— И ты так делаешь? Хотелось бы взглянуть!

— Даже не мечтай!

Вика никогда не убирается при мне. В выходные она грубо выгоняет меня на час-полтора *прогуляться с собакой*.

— Но у меня нет собаки!

— Так заведи!

Я не сопротивляюсь. Должен признать, что с появлением Вики моя конура преобразилась в лучшую сторону, а как — не понимаю. Что-то она перевесила, переставила, передвинула, что-то выбросила... И все оказалось на своих местах. При этом у нее хватает такта ничего не трогать в моем кабинете. Но теперь я постоянно ловлю себя на мысли, что мне куда приятнее спускаться с антресоли в гостиную, чем наоборот. Дело в том, что моя студия — не совсем студия. От студии в ней только кабинет на антресоли, откуда видна гостиная. Но есть еще и отдельная спальная комната, и отдельная кухня с закрывающейся дверью. Этим мне квартира и понравилась. Я ненавижу, когда кухня соединяется с гостиной! Они бы еще туалет с ней соединили. С другой стороны, мне нравится, что кабинет не замкнут со всех сторон. Легкая клаустрофобия у меня все-таки наличествует.

— Объясни, как ты это сделала? — спрашиваю.

— У тебя нет пространственного воображения, — говорит она. — Поэтому я не могу читать твои романы. В них слишком много слов, и они расставлены не в том порядке.

— А ты бы их расставила иначе?

— Да! Однажды я так и сделаю!

Мы с ней часто ругаемся.

Когда она в первый раз пыталась от меня уйти, я, не скрою, испугался. Просил ее остаться. Понимал, что выгляжу при этом глупо и жалко, но просил остаться. В это время она собирала мамин чемоданчик. Кстати, почему я решил, что это именно мамин чемоданчик? Наверное, потому, что он старый, с защелкивающимися застежками, сейчас таких не делают. Вика нервно швыряла на дно трусики и лифчики, чтобы я это видел. Это было наивно и по-детски, но я испугался. Однако выдержал характер, вызвал такси, не спросил адреса и заплатил водителю с запасом вперед.

Ночью я не мог заснуть. Пытался что-то писать, но ничего не получалось. На следующий день я помчался в Центральный дом литераторов и надрался в хлам с одним экс-писателем из Переделкина. Вернулся поздно и увидел Вику сидящей на диване и поглощающей очередной женский роман.

Она уходила от меня трижды, но ни разу не возвращала мне ключи. Хотя, учитывая ее литературные вкусы, это было бы эффектно: бросить ключи мне под ноги и громко хлопнуть дверью. Правда, тогда при возвращении придется звонить в домофон и говорить что-то типа «это я», «пусти» и т. п. Словом, проходит два-три дня, и опять я вижу на диване Вику, читающую очередной любовный роман. Я делаю вид, что ничего не произошло.

У меня нет сомнения, что эта пигалица влюблена в меня. Впрочем, я стреляный воробей и знаю этих современных девочек. Они давно не мечтают о принцах, а хотят сразу заполучить королей. В ее глазах я — король. Мне пятьдесят, что для мужчины не возраст. Я не миллиардер, но и не беден. Смею также думать, что я хороший человек, незлой и неглупый. Я расстался с женой, и хотя не разводился с ней, но это вопрос решаемый. Мой сын уже взрослый. К тому же — и Вика про это знает — у меня есть дорогая недвижимость на Кипре, куда я могу уехать, если в России, как выражаются мои друзья-либералы, *рванет*. Так что с Викой мне все понятно.

Мне не понятно мое поведение...

Как-то я спросил ее об отце. Почему-то мне это было важно.

— Папа погиб год назад, — тихо сказала она. — Папа был очень добрый, но слабый человек. Вообще это не тема.

Беда в том, что в этой девочке я вижу кого угодно, кроме любовницы. Не случайно я спросил ее об отце.

«Он был добрый, но слабый». Это многое объясняет. Она подсознательно видит во мне не только короля, но и отца. Правильного отца. Я живо представляю себе ее покойного родителя. Не вынес испытания девяностыми, потерял заработок, возможно, спился и погрузил семью в бедность. Погиб в автокатастрофе. «Это не тема». Вика его любила, но ей было стыдно за него. И вот она находит другого «папу». Говорят, девочки подсознательно влюблены в своих отцов. Не знаю, не имел опыта общения с дочерями. Тамара вышла за меня замуж двадцать лет назад (не по любви, а из жалости, но это отдельная история), восемнадцать лет назад родился Максим. Прекрасный парень, умница, гениальный юный программист, у него большое будущее. Но мне всегда хотелось иметь дочь.

Если это так, если Вика нашла папу, с которым можно еще и спать, и это не будет инцестом... Папа и муж в одном лице — это так удобно! Но вот фиг ей!

И все-таки когда же мы с ней познакомились?

В это лето в Москве стояла чудовищная жара. Горели торфяники в Подмосковье, и город заволокло дымом. Дым проникал даже в метро. Я бежал в деревню, в Тверскую область, к жене и ее родителям. Там было более или менее сносно дышать. Мы с тестем ловили лещей на Волге. Несмотря на жару, клев был обалденный, рыба перла из воды. Меня удивляло, что на ощупь рыба была теплой.

Тогда же у меня случился последний неожиданный секс с Тамарой. Хотя я и ушел от нее, но ее деревенские родители об этом не знали. Тамара в коротком халатике принесла мне в мансарду, где я подыхал от полуденного зноя, кувшин холодного морса — щедрый подарок от тещи. Я схватился за вожделенный кувшин и случайно задел рукой бедро жены. Тамара только что пришла из летнего душа и сама была холодная, как черничный морс. Даже какая-то зябкая, вся в пупырышках... И у меня закружилась голова...

Уходя, жена обернулась и насмешливо бросила:

— Ничего у нас не было, Иноземцев, запомни!

— Конечно, — сказал я.

Я был на рыбалке, когда позвонила мой редактор и попросила выступить в книжном магазине. Да, не сезон, да, людям не до чтения. Но именно поэтому директор требует для выступления звезду. Уговаривать жанровых авторов бессмысленно, все они уехали далеко от московских проблем.

— Выручайте нас, Иннокентий Платонович! Мы не можем ссориться с директорами магазинов.

Сел в автомобиль и отправился в Москву. По дороге попал в пробку. Страшная авария на Ленинградском шоссе, в дыму столкнулись две дюжины машин. В буквальном смысле объезжал трупы, лежавшие на асфальте и накрытые черным целлофаном. Едва не опоздал на выступление. Это не в моих правилах: мужчина, в отличие от женщины, не имеет права на опоздание. «Точность — вежливость королей», — говорил мне отец.

И вот я сижу на импровизированной сцене на втором этаже книжного супермаркета и в этот момент замечаю девочку. Она сидит в центре первого ряда, прямо напротив меня. Она чудовищно одета. Черные колготки в сеточку, широкие бедра обтянуты пошлой красной кожаной мини-юбкой. Майка, явно купленная на Арбате, со слоганом «I Love Russia», где вместо «Love» — красное сердечко. Грудь гордо выставлена вперед, а спина изогнута, как у кошки. Но... такое милое, нежное, детское личико, конопатое у переносицы. Волосы стянуты резинкой на затылке, отчего хвост задорно торчит. Сверху она похожа на мальчишку-индейца, который вышел на первую в своей жизни тропу войны. А внизу... Ну форменная проститутка, другого слова не могу найти. Пялится на меня каштановыми глазищами. Кажется, даже не моргает при этом.

После выступления мы с редактором садимся в кофейне рядом со сценой и говорим о моем новом романе, над которым редактор сейчас работает. Девочка тоже уселась за столик напротив нас и важно заказала стакан воды. И опять этот нагло-обожающий взгляд! Не могу никуда от него деться, не могу и скрыть от себя, что эта особа меня заинтриговала. Ни один нормальный мужчина не может остаться равнодушным, когда на него вот так смотрит юное создание. Догадываюсь, что прием, но прием безотказный...

Расставшись с редактором, сам присаживаюсь к девочке за ее столик.

— Что тебе нужно от меня, чадо? Только не говори, что ты обожаешь мои романы.

— Терпеть не могу, — соглашается она, — а если честно, вообще не читала ни одного.

— Коротко: что тебе нужно?

— Интервью, — говорит она.

Ну вот, все испортила!

— Я не журналистка, — лепечет она, — я только собираюсь поступать на журфак. Но там нужны публикации, а у меня нет ни одной... А если я сделаю интервью с вами — это будет очень круто!

— Назови мне еще одну причину, по которой я согласусь.

— А, поняла! — говорит она. — Я согласна на любые ваши условия. Хотите, пересплю с вами?

Совсем все испортила!

— Далеко пойдешь, девочка, — говорю я. — Но есть одна маленькая проблема. Я не сплю с детьми.

— Я не ребенок! — сердится она.

Пишу на салфетке свой адрес. Зачем я это делаю?

— Жду завтра в шесть часов вечера. Не опаздывай.

— Значит, все-таки харассмент? — спрашивает она.

— О как! — восхищаюсь я. — Ребенок нахватался умных слов? Кстати, о харассменте... Ты вот хочешь стать журналисткой, то есть писать, а своих же слов не слышишь. Ты не слышишь, как звучит это слово. Как хруст раздавленного таракана.

Каштановые глазищи — хлоп-хлоп!

На следующий день вечером раздается сигнал домофона. Слышу приятный девичий голос:

— Иннокентий Платонович, это журналистка, которая не журналистка. Пришла на интервью.

Смотрю на часы. Ровно шесть вечера — ни минутой раньше, ни минутой позже. Интересно!

Открываю дверь — передо мной стоит скромная девушка в летнем платье, соломенном канотье и без всякого макияжа. Приглашаю ее в гостиную и усаживаю в кресло.

— Холодный чай? Кофе? Вода со льдом?

— Виски со льдом, — нагло говорит она.

— А попа не слипнется?

Однако достаю из бара бутылку Ballantine's, плескаю в два стакана по тридцать грамм и приношу из холодильника тоник и лед. Она права. Наверное, по жаре будет самое то.

— Whisky on the rocks*, — говорит она.

И опять все портит. Боже, какая дура!

Начинаем интервью.

— Вы любили кого-нибудь...

— ...поручик.

— Что?

— Проехали... Следующий вопрос.

— Вам случалось бросать женщин?

Понятно. Девочка из «Каравана историй». А неплохо их дрессируют! Смогла же она пробраться в мою цитадель. Грубо, зато эффективно. Других журналисток, прилично одетых и льстящих мне прямо в глаза, я отшивал. Но с этой дал слабину.

— Лучше расскажи мне о себе. Кто твои папа, мама? Откуда приехала? Какого лешего тебя принесло в Москву?

— Откуда вы знаете, что я не москвичка?

— Трудно ли догадаться.

— Не хотите сначала спросить мое имя?

— Ты назовешься Алисой или Боженой.

— А вам какие имена нравятся?

— Даша, Вика... Маруся.

— Меня зовут Вика.

— Будем считать, что поверил.

— Маму зовут Даша.

— Допустим, что так.

— Два месяца назад мы с Дашей приходили на ваш творческий вечер в Дом журналиста — не помните?

—————

* Виски со льдом (*англ.*).

— Почему я должен вас помнить?

— Когда мы брали у вас автограф, вы внимательно на нас посмотрели и сказали: «Как же вы похожи, мать и дочь! Вас просто не различить». Даша была в полном восторге!

— Почему ты говоришь «Даша»?

— Так у нас принято. Я — Вика, а она — Даша. Мы с ней не как мать с дочкой, а скорее как близкие подруги.

— Как вы оказались в Москве?

— Мы приехали из С. подавать документы в институт печати.

— Допустим. А что ты делаешь здесь?

— В каком смысле? — удивляется она.

— В прямом. Думаешь, я не понимаю, для чего ты вчера оделась как проститутка и глушила меня влюбленным взглядом? Хотя отдаю тебе должное. Ты не подошла ко мне. Но знала, что я сам к тебе подойду. Ты рисковала, но выиграла. Этим ты меня и зацепила. Мои аплодисменты. Что дальше?

Отводит в сторону карие глазищи.

— Дайте мне интервью... А еще лучше — возьмите меня на работу литературным секретарем.

— А Даша не говорила тебе, зачем пожилые писатели берут в секретари молоденьких девочек?

И тут она выдвигает вперед челюсть так, что нижние зубы оказываются под верхней губой. Потом я много раз буду это замечать. Признак того, что Вика злится.

— Значит, интервью не дадите и работы тоже? Значит, я пошла? Пока-пока! Чмоки-чмоки!

И тут я совершаю вторую, после приглашения ее в свой дом, глупость. Знаю, что глупость, но совершаю.

— Послушай, Вика, Даша, Маруся! Ни один нормальный писатель не станет отвечать на твои вопросы, потому что ты не умеешь их задавать. Посиди здесь, включи телевизор, только негромко. Будет тебе интервью.

Поднимаюсь в кабинст. Эта мысль давно вертелась в моей голове. Я давал много интервью, но все они были какие-то... И я подумал: а хорошо бы сделать интервью с самим собой. Пижонство, конечно. Но почему бы нет? Пусть выходит под ее именем.

Через пару часов я спускаюсь вниз с флешкой. Моя гостья мирно сопит на диване, свернувшись калачиком. Сажусь рядом с ней на корточки и внимательно всматриваюсь в ее лицо. Притворяется? Нет, кажется, спит... Левая рука — под головой, правая свисает с дивана. На безымянном пальце два колечка. Почему два?!

Осторожно беру руку, щупаю пульс. Спит, глубоко.

Когда она спит, когда не кривляется, не строит из себя дурочку или, наоборот, умницу, когда не пытается выглядеть как проститутка или, наоборот, как деревенская простушка, — у нее совершенно ангельская внешность. Знаю, банально звучит, но от ее спящего лица струится светлая и нежная душа. Женская душа. И фигура ее не портит. Она настоящая красавица! Просто она об этом еще не знает. Именно таких женщин любили рисовать французские импрессионисты. Ее личико портит только крохотный пирсинг в форме искусственного бриллианта в правой ноздре. Девочка с пирсингом. Свалилась на мою грешную голову... На мою голову и мой диван.

Утром просыпаюсь от того, что из кухни доносится громкое пение. Почему-то — на украинском.

Била мене мати
Березовим прутом,
Щоби я не стояла
З молодим рекрутом.

А я собі стояла,
Аж кури запіли,
На двері воду лляла,
Щоби не скрипіли.

Что за черт! Надеваю халат и иду на кухню.

Нахалка уже освоилась в моей квартире как у себя дома и навела на кухне идеальный порядок. На столе хлеб, на плите яйца. Пахнет кофе. Моя гостья стоит у плиты и следит за тем, чтобы кофе не убежал. Пританцовывает и поет:

На двері воду лляла,
На пальцях ходила,
Щоб мати не почула,
Щоби не сварила.

А мати не спала,
Усе чисто чула,
Та мене не сварила —
Сама така була.

Заметив меня, кричит «ой» и перестает петь.

— Продолжай, — говорю, — у тебя красивый голос.

Стесняется.

— Откуда ты знаешь украинский?

— А я наполовину украинка.

— По маме или по отцу?

— И по маме, и по папе.

— Так не бывает, — смеюсь я. — Если и по маме, и по папе, то тогда ты полная украинка.

— А вот и нет, — возражает она. — Мама — укра-инка по папе, значит, она половинка, а я — кто? Чет-вер-тин-ка! Папа — украинец по маме, он — тоже половинка. Значит, я — кто?

Смеюсь.

— Не знаю... Ты меня совсем запутала.

— Ну, это же так просто, — снисходительно заяв-ляет она. — По папе я — тоже чет-вер-тин-ка. А те-перь напрягись и сложи две четвертинки вместе. Считать умеешь? Что получается? По-ло-вин-ка!

Глядит на меня с победоносным видом.

— Когда мы перешли на «ты»? — спрашиваю. — Скажи мне честно, ты прикидываешься дурочкой или на самом деле дурочка?

Обижается, надувает губки.

— Сам такой!

— Что ты делаешь на кухне?

— И снова доброе утро! — говорит она. — Я го-товлю тебе завтрак. Знаю, что ты любишь яйца всмятку, но так, чтобы белок был не жидким. Даша называет это «яйца в мешочек».

— Откуда такая секретная информация?

— Из мусорного ведра. Я его вынесла.

— Ты рылась в моем мусорном ведре?

— Ну вот еще! — обижается она. — Просто в нем не было ничего, кроме кофейной гущи и яичной скорлупы.

— А ты что думала там найти? Черновики моих рукописей?

Смеется... Мне нравится ее смех. И сама она мне нравится.

— Ладно, давай знакомиться. Как тебя зовут на самом деле?

— Я ведь тебе вчера сказала: Вика. А маму мою зовут Даша.

— А кого зовут Марусей?

— А это большой секрет.

— Ладно.

— Я поживу у тебя до поступления, — тоном, не допускающим возражения, заявляет она. — Потом переберусь в общежитие. И, пожалуйста, не спорь! Если ты меня сейчас прогонишь, ты будешь жалеть об этом очень горько.

— Это еще почему?

И тут она подходит ко мне вплотную, приближает свое лицо к моему и смотрит как ведьма.

— Потому что я та женщина, о которой ты мечтаешь всю свою жизнь. Просто ты еще не понял этого. Это вопрос времени.

Приплыли, поручик!

В институт печати Вику не приняли. Что мне оставалось с ней делать? Отправить ее обратно в С.?

Амнезия

Сон... Горы... Ослепительно-белый цирк... Я парю в небесной вышине, и мне так хорошо, что я отлично понимаю буквальное значение слов *находиться на вершине блаженства*. И только черная точка внизу меня смущает. Это ведь — тоже я. Я иду на перевал, а идти туда нельзя, смертельно опасно! Но в этот раз я замечаю, что за мной на снегу нарисовались еще пять черных точек. Откуда? Я что, размножаюсь, как микробы под микроскопом?

Картинка мгновенно меняется...

Пастуший балаган, нары. Гудит печка-буржуйка, но не согревает меня. Бьюсь в ознобе, сучу ногами. Истошно кричат какие-то существа, как будто их режут на куски. Я тоже начинаю верещать, как подстреленный заяц, но не слышу своего голоса. «Успокойся, это всего лишь сон!» Желтый череп с пустыми глазницами, обрывками прозрачной кожи и волосами, сухими и жесткими, как прошлогодняя трава. Вскрикиваю и слышу свой крик.

Просыпаюсь... Мокрая подушка.

— Ты кричишь во сне, — говорит Вика за завтраком. — Кричишь, и очень часто. Этой ночью опять кричал. Снятся кошмары?

— Бывает, — говорю я. — У мужчин после сорока пяти снова начинается переходный возраст.

— Тогда все понятно.

— Что тебе понятно?

— Понятно, почему ты не только кричишь, но и страстно объясняешься кому-то в любви.

Чашка с кофе застывает у моего рта.

— Погоди! Допустим, ты можешь слышать за закрытой дверью, как я кричу. Но слышать объяснение в любви не можешь. Значит, или ты врешь, или...

— Или я тихо открываю дверь в спальную комнату, захожу, присаживаюсь на край кровати, глажу тебя по головке, целую в лобик и нежно шепчу: «Успокойся! Это всего лишь сон!»

— Вика! — говорю я. — У меня сейчас нет настроения играть с тобой в жмурки. Но если я поймаю тебя в своей спальне, ты вылетишь из квартиры пулей. И мне все равно, где ты будешь жить.

Она пожимает плечами.

— Вернусь в свой С.

— Кстати, как поживает Даша? Я ни разу не слышал, чтобы ты говорила с ней по телефону. Она вообще существует?

— Мы переписываемся с ней по электронке.

— Почему?

— Мы не настолько богаты, чтобы разоряться на межгороде.

— А хочешь, я сделаю вам обеим безлимит?

Качает головой.

— Нет, папик! Я не возьму у тебя ни копейки. Я не содержанка. Довольно того, что ты дал мне крышу над головой.

— Вообще-то, — с улыбкой замечаю я, — это ты должна мне приплачивать за консультации. Дорого не возьму. Пингвиныч хотя бы знает об этом?

— Конечно! Пингвиныч в полном восторге от твоих замечаний!

Не могу удержаться от самодовольной улыбки. Я не признался Вике, что заглянул в ее блокнот, когда она забыла его на журнальном столике. Она действительно аккуратно заносит в него все мои замечания и ставит против каждого из них жирные минусы и плюсы. Я ведь не всегда ругаюсь во время чтения. Во всякой навозной куче случается найти жемчужное зерно. Больше того, именно там оно оказывается самым ярким. «Будь щедр, Иноземцев, — сказал я тогда себе. — Возможно, в этом твоя скромная миссия. Не надо презирать простых читательниц. Они имеют право на свое чтиво. Возможно, ты слегка подтянешь уровень этой макулатуры».

— Что у нас сегодня на вечер? — спрашиваю, шутливо потирая руки. — Давай что-нибудь свеженькое. Мне осточертели эти твои султаны и невольницы!

— Сегодня будет горец, — важно говорит Вика.

Я невольно вздрагиваю.

— Какой еще... горец?

— Средневековый, конечно. Ну все, мне пора!

Чмокает меня в щеку мокрыми от кофе, вкусно пахнущими губами и бежит на работу. Я еще долго сижу в раздумье.

У меня довольно сложный случай амнезии, которая сильно изменила мою жизнь в начале девяностых годов. Тогда я получил черепно-мозговую травму и после нее не помнил ничего, буквально ничего, даже свое имя. Потом память стала постепенно возвращаться, но с дальнего конца. Сначала я вспомнил свое детство, потом — отрочество, потом — юность.

Но это было не облегчением, а проклятием. Воспоминания забили ключом, и, прорвав плотину беспамятства, обрушились на меня неудержимым потоком.

Мой мозг стал похож на бочку под водостоком во время проливных дождей. Он переполнялся прошлым, причем таким, которое мне было совсем не нужно. Я забыл год своего рождения, зато вспомнил лучеобразные морщинки у глаз акушерки и то, как она звонко шлепнула меня по попе, чтобы выгнать мокроту из легких и я мог задышать. Я услышал свой первый крик и не спутаю его ни с каким другим, даже если мне вдруг предложат аудиозапись первых детских криков, включая мой. Я помню грудь матери с крупной, с тремя волосками родинкой возле соска, хотя в сознательном возрасте грудь своей матери никогда, разумеется, не видел. Когда я рассказал ей об этом, она охнула и закрыла ладонью рот.

Я не помню таблицу умножения, которую учил в школе, и пользуюсь калькулятором в телефоне, если нужно сделать самое простое вычисление. Но я отлично помню, что указка в руках школьной математички была чуть-чуть кривая, и это было очень странно, потому что указки мы вытачивали на токарных станках на уроках труда. Я не помню ни имени, ни отчества математички, но помню, что она даже в жару приходила в школу в толстых колготках и высоких сапогах, а боковая молния на ее шерстяной юбке всегда была застегнута наполовину. Математичка все время ее поправляла, но молния сползала вниз...

Я могу и сейчас посчитать количество сигарет в пачке «Родопи» моего отца, когда я в первый и последний раз стащил оттуда одну сигарету, чтобы отнести курящим приятелям. Я был уверен, что он не заметил пропажи, и очень гордился собой. Но я совершенно не помню, как жестоко отец наказал меня за это. Об этом мне тоже рассказала мама и снова охнула и закрыла ладонью рот.

Помню, что после школы я не сразу поступил в университет и служил в армии, но не помню — в каких войсках. Зато отлично помню, что, когда один дед заставил меня постирать его портянки, я не стал с ним спорить, а пошел и вымыл его портянками и водой с хлоркой пол в казарменном сортире. Помню его изумленное лицо, когда он узнал об этом. А вот что мне за это было — забыл.

Если в нескольких словах объяснить особенность возвращавшейся ко мне памяти, она состояла вот в чем. Я напрочь забыл самые важные события в жизни и отчетливо вспомнил то, что обычные люди забывают, а если и помнят, не придают этому значения. Я не помню о своих успехах в учебе в последнем классе, но помню, что на выданном аттестате был слегка надорван корешок и маме пришлось подклеивать его скотчем. Да что корешок... Я помню, что у пластиковой расчески, которой я раздирал свои длинные волосы, когда готовился к выпускному балу, не хватало двух зубчиков, а после расчесывания не стало хватать трех, и этот зубчик я отыскал в волосах только на пятый день. Нужно ли говорить, что бала я не помню совсем? Хотя он, как говорит мама, закончился дракой между параллельными классами — с вызовом милиции и прочими делами.

Так память стала моим кошмаром. Я помню все книги, что прочитал ребенком и подростком, но не помню, когда первый раз поцеловался с девочкой, если такое вообще было. Мой секс с Тамарой, которая вышла за меня замуж после моей травмы, — первый секс в моей памяти, хотя в жизни это было не так. Слава Игумнов рассказал мне о многих моих стыдных подвигах во время учебы в Литературном институте и проживания в общежитии на Добролюбова, 9/11. Но об учебе в Лите я не помню ничего, кроме, например, чертиков, что были нарисованы шариковой ручкой на столе в какой-то аудитории. И еще — что в такой-то день в общежитском буфете закончились коржики, а на мясной пирожок у меня не хватило денег. И еще — неровно наклеенную этикетку на бутылке вермута...

Слава говорит, что в прозаическом семинаре я был на отличном счету и мне прочили большое писательское будущее. Но когда я затребовал в институтском архиве свои студенческие работы и прочитал их, то пришел в ужас — настолько это было бездарно!

До Литературного института я учился в своем областном университете на геолога, собирался пойти по стопам родителей. Увлекался горным туризмом и даже сам водил группу на Кавказ. Но это все мне рассказала мама, сам я не помню об этом ничегошеньки.

Теоретически я мог бы отыскать сокурсников по университету и расспросить их об этом весьма интересном периоде своей жизни. Но какой смысл? Ведь то, что рассказывает мне Игумнов об учебе в Лите, не задерживается в моей голове, потому что это никак не стыкуется со мной нынешним... Я и *он* — разные люди...

В то же время именно Слава Игумнов оказался моим спасителем и лучшим психотерапевтом в той безвыходной ситуации. Когда кошмары слишком подробной, но бессмысленной памяти стали сводить меня с ума, он посоветовал направить их в русло текста. Щедро подарил дорогой и удобный ноутбук и купил мне и Тамаре месячный круиз на океанском теплоходе в ВИП-каюте. Из плавания я вернулся посвежевший и с почти готовым романом. Слава напечатал его, опять-таки из щедрости. Роман не только к моему, но и к его удивлению, что называется, пошел. Я приобрел славу «нового Пруста» и чуть ли не «нового Толстого». С тех пор и до недавнего времени мои книги были нарасхват. На них утвердилась настоящая мода среди ценителей интеллектуальной литературы (а кто из серьезных любителей чтения не считает себя ценителем?), их стали переводить на иностранные языки, за мной гонялись элитные режиссеры, в том числе и зарубежные. Мои завистники стали всерьез шептаться, что кто-то где-то как-то лоббирует мою кандидатуру на Нобелевскую премию...

Но не все коту масленица. Перенаправленная в русло романов, моя память вдруг объявила бессрочную забастовку. Она больше не терзает меня подробными деталями, если не считать постоянно повторяющегося сна про горы и пастуший балаган.

Память будто заснула. И это в скором времени грозит мне серьезными убытками, потому что слухи о том, что Иноземцев исписался, греют души моих завистников в отличии от слухов о Нобелевской премии, а в моем случае мнение узких кругов имеет отнюдь не узкое значение.

За последний год я не мог выдавить из себя ни строчки. И потому не тороплюсь с публикацией последнего романа и даже вступил в негласный сговор со своим редактором, чтобы это любым способом отложить.

И врача я поменял. Не хочу нормальной памяти. Хочу обратно, в свою болезнь...

Мефистофель

Этого врача мне порекомендовали год назад, и я в общем им доволен. Молодой, продвинутый, стажировался в Париже в Сальпетриер, потом в Вене, так что с Шарко и Фрейдом на дружеской ноге. И у него свой метод лечения болезни.

Мой психотерапевт снимает квартиру в Москва-Сити. Роскошный пентхаус в «Империя Тауэр» с окнами до пола и прекрасным видом на Раушскую набережную Москва-реки и первую московскую ГЭС. Мне нравится этот вид. Мне нравится соседство советской старины и новобуржуазного хай-тека. Когда-то ГЭС-1, придуманная Иваном Жолтовским в виде корабля, тоже была хай-теком, а теперь старушка дымит своими трубами напротив демонического Сити. Иногда я жалею, что не снял квартиру здесь, но сейчас обезьянничать уже не хочу.

Мой психотерапевт с изящной бородкой и еврейско-арабским лицом очень похож на Мефистофеля, но такого, который отказался от вредных привычек и вселенской скуки, исправно ходит в тренажерный зал и барбершоп, правильно питается, ведет регулярную половую жизнь и не заморачивает себе голову лишними проблемами.

Он три года назад вернулся из Вены в Москву, но, когда я смотрю на него, мне кажется, что никуда он не возвращался, так и продолжает жить в Европе, а в квартире своей, где он принимает пациен-

тов, возникает прямо из воздуха и только на время
приема. Он говорит без малейшего акцента, но тембр
голоса у него совершенно не наш, не российский,
как и манеры. В них совсем нет той жестковатости,
которая присуща нашим людям. В Москве он быстро
приобрел бешеную популярность. Я думаю, он до-
бился ее тем, что умеет обращать недостатки своих
клиентов в их главные достоинства. Поэтому к нему стоит очередь из людей искусства, шоу-бизнеса
и толстосумов с проблемными женами и любовни-
цами.

Признаюсь, мне он тоже нравится.

Сегодня приехал к нему на прием.

Обсуждаем мой перфекционизм. Странная болезнь... Она доставляет мне хотя и смешные, но
слишком навязчивые проблемы. Например, я рассказываю Мефистофелю, что когда я пишу тексты
на компьютере, то стараюсь, чтобы все висячие
строки в абзацах были одной длины. То есть их последние буквы и знаки препинания (точки, вопросы, многоточия) должны находиться строго друг
над другом. Я понимаю, что это бессмысленно —
даже с точки зрения конечной красоты текста, потому что в верстке все это пропадет, — но почему-то
мне это необходимо. Если этого нет, собственный
текст кажется мне дико неряшливым. Понимаю, что
насилую текст по смыслу и порчу, заставляя абза-
цы выстраиваться в одну вертикальную шеренгу,
но не могу ничего с собой поделать... Идиотизм!

— А если бы вы писали стихи? — задает Мефистофель правильный вопрос.

— Это абсолютно невозможно, — отвечаю я.

— Невозможно — почему?

— Вот по той же самой причине. В стихах ведь все строчки висячие. Я бы просто с ума сошел.

Другой врач сказал бы мне, что с ума я в принципе уже сошел и мне нужно лечиться. Но не Мефистофель. Он и эту особенность моей психики поворачивает в мою пользу.

— Перфекционизм — это стремление к идеалу, — говорит он. — Вы, как личность творческая, подвержены этому в большей степени, чем люди без творческой жилки. Это вам сильно мешает писать?

— Мягко говоря, да.

— При этом, — говорит он, — вы прославились как один из самых изощренных стилистов.

Больше он может ничего не говорить. Мы с ним понимаем друг друга, как два закадычных приятеля. Если мой перфекционизм мешает мне писать, но при этом я прославился как изощренный стилист, то не разумно ли предположить, что второе обстоятельство просто вытекает из первого? То, что мешает, на самом деле помогает. Свой гонорар сегодня он уже заработал.

Потом мы говорим о моем сне. Это наша любимая тема. Мефистофель объясняет, что череп в балагане не несет в себе никакой угрозы.

— Это не страх смерти, как вы, вероятно, думаете, — говорит он. — Скорее тут более интересная цепочка ассоциаций, в вашем вкусе. Древние, как вечность, горы... Голые скалы... Череп... Словом, вы меня понимаете...

О да, маэстро!

— Куда интереснее точка на белом снегу. Точкой являетесь вы сами. Вы ведь из тех людей, которые видят не стакан, а трещину в стакане, я правильно говорю?

— Да, — отвечаю я.

— Хорошо! Итак, трещина в стакане, инородное вкрапление в фарфоровой чашке или тарелке... Это вас терзает?

— Возможно.

— Вот! А в данном случае таким же нарушением идеала оказываетесь вы сами, причем в собственных глазах. Это очень интересно! И одновременно вы хотите подняться на перевал, но не можете этого сделать, и это вас тоже мучает. Перевал, на который вы не можете подняться, — это все тот же недосягаемый для вас идеал, а если говорить проще, незавершенное действие. И вот это чувство незавершенности и одновременно постоянно нарушаемого идеала возвращается к вам во сне снова и снова, что не менее интересно. Но если суммировать все сказанное, не окажется ли так, что вы просто всегда недовольны самим собой? Это мешает вам быть счастливым, но хотите ли вы счастья? Этимологически «счастье» — значит «часть». А вас разве устроит часть? С вашим-то стремлением к совершенству! Таким образом, мы имеем замкнутый круг. Недовольство самим собой мешает вам счастливо жить, но при этом вы не согласитесь ни с каким компромиссом, ни с какой частью. Так не разумнее ли понимать это противоречие не как проблему, а как творческий стимул, который, возможно, и есть ваше счастье, вы не находите? Как там у Гоголя? Говорит, словно пятки тебе чешет!

— Вы красиво все изложили, — замечаю я, — но забыли о том, что главный мой страх в этом сне — боязнь не проснуться...

— И вот это самое интересное! — восклицает Мефистофель и даже потирает руки от удовольствия. —

Разумеется, проще всего именно это трактовать как страх смерти. Ручаюсь, что другие врачи так вам и скажут, да еще и череп сюда пристегнут.

— А что на самом деле?

— Ну, если бы я знал, что на самом деле, я был бы не врачом, а толкователем сновидений. На самом деле никто в мире точно не знает, что именно означают сны. Поэтому мы с вами не сон разбираем, а вас на примере этого сна. Я понятно выражаюсь?

— Более или менее.

— Вот! И если мы говорим о вас, то задам вам тот же вопрос, с которого мы начинали наши сеансы. Вы сами-то хотите проснуться, Иннокентий Платонович? Не во сне, а в жизни? Вы хотите вернуть себе нормальную память? Не отвечайте, я отвечу за вас, если позволите. Вы этого не хотите! Если бы вы хотели, то давно разыскали бы свидетелей вашего прошлого и обо всем их подробно расспросили. В том числе и о том, что произошло с вами в горах. Но вы не хотите этого, потому что ваша избирательная память — это не ваш недостаток, а ваш дар! И этот дар вы боитесь потерять, верно? Вы его хотите вернуть, а не настоящую память о прошлом. Вот когда вы последний раз встречались со своей матерью?

Когда? А в самом деле — когда?

— Не хочу вам льстить, Иннокентий Платонович, но ваша главная проблема не в памяти, а в том, что вы слишком сложный человек. Да-да, не хороший и не плохой, а именно сложный! Скорее даже хороший, чем плохой, но в вашем случае не это важно. Важно другое. Готовы ли вы поступиться своей сложностью ради того, чтобы зажить нормальной, здоро-

вой жизнью? Если — да, то мы будем двигаться
в этом направлении. Если — нет, то…

— Что?

— То я ничем не могу помочь. И никто ничем
в этом случае не поможет. Только Господь Бог, а Его
нет.

Расстаемся совершеннейшими товарищами.

— Когда я смогу снова прийти на ваш сеанс?

— В любое удобное время, только позвоните.

Спасенная от горца

Сегодня у нас что-то новенькое. «Спасенная горцем». На самом деле серия — старая как мир. Про этих «горцев» написано уже миллион книг и снято сто сериалов. Но Пингвиныч надеется в отработанной руде накопать еще что-то. По словам Игумнова, Варшавский отлично наладил конвейер в своем отделе и на него работает уже целая армия молодых писательниц. Но Вике писать он категорически не советует, хотя девочка рвется в бой, мечтая о славе новой Донцовой. Пингвиныч говорит, что у Вики куда более серьезные ресурсы и перспективы, но ей не надо спешить. Надо набраться опыта и *рвануть бомбой*. Однако из спальни своей сквозь дверную щель я не раз замечал, как Вика по ночам включает свой старенький ноутбук и что-то яростно строчит. Ох, чувствую, она *рванет*! Так, что и от меня клочки полетят!

Он был похож на древнего воина. Килт обнажал мускулистые ноги. Он возвышался над другими мужчинами.

— Скажи, Вика, вы, женщины, действительно представляете в своих фантазиях мужчин именно такого типа?

— Какого?

— Ну, таких культуристов с квадратной челюстью, с буграми мышц под кожей и мускулистыми ногами.

— Конечно! А что тебя удивляет?

— Но они же... дебилы.

— А вы любите умных женщин? И не мечтаете о глупых блондинках с большими сиськами?

— Возможно, но мы не признаёмся в этом публично.

— Потому что вы трусы, а любовные романы — территория женского откровения. Нам плевать на то, что об этом думаете вы!

Джинна унаследовала от матери рыжие волосы и бледную кожу, но глаза ее были слишком большими, и слишком большим был ее рот. К тому же она была полновата. Зато у нее было хорошее приданое — замок, завещанный отцом.

— Скажи, папик, а ты бы женился на богатой девушке? — неожиданно спрашивает Вика.

— Ни за что! Иноземцевы — не продаются!

— А если бы она тебя искренне полюбила?

— Я тебя умоляю! Что такое любовь? Ее придумали женщины. Сходи в зоопарк и проведи час возле обезьянника. Полюбуйся, как один самец куртуазно ухаживает за самкой, а другой — задумчиво онанирует в сторонке. «Папа, а что он сейчас делает?» — «Пойдем, дочка, посмотрим на слона». Да, слонам с этим сложнее.

— А как же твоя жена? Ты ее не любил?

— Это другое. Со мной случилась беда. Тамара тогда была рядом. Мы с ней прожили хорошую жизнь.

— Ты говоришь об этом уже в прошедшем времени. Ты окончательно от нее ушел?

— Я никуда не уходил. Я всегда жил один, в своем автономном пространстве, и никого в него не впускал.

— Но ты же впустил меня. И, кстати, не хочешь выпускать.

— Ты мне интересна... Ты кого-то напоминаешь, только не вспомню — кого? Может, девочку из параллельного класса... Или — двоюродную сестру, в которую я был влюблен еще подростком.

— Значит, все-таки был влюблен?

— О да! Когда мы с ней в шутку боролись на диване, ее короткая юбка задиралась до самого пупка.

— Да ну тебя! Читай дальше!

Джинна с ненавистью думала о замужестве с человеком, которому нужны только ее деньги. В сердце своем она хотела мужчину, который полюбит ее.

— Что ты думаешь о Джинне? — спрашивает Вика.

— Как и все вы, она помешалась на Большой Любви и кроме этого не видит вокруг себя ничего. Вот что сказала мне одна моя знакомая, карьерная женщина, но и мать троих детей: «Вы, Иннокентий, не знаете женщин. Имейте в виду, когда девочка отправляется на первое свидание с мальчиком, она в голове уже проводила с ним сына в армию». Давай, колись, ты уже проводила со мной сына в армию?

— Почему именно сына? — задумчиво возражает Вика. — Может, это будет дочь? Зависит от того, кто кого любит сильнее.

— Предрассудок, не подтвержденный статистикой, — ворчу я. — Ты еще про курицу и огурец вспомни. «Если снится курица — значит, будет дочь», как говорится? Стыдно, Вика!

Нужно ли говорить, что великолепный горец с орлиным носом и аршинными плечами влюбился в нашу рыжеволосую толстушку Джинну с первого взгляда? Когда Джинна возвращается с турнира, где увидела сурового горца, на нее нападает шотландский барон, который мечтает завладеть замком ее отца. Отец Джинны стар и слабеет на глазах, и местные барончики подбираются к его замку через дочь, однако она всем резко отказывает. Тогда один из баронов решает ее изнасиловать. Но отважный горец спасает ее.

— Что здесь верно схвачено, — говорю я, — так это то, что все девушки просто грезят о том, чтобы их изнасиловали. Ручаюсь, что некрасивая толстенькая Джинна воображала это не один раз — причем в разных вариантах.

Вика смотрит на меня, выдвинув нижнюю челюсть.

— Ты и правда так думаешь? Ты уверен, что девушки мечтают об изнасиловании?

— Неправильно меня цитируешь. Не мечтаете, а грезите. А потом всю жизнь мстите мужчинам за первый половой опыт, который вы, в отличие от нас, воспринимаете как что-то эпохальное. Зигмунд Фрейд заметил, что, когда женщину бросает ее первый любовник или муж, она бессознательно мстит следующему, потому что не отомстила предыдущему.

Мы сидим в полутьме при свете торшера, зрачки Вики сильно расширены. Ее глаза из карих становятся черными. И смотрит она на меня как-то странно... Нижние зубы закусили верхнюю губу так, что я физически чувствую, как ей больно. Ее задели мои слова, но не об изнасиловании (это она записала в блокнотик), а о мести за первый половой опыт.

Мне вдруг становится не по себе. Господи! Что я знаю об этой девочке, о ее прошлом? Откуда она вообще здесь взялась? И почему я впустил ее?

Однажды Вика застала меня голым. По утрам я обычно просыпаюсь от ее пения на кухне. Но как-то я не спал всю ночь и отправился в душ рано, пока Вика еще спала. Когда я, что-то мурлыкая себе под нос, перешагнул через край душевой кабины, Вика неожиданно вошла в ванную комнату, потому что я не запер дверь. Увидев меня в чем мать родила, она встала как вкопанная. Мне показалось, она испытала настоящий шок и потому не отвернулась, не выбежала с криком «ой, извини, я не знала!», а стояла в шаге от меня и, разинув рот, смотрела на то, на что смотреть не следовало.

— Закрой рот, — сказал я, — и дверь тоже.

 Она так и сделала, но не так, как нужно.

— Я имел в виду — закрой с другой стороны, — уточнил я.

Тем утром мы завтракали в полном молчании. У нее был загадочный вид. Временами она бросала на меня удивленный взгляд.

— Что тебя так удивило? — спросил я. — Я не похож на нормального голого мужчину?

Можно подумать, она никогда *этого* не видела! С ее-то темпераментом. Они лишаются девственности в пятнадцать лет. Она хотела лечь со мной в постель в первый день нашего знакомства, и если бы не моя порядочность...

Продолжаем читать про горца. Но почему-то мне кажется, что Вика меня совсем не слушает.

— Папик, — неожиданно ласково просит Вика, — расскажи, как ты разделался с тем ублюдком.

— Но я уже рассказывал...

— Ну па-апик! Расскажи!

Это случилось несколько дней назад. Я возвращался из издательства и возле дома увидел трех молодых кавказцев. Они стояли у подъезда и что-то горячо обсуждали. Про одного из них, Нугзара, я наслушался от соседей с первого дня, как переехал сюда. Сын богатого папаши, криминального бизнесмена, имени которого лучше не произносить вслух. Ездит на «ягуаре», возит девочек в наш дом, где у него квартира, из которой он сделал трахательный полигон. Время от времени учиняет пьяные дебоши на весь подъезд, но лучше с ним не связываться, в милиции у его папы все схвачено, так что даже и не думайте, Иннокентий Платонович!

Мне не понравилось, как Нугзар поставил во дворе свой «ягуар», — так, что закрыл места для парковки еще как минимум трем машинам.

— Нугзар, — сказал я, — ты бы подвинул тачку. Видишь, сколько снега навалило, парковаться негде.

Нугзар спорить не стал. Он был выше этого.

— Конечно, Иннокентий! С пацанами перетрем, и я уеду.

Вот и ладненько.

Но в квартире я увидел заплаканную Вику с красным пятном на щеке.

— Что случилось?

Оказывается, эта макака в дорогих джинсах с постоянно отклеченной, как подобает горному орлу, жопой давно не дает Вике прохода. Видно, она ему понравилась, а к отказам девиц он не привык. К тому же он знает, на каких правах Вика живет у меня, и, разумеется, понимает по-своему. Сначала он просто спросил ее, сколько я ей плачу, заранее предлагая больше. Потом, сука, стал угрожать, что отвезет ее в лес, изнасилует и закопает. А сегодня вечером, когда она снова его послала, на этот раз при свидетелях, врезал ей оплеуху.

Все это я выслушал не раздеваясь и тут же пошел разбираться.

— Не ходи! — крикнула Вика. — Их там трое!

Как будто я этого не знал.

Парни все еще стояли у подъезда.

— Нугзар, — громко сказал я, — пацаны в курсе, что ты педрила? А может, не знают?

Нугзар ниже меня ростом, но он качок. Я понимал, что шансы мои против него практически равны нулю, а против троих уходят в минус бесконечность. Я понимал, что через минуту огребу по полной, но меня уже несло.

— Нугзар, зачем ты пристаешь к девочке? Все знают, что у тебя член стоит только на пидарасов. Пацаны, а вы, случайно, тоже не пидарасы?

Похоже, неминуемое возмездие откладывалось только благодаря моей наглости. У этой троицы просто заклинило в мозгах. И это был мой единственный шанс.

Когда-то меня травили в школе. Подобные травли среди подростков ничем не мотивированы, и не имеет смысла их морально осуждать. Это закон человеческой стаи. Однажды стая выбирает жертву и преследует ее, потому что подспудно это заложено в нашей животной природе, но не находит выхода. Такая травля прекращается так же немотивированно, как и начинается. Ее нужно просто вытерпеть, но при этом не дать себя опустить. Я этого закона, конечно, тогда не знал, но интуитивно действовал правильно: дрался, кусался и брыкался, в результате получая по первое число, конечно, но и оставляя за собой хоть маленький след из крови противника. Родителям не жаловался, учителям — тем более.

Но однажды мне это надоело. Я накопил из денег на школьные обеды три рубля, обменял эту мелочь на одну зеленую бумажку и пошел к главному дворовому хулигану с просьбой типа «Побей, но выучи». Он сидел на краешке детской песочницы и курил, что в его пятнадцать лет было вызовом всему мировому человечеству. Я молча протянул ему трехрублевку. Парень так же молча сунул ее в накладной карман рубашки и только тогда с интересом посмотрел на меня.

— Ребята достали, — сказал я. — Научи, как отвязаться.

— Выруби одного, — ответил он, — остальные отстанут.

— Но как?

Парень смерил меня медленным взглядом с головы до ног, прикидывая мои возможности.

— Короче, так, — сказал он, сплевывая мне под ноги. — Бей или беги! Но и то, и то, делай без предупреждения.

— Как это?

— Ну вот мы с тобой сейчас базарим?

— Да.

— Ну вот я встал (он встал) и продолжаю с тобой базарить?

— Да.

— Это неправильно.

— А как правильно?

— А вот так!

И поганец врезал мне кулаком в кадык. Когда я захрипел и схватился за горло, двинул ногой в пах. Когда я согнулся пополам, вмазал коленом в переносицу.

И неторопливо ушел, оставив меня истекать кровью.

Но я не зря потратил свои три рубля. Буквально на следующий день я таким же манером вырубил вожака стаи в школе. И травля тут же прекратилась.

Когда Нугзар захрипел, потом охнул, потом забулькал и сполз по стене, откинув голову и держась одной рукой за яйца, а второй — за сломанный нос, его дружки сперва отпрянули и начали озираться в поисках группы поддержки, которую я, по их понятиям, обязательно должен был вызвать. Иначе не вышел бы из подъезда такой в себе уверенный. Увидев, что никого нет, они двинулись ко мне. При этом молчали. Это было самое нехорошее. Если бы они подняли кипеж, это означало бы, что они великовозрастная шпана. Но это были парни серьезные.

Бежать поздно. Да и куда бежать от своего дома, где на пятом этаже сидит Вика и они, если я сбегу, первым делом пойдут к ней. Но удивительно, что, отступая, я не испытывал страха и не думал о том, что сейчас меня убьют или покалечат на всю оставшуюся жизнь. Почему-то я представлял себе именно это: как они поднимаются на лифте и звонят в мою дверь, как Вика открывает им, думая, что это я… И все, что происходит потом, я прокрутил в голове очень ярко, во всех подробностях. А прошла всего минута. Странная штука — человеческий мозг…

О том, что случилось после, я Вике не рассказывал. Из тьмы зимней ночи ярко блеснули фары, и к нашему подъезду медленно подкатил «мерседес» последней модели. Фары светили так мощно, что мы невольно закрыли руками глаза. Потом они потухли, и со стороны переднего пассажирского сиденья вышел круглый дядечка в дорогом костюме, с благородной сединой и тоже кавказской национальности, но уже как бы «московский». Это и был отец Нугзара. Страшный криминальный авторитет.

— Что тут происходит? — спросил дядя с неярко выраженным кавказским акцентом. — Кого мочили?

Дружки Нугзара посмотрели на него подобострастно и бросились объяснять ему что-то — не по-русски.

— Вас я не спрашиваю, — презрительно отрезал дядя. — Нугзар, что тут было? Кто тебя так избил?

— Я его избил, — сказал я.

— За дело? — уточнил он.

— За дело.

— Если за дело, тогда правильно, — неожиданно легко согласился он. — Нугзар! Подойди ко мне.

Тот с явной неохотой повиновался.

— Сядь в машину, — приказал отец.

Сынок поплёлся к своему «ягуару».

— Нет, не туда. В мою машину. А вы, — отец Нугзара посмотрел на его дружков, — отгоните его тачку в мой гараж.

— Ну, рассказывай, — снова обратился он ко мне. — Если ты был прав, ничего тебе не будет — клянусь!

Рассказал...

— Где научился драться?

— В школе.

— Хорошая была школа!

— Ну, и что мы будем делать дальше? — спросил я, чувствуя, как у меня постыдно дрожит голос.

— Дальше? Дальше мы ничего делать не будем. Ты был прав, Нугзар — неправ. Сколько раз я говорил: «Сынок, никогда не бери чужого! Никогда не путай обычных блядей с порядочными девушками!» Не понимает, щенок! Ничего, дома с ним мать говорить будет. Так с ним говорить будет, что мне уже самому страшно становится. А ты иди к своей девушке и никого не бойся. Вот моя визитка. Нужно — звони. Я таких уважаю! Жаль, что ты его корешей не отмудохал.

Когда они отъехали на двух машинах, я посмотрел на визитку. «Гиви Ашотович Жвания». Профессии — никакой. Но телефон есть, сотовый. Визитка, конечно, дорогая. С золотым тиснением.

Вика сидит на диване, положив подбородок на коленки, и смотрит на меня сияющими влюбленными глазами. Кажется, даже ее ночнушка светится от счастья. На следующий день Нугзар встретил ее у подъезда и галантно, как это умеют кавказцы, извинился, подарив огромный букет алых роз. Дурочка не нашла ничего умнее, как водрузить его в вазе на журнальный столик. Разумеется, я тут же выбросил букет в помойное ведро. Но я был доволен. Я чувствовал себя героем. Я ведь не знал, что появится отец этого дебила, у которого были какие-то дела с сыном. И появится, честно говоря, вовремя.

С этими мыслями роман о влюбленной девушке и чудо-горце читается повеселее. Мы только на середине книги, а герои уже вернулись из церкви мужем и женой. И вот оно — главное!

Она сомкнула бедра по сторонам его головы и выгнулась, вся отдаваясь блаженству. «Не останавливайся!» — хрипло скомандовала Джинна. Он не остановился! Губы его сомкнулись на ее крошечном бугорке, и — милосердное небо! — он начал...

— Ты не против, дорогая, если я сполосну рот виски? — спрашиваю я и наливаю себе пятьдесят грамм.

— Мне тоже, — командует Вика.

— Обойдешься! Между прочим, я ни разу не видел твой паспорт. Откуда мне знать, что тебе восемнадцать? Может быть, ты раньше пошла в школу и родилась в декабре.

— Я родилась в августе, и ты это знаешь. Мы с тобой отмечали мой день рождения. Но допустим, я родилась в декабре. Что дальше?

— А это уж как решит судья. От пяти до восьми лет за попытку совращения несовершеннолетней.

— Ты плохо знаешь Уголовный кодекс. Вам, мужикам, давно вышла амнистия, и по согласию вы можете делать это с нами в шестнадцать лет. Ты просто отстал от жизни, папик.

— Не смей называть меня папиком!

— Какая прелесть! — мечтательно говорит Вика, закатив глаза. — Тебя посадят в колонию, а я буду приезжать к тебе на свидания. Нам отведут отдельную камеру с кроватью...

— Ага, щас! Насмотрелась американских фильмов. Хотя, знаешь, я не против посидеть в тюрьме.

Наберусь нового опыта, напишу об этом крутой роман, как Андрей Рубанов.

— Кто это? — зевая, спрашивает она.

Я замечаю, что Вика почти засыпает. Подозреваю,
что роман про горца был нужен ей только для того,
чтобы я еще раз рассказал историю этой драки. Про
спасенную *от горца*.

ПАПИК С СОБАЧКОЙ

Сегодня Вика внезапно улетела к матери в С., и я могу пару дней отдохнуть от любовного чтива.

Вика отправляется к маме в третий раз, и всегда внезапно, и всегда на выходные. Причина поездок всякий раз загадочная: «Я чувствую, что с Дашей что-то случилось».

В моей жизни произошли перемены. У нас в квартире появилась собака. Завел ее, конечно, не я, а Вика. Хотя она знает, что я терпеть не могу домашних животных. Меня воротит от слюнявой любви к этим котикам, песикам... Нет для меня противнее зрелища, чем видеть в своем парке овчарку, со скорбной мордой какающую на белый снег. Впрочем, какой там белый! Эти домашние любимцы загадили весь парк, превратив снег в отвратительное желто-коричневое месиво, а в нем, между прочим, кувыркаются дети.

Видите ли, по заданию газеты «Московский комсомолец» Вика оказалась в приюте для бездомных собак. Увидела там Лизу, и сердце девочки растаяло. Лиза — ирландский шпиц. У собачки не хватает левой передней лапки. Что с ней случилось и кто были ее прежние хозяева, неизвестно, но в таком виде ее притащила в приют добросердечная гражданка — и как раз тогда, когда Вика брала интервью у владелицы скорбного собачьего заведения.

Едва девочке продемонстрировали эту собачью кунсткамеру без ушей, носов, челюстей и с тележками вместо задних ног, она, само собой, разрыдалась, схватила Лизу в охапку и не выпускала до самой моей прихожей. Задыхаясь от слез, Вика описывала мне всю эту хрень, перевернувшую ее сознание, а я с ужасом рассматривал дрожащий от страха рыжий трехногий шарик с пушистым хвостом, стоячим меховым воротником, ехидным носиком и глазенками-маслинами. Я уже мог ничего не говорить. Если дитя притащило в дом животное, выставить за дверь можно только сразу обоих.

И вот вместо обычных медитативных прогулок, между прочим, строго прописанных врачом, я по утрам и вечерам гуляю в парке с собачкой-инвалидом. Потому что Вике всегда некогда, она вечно занята: у нее же заботы, у нее танцевальный кружок, у нее, черт побери, любовные романы, а я ни хрена ничего не делаю, я за целых пять лет написал всего пять книг, а у нее вон их сколько свалено на полу возле дивана, и все нужно прочитать, на все сочинить рецензии и еще маме не забыть написать — попробовал бы я жить в таком режиме, небось, взвыл бы, и вообще, мне для моей фигуры полезно гулять, без разницы, с собачкой или без, так что бери поводок и ошейник, папик, и, кстати, поторопись, не то Лизанька сейчас описается...

И все бы ничего, но мне приходится общаться с другими собачниками и собачницами. Последние проявляют к Лизе повышенный интерес. Сначала они сочиняли ей *биографию* — в разных вариантах, но всегда с ужасающими подробностями, где попадание под машину было самым мирным сценарием ее прежней жизни. А так ее били, пытали и даже, кажется, пускали на органы для других собак. Мне оставалось только изумляться богатой фантазии этих добрых женщин, чьи мопсы в это же время старательно облаивали Лизу. И теперь уже мне приходится рассказывать им о нынешней Лизиной жизни, которой так повезло, так повезло, что и говорить! А заодно и о своей жизни *с дочкой*, которую они, конечно, уже приметили и вот не могут взять в толк, а где же ее мама, то есть моя жена, она, что ли, вас бросила, или вы, не дай бог, вдовец? Если бы я рассказал им правду, а именно то, что пустил к себе жить восемнадцатилетнюю девушку, но при этом не сделал своей любовницей, подозреваю, они приняли бы меня за маньяка, причем самого изощренного толка. Поэтому я вынужден сочинять для них уже биографию Вики. Да, дочка... но, уж простите, внебрачная. Грех, видите ли, молодости. Да, вы правы, за все однажды нужно платить. Приехала из С., не поступила в институт, где ей жить, не в рабочей же общаге, вы знаете, какие там нравы, а как-никак дочь, родная кровиночка. Сердце-то не камень.

Но я был вознагражден или, лучше сказать, отомщен за свои мучения. Лиза оказалась не простой сучкой, а настоящей женщиной. Она влюбилась в меня с первого взгляда, с того самого момента, как Вика спустила ее с рук на коврик в моей прихожей. И уж как только Вика с ней ни тетешкалась, как только ни наряжала ее в разные смешные комбинезончики, относя их обратно в собачий магазин, потому что они, видите ли, не шли Лизе по фасону, как ни повязывала на лобик всевозможные бантики —

Лиза почему-то полюбила меня, а не свою спасительницу.

Когда мы с Викой сидим друг напротив друга и терзаем очередной любовный роман, Лиза категорически отказывается лежать на диване рядом с моей мучительницей. Она прыгает мне на колени, часто при этом не удерживая равновесия (трудно, на трехто лапах!) и скатываясь кубарем обратно на пол. Устроившись на мне, она блаженно закрывает глазки и дремлет, но временами печально вздыхает, как бы говоря: как я тебя понимаю, папик! как тебя достала эта сучка Вика! и зачем ты ее держишь! как было бы нам хорошо без нее... Сидели бы эдак молча возле электрического камелька, дремали и видели сны, быть может...

Но и это еще не все. Лиза была явно избалована в своей прежней жизни. Она не привыкла спать ночью на коврике, а в спальню к себе я ее, конечно, не пускаю. Но и с Викой на диване, как бы та ее ни приручала, она не желает спать. Она карабкается по ступеням на антресоль и спит в моем рабочем кресле. Вообще она вообразила себя моим охранником! На прогулках лает на всех, кто ко мне приближается, за исключением знакомых собачниц, так что мне даже приходится ее урезонивать.

Вика злится, дуется и на Лизу, и на меня.

— Почему она выбрала тебя, папик?! Это несправедливо, ведь это я забрала ее из приюта!

— Потому что она женщина, — холодно говорю я. — К тому же, думаю, не лишенная вкуса.

Однако главного секрета я Вике не выдам. Мне совестно до кончиков волос, но я втихаря подкармливаю Лизу разными вкусностями — от кусочков сырого мяса, которое она обожает, до всяких косточек и витаминных палочек из собачьего супермаркета. Я делаю это втайне от Вики. Мне будет очень стыдно, если она это увидит.

Накануне своего отъезда Вика милостиво согласилась не мучить меня чтением вслух нового любовного романа, а рассказала сюжет одного текста, якобы присланного в издательство по электронной почте. Она хотела знать мое мнение.

— Представь себе: лето, Сочи...

— Очень хорошо представляю, — говорю я, мечтательно глядя в черное окно, за которым уже наступила ранняя зимняя ночь.

— Ну во-от... В Сочи приезжает очень молодая и очень богатая русская леди...

— Это вряд ли, — возражаю я. — Очень молодая и очень богатая русская леди поедет в Сочи только по этапу и только по решению суда. А так очень молодая и очень богатая русская леди полетит, допустим, на Мальдивы.

— Нет, ты сначала дослушай! У нее душевный кризис. Она разочаровалась в жизни, в своем окружении. Она хочет новых людей, новых впечатлений...

— Так не отправиться ли ей сразу в Урюпинск? — предлагаю я.

Вика начинает сердиться.

— Урюпинск не подходит по сюжету! Нужен Сочи!

— Ладно. Продолжай.

— Ну во-от... Значит, она приезжает в Сочи и гуляет по вечерам на набережной одна-одинешенька...

— Одна, без охраны?

— Без...

— Это мужественно с ее стороны.

— Ну во-от... И однажды на прогулке она обращает внимание на одинокого пожилого мужчину с собачкой. Ну, скажем, шпицем, как Лиза. На нем потертый пиджак, в руке палочка, его длинные седые волосы развеваются по ветру. Когда он проходит мимо нее, ее поражают его голубые, глубокие и как бы отсутствующие глаза. Словно он пришелец с другой планеты.

— Надеюсь, так оно и есть?

— Нет, что ты, папик! Он художник! Гениальный, но непризнанный, как все настоящие гении. Он живет на гроши, пьет дешевый портвейн, а Лиза — то есть этот шпиц — единственное существо, которое его понимает без слов.

— В этом месте уже можно разрыдаться?

— Выслушай до конца! Однажды вечером к молодой и богатой леди начинают приставать пьяные кавказцы. Художник вступает с ними в бой, и вдруг оказывается, что под этим серым пиджаком скрываются не только горячее сердце и пламенная душа, но и крепкие мускулы, которые он натренировал в Афганистане...

— Надо думать, шпица он приобрел там же?

— Ты издеваешься надо мной?! Шпиц остался от его бывшей возлюбленной, которая его жестоко бросила. У него послевоенный синдром, с которым не могут справиться врачи. Временами он впадает в бешенство и крушит все вокруг себя!

— И рисует «Ужасы войны»?

— Ты догадлив! Эти картины никто не может понять, в них просто зашкаливает экспрессия! И вот благодарная за спасение девушка...

— Девушка? — уточняю я.

— Девушка, женщина, какая разница?!

— Все-таки существенно...

— Пусть будет девушка. Примерно такая, как я.

— Да, хорошо представляю.

— Ну во-от... Благодарная за свое спасение девушка знакомится с ним, и они начинают гулять вместе. Художник сначала относится к ней недоверчиво, но его обезоруживает то, что его преданный четвероногий друг сразу принимает девушку в их семью. Он радостно визжит и бросается к ней навстречу, едва завидев ее на набережной...

— Четвероногий? — опять уточняю я. — Это кобель или сучка?

— Какая, к черту, разница?! — сердится Вика. — Это любовный роман, а не твой гребаный реализм. Пусть будет кобель.

— Ладно.

— Ну во-от... Постепенно она узнает о бывшей и нынешней жизни художника и просит показать картины. Он с неохотой соглашается и, когда приводит ее в свою мастерскую, страшно волнуется, но не показывает виду...

— Стоит в стороне и пьет портвейн?

— Согласна! Она видит картины, и они поражают ее своей гениальностью. Она рыдает и говорит, что эти картины должен увидеть весь мир — все человечество! Она предлагает устроить персональные выставки в Москве, в Париже, в Нью-Йорке! Она кричит, что не оставит его здесь, в этом зачуханном городишке...

— Погоди! Это Сочи или все-таки Урюпинск?

— Ну да, я оговорилась... Сочи. Словом, она не оставит его погибать в одиночестве. Но он категорически отказывается. Он слишком гордый, чтобы воспользоваться ее чувствами. Он думает, что она его просто пожалела, а он между тем в нее влюбился, но понимает, что их союз невозможен. Он начинает говорить ей грубые слова, он оскорбляет ее, чтобы она его бросила и продолжала спокойно жить своей жизнью. Однако он ее не знает! Она тоже в него влюблена, но ей кажется, что такой мужчина может ее только презирать и никогда не сможет ее полюбить. Она принимает оскорбления за чистую монету, и они тяжело расстаются.

— Печально.

— Ну во-от... Она улетает в Москву или там на Мальдивы. Но однажды она находит в интернете свой портрет его работы. И это совсем, совсем другая картина, чем те, что она видела в мастерской...

— Наш гений исписался?

— Исписаться может писатель вроде тебя. Про художника так не говорят.

— Спасибо на добром слове. Но ты права. Я хотел сказать: наш гений выдохся.

Вика снова сердится, а Лиза на моих коленях издает тяжкий вздох.

— Как же ты не понимаешь? Не исписался, а стал нормальным! Она встряхнула его душу, и все в ней встало на свои места. Это называется любовь, если ты еще не в курсе.

Вика отправляется на кухню заваривать чай — дает мне время осознать, до какой степени я тупой.

— Ну во-от... — говорит Вика, подавая мне стакан чаю в моем любимом серебряном подстаканнике. — Героиня летит в Сочи, встречается со своим возлюбленным, они устраивают самую скромную свадьбу, как в фильме «Ребекка»...

— Ого! — удивляюсь я.

Вика смеется. Я понимаю, что она меня разыгрывает, но упоминание великолепной «Ребекки» — это попадание в точку. Да, эта девочка не перестает меня удивлять. Откуда она знает, что я обожаю черно-белое голливудское кино?

— Ну во-от, — продолжает она. — Они отправляются в Монте-Карло, где у героини есть своя вилла, и живут там долго и счастливо.

— И умирают в один день?

— Типа того.

— Мне нравится твой роман, — говорю я почти искренне. — Я опасался, что героиня откажется от богатства и вступит на трудный путь жены нищего художника. Это было бы слишком банально. А Монте-Карло — это ничего, живенько!

— Ты благословляешь меня это написать?

— А разве тебе нужно мое благословение?

Когда Вика уезжает в аэропорт, я устраиваюсь с Лизой на диване и перечитываю «Даму с собачкой».

Развод по-итальянски

Лиза нетерпеливо повизгивает возле двери в спальню. Едва открываю дверь, как она бросается в прихожую и начинает скулить там. Понятно: девочка просится в туалет. Несколько секунд туго соображаю, что меньшее зло: отправиться с ней на прогулку, не приняв душ и не позавтракав, или потом вытирать за ней лужу?

Выбираю первый вариант. Но в этот момент раздается звонок от Тамары. Я знал, что рано или поздно разговор состоится, однако не представлял, насколько он будет неприятным.

Приказным тоном Тамара говорит, чтобы я приехал к шести часам вечера.

— Не опаздывай!

— Черт возьми, Тамара! Ты прожила со мной двадцать лет и до сих пор не знаешь, что я никогда не опаздываю?

— Тебя не было целый год, — говорит она.

— Зачем приезжать? Что случилось?

— Это не телефонный разговор.

— Макс что-то натворил?

— Он в полном порядке.

— А ты?

— Лучше всех. Как бы ты ни мечтал о другом.

Как я ненавижу эту вечную бабскую недоговоренность, все эти тонкие намеки на толстые обстоятельства! И они еще говорят нам, что больше всего ценят в мужчинах честность и прямоту!

Ровно в шесть часов стою у двери мневниковской квартиры. Стою и думаю: позвонить или открыть своим ключом? Достаю ключи. Какого черта, это все еще моя квартира! Это я купил ее, когда пахал как проклятый на редактуре сериалов. Со мной обращались как со скотом, который не жалко загнать. Звонили ночью с требованием переписать ту или иную сцену. Я иногда плакал от злости, но пахал, пахал... Ну как же, я чувствовал свою ответственность перед семьей...

В прихожей сталкиваюсь лоб в лоб с Тамарой. Она услышала, что я открываю дверь, и выбежала встречать. В переднике, раскрасневшаяся, со следами муки на щеке. Боже, кто это у нас тут такая расторопная хозяйка? Что-то я не замечал такой раньше. Нет, определенно что-то случилось.

Тамара просто источает приветливость.

— Здравствуй, Кешенька! Проходи в зал!

Она бы еще сказала: «Не стесняйся». Я ей гость?! Где мои тапочки?

Жена убегает («Сейчас будет пирог!»), а я прохожу в зал и вижу свои тапочки на Сергее Петровиче. Сергей Петрович сидит в моем кресле. В другом — Максим с кислым лицом.

Сергей Петрович — наш сосед по лестничной клетке. Бывший вертолетчик, ликвидатор последствий аварии на Чернобыльской АЭС. Если бы не было Чернобыля, он бы еще где-нибудь что-нибудь ликвидировал. Рано ушел на пенсию, потому что ветеран, льготник. Нет, правда, хороший мужик, но прямой как палка и честный, как залысины на его голове. Говорят, что вертолетчики рано лысеют, потому что у них от вибрации выпадают корни волос. Мы с ним выпивали несколько раз на кухне (без фанатизма, он этого не любит), и я не знал, о чем с ним разговаривать. Трудно представить более непохожих людей, чем он и я. На все вопросы ждет прямых и исчерпывающих ответов. Например: «Как пишется, Иннокентий?»

Думаю, пока я ехал к Тамаре, он успел вынести Максиму все мозги. Типа так: «Как с девочками? Пользуешься презервативами? Не стесняйся покупать. Это ложный стыд».

Сергей Петрович часто бывает у нас. Во всяком случае, бывал раньше. Но приходил он главным образом не ко мне, а к Тамаре — советоваться, как ему вести себя с Люлюнчиком. Люлюнчик — его жена. Она умерла год назад, в тот самый день, когда я переезжал из Мневников в центр, тихо и мирно обсудив переезд с Тамарой и объяснив ей, что так поступить советует мой врач. Хотя не думаю, что она мне поверила. Наверное, сейчас Сергей Петрович пришел не вовремя, а Тамаре неловко было не оказать гостеприимства. Хотя что она теперь может ему советовать? Как жить без Люлюнчика?

Жена Сергея Петровича несколько лет находилась на гемодиализе, у нее не работали почки. Два раза в неделю Петрович отвозил ее на своей убитой, но еще боевой «шихе» в гемодиализный центр и сидел в палате всю процедуру. Тамара восхищалась его героизмом и несколько раз ставила мне его в пример. Наконец я не выдержал: «Как жаль, что у тебя здоровые почки! Не имею возможности доказать тебе свою преданность». Жена обиделась.

Но какого черта он в моих тапочках?

Тамара с довольным видом приносит пирог с капустой и разливает чай на четверых. Она изменилась. Стала не такая напряженная, как раньше. Словно освободилась от какой-то тяжести. Неужели от общения со мной?

Подумав, Тамара достает из серванта початую бутылку коньяка. Но это не мой коньяк. Буду я пить краснодарский коньяк!

— По маленькой, мальчики? — кокетливо спрашивает она и, не дожидаясь ответа, достает из серванта две стопки.

Киваю ей на Максима:

— Мальчик тоже не маленький, ему семнадцать.

— Я не хочу, — бурчит сын.

— Это правильно, — говорит Сергей Петрович. — Я до двадцати лет стеснялся выпивать в присутствии матери.

Вот зануда!

— Максим, можно тебя на минутку?

В прихожей даю Максу пять тысяч.

— Иди сходи в ресторан с девочкой.

— У меня нет девочки, — сердито говорит Максим.

— Тогда с мальчиком. Шутка. Короче, ноги в руки, вали отсюда! И скажи спасибо, что избавляю тебя от этого разговора.

— Спасибо, пап...

Возвращаюсь. Тамара выглядит недовольной. Сергей Петрович тоже поджимает губы.

— Может, вы и правы, Иннокентий, — говорит. — На вашем месте я поступил бы так же.

— А вы и сидите на моем месте, Сергей Петрович, — говорю. — На моем месте и в моих тапочках. Как бы вы поступили, если бы я уселся за штурвал вашего вертолета в вашем шлемофоне?

— Иннокентий, — торжественным голосом произносит Сергей Петрович, — я буду с вами откровенен! Мы с Тамарочкой решили объединить наши судьбы!

Боже, как пафосно.

— Нам непросто далось это решение, — продолжает он. — Вы, конечно, знаете, что со смерти моей жены прошел всего год, знаете, как я ее любил. Весь этот год Тамарочка поддерживала меня. Не представляю, что со мной бы было, если б не ее душевная поддержка. Возможно, я просто сошел бы с ума.

Было бы с чего сходить.

— Тамара — удивительная женщина, — рассказывает он мне о моей жене. — Она никогда бы не согласилась с моим предложением, если бы не ваш внезапный отъезд и... хм-м... некоторые новые обстоятельства вашей личной жизни.

Я смотрю на жену. Неужели она действительно полюбила этого вертолетчика? Неужели я совсем не понимал ее все эти двадцать лет, пока жили вместе, воспитывали Максима, спали в одной постели и занимались сексом?

— Я вас внимательно выслушал, Сергей Петрович. И вот что я вам отвечу. Пошел вон из моего дома!

— Иноземцев! — кричит Тамара.

— Нет, Тамарочка, я не в обиде, — сухо говорит Сергей Петрович. — Как мужчина, я его даже понимаю.

Гусар! Гусар в моих тапочках!

Тамара провожает его до лестничной площадки, успев бросить на меня ненавидящий взгляд. Они приглушенно переговариваются. До меня доносятся отдельные фразы: «Не уходи... я его боюсь... Можно понять... это непростое решение».

Когда она возвращается, я уже допил весь коньяк. Из горлышка. Она сразу замечает пустую бутылку.

— Ты алкоголик, — говорит Тамара. — Сам пошел вон отсюда! Пошел вон... к своей молодой шлюхе!

— У меня с ней не было ничего.

— Не делай из меня дурочку! Какое право ты имел его оскорблять? Ненавижу тебя, Иноземцев! Ненавижу тебя и твою аристократическую фамилию!

— Это и твоя фамилия.

— Я ненавижу свою фамилию! Я ненавижу себя за то, что терпела ее двадцать лет! Я порой ненавижу Макса за то, что он становится на тебя похож! Такой же Иноземцев!

— Что ты говоришь?! Опомнись!

— Пошел ты в жопу, Иноземцев! Пошли вы все, Иноземцевы, в жопу!

Ее просто трясет от ненависти.

За двадцать лет я не слышал ничего подобного. Неужели она держала это в себе целых двадцать лет?

— Прости, наверное, я погорячился. Но и ты тоже хороша! Зачем было привлекать к этому разговору Максима? Зачем позволять этому вертолетчику надевать мои тапочки? Ты это нарочно придумала, чтобы меня полностью унизить?

Тамара изумленно смотрит на меня. Потом выходит из зала и возвращается с тапочками. У нее прыгают руки. Швыряет тапками в меня, но промахивается.

— На, подавись!

Несколько минут сидим молча и смотрим друг на друга как враги. Мы собачились и раньше, но никогда не замечал я за ней такого взгляда.

Вдруг она успокаивается и расплывается в улыбке.

— Та-почки! — смеется она. — Та-почки! Как это мелко, Иноземцев! Эта твоя вечная зацикленность на деталях. Ну какой ты писатель? Ты же не видишь людей. Ты же видишь только тапочки.

— Не уводи разговор в сторону.

— Хорошо... Я кое-что тебе объясню. Сергей, конечно, не выдающийся мужчина, но он любит меня.

— А ты?

— Мы любим друг друга давно...

— Вот как? А как же Люлюнчик?

— Тебе не понять.

— Ты спала с ним?

— А ты не спал со своими бабами? Не мотался с ними на Кипр? Это не я бросила тебя. Это ты бросил меня ради новой прошмандовки!

— Заткнись! — взрываюсь я. — Я же сказал: у меня с ней нет ничего!

— Ты это серьезно?

— Да!

— Зачем же ты с ней живешь?

— Я и сам пытаюсь это понять.

— Тогда ты еще хуже, Иноземцев. Скажу тебе как женщина: намного благороднее переспать с девушкой и потом бросить ее, чем делать то, что делаешь ты. Впрочем, я не знаю, что ты делаешь, и знать не хочу. Я хочу, чтобы ты меня услышал. Между нами все кончено. Я выхожу за Сергея. И если ты действительно аристократ, уйди с одним чемоданом и оставь мне квартиру.

Так вот почему она была такой ласковой! Квартира!

— Допустим, — говорю я. — Но на что ты будешь жить? На пенсию этого вертолетчика? Не верю. Ты, Тамарочка, привыкла жить хорошо. Ты никогда не думала о деньгах и никогда не была мне за них благодарна. Ты их просто не замечала...

— Ты совсем не знаешь женщин, Иноземцев. Никогда, слышишь, *никогда* ни одна женщина не будет благодарна мужчине за его деньги. И чем больше будут деньги, тем меньше она будет за них благодарна. Запомни. Это. На будущее.

— Кстати, о деньгах, — продолжает Тамара. — Подачек от тебя я, конечно, не возьму, но по крайней мере на какой-то процент от твоих переизданий я могу рассчитывать? Как-никак это имущество, нажитое в нашей совместной жизни.

По неуверенному тону догадываюсь, что эта светлая мысль посетила не ее, но Сергея Петровича.

— Ты чудовище, Тамара, — говорю я. — Не знаю, насколько ты меня ненавидишь, но мои романы ты ненавидишь точно. Ты так сильно их ненавидела, что не прочла ни одного. Ты хоть помнишь, что было, когда я писал первый роман?

— Но я ничего не говорила!

— Ты говорила это всем своим видом. Всей той тяжестью, что поселилась в нашей квартире.

— Потому что ты ничего не видел, кроме себя и своей работы! А меня для тебя просто не было!

— Назови мне еще одну причину, по которой вы с Сергеем Петровичем будете жить за мой счет.

— Я беременна, — тихо произносит она. — Не думала, что так получится. Хотела пойти на аборт, но Сергей отговорил. Это его первый ребенок. Я делала УЗИ. Девочка.

Вот, значит, как. Девочка.

— Я пришлю своего юриста, — вяло говорю я. — Подпишешь то, что он принесет. Но только без возражений и обсуждений с вертолетчиком. Я надеюсь, тебе понятно?

Когда я возвращаюсь домой (да, теперь это мой новый дом), жена звонит опять.

— Зачем нам юрист? Мы... то есть я уже подготовила все бумаги. Ты же согласен отказаться от своей доли в квартире? А на книги мы... то есть я, ладно, не претендую.

— И что вы хотите от меня?

— Перепиши свою долю на Сергея.

— Я не понял... А как же Максим?

— Мы все решили. Максим получит квартиру Сергея.

— Что ж, недурно! Сергей Петрович делает отличный обмен: однушку на трешку. Да еще и в придачу с такой прекрасной хозяйкой!

— Не занудствуй, Иноземцев! Максим на все согласен. Мальчик на седьмом небе! Ты же понимаешь, что такое в его возрасте иметь свою жилплощадь. Максим уже договаривается с приятелями сделать в ней ремонт. Он сам ищет мебель в каталогах.

— А на какие шиши он будет ее покупать?

— Ты ему поможешь. Ведь это твой сын.

— А почему переписать на соседа? Ты мне все еще приходишься более близкой родственницей.

— Сергей задумал сделать капитальный ремонт. У него золотые руки, он все умеет. Но какой нормальный мужчина будет делать ремонт в квартире, которая ему не принадлежит? Это же элементарно, как ты не понимаешь!

— Его-то я отлично понимаю, а тебя — нет. Не уверен, что ты в адекватном состоянии.

— Сделай, что я прошу! Один раз в жизни!

— Ну… хорошо...

— Так я привезу бумаги?

— А не хочешь сначала подать на развод? Или вашу дочку вы запишете на мое имя?

Тамара молчит.

— Знаешь, что в тебе самое ужасное? — вдруг говорит она сквозь слезы. — Самое ужасное — твои слова. Ты не представляешь себе, до чего они бывают обидными. Особенно когда ты пьяный. Ненавижу тебя! Я не хочу тебя видеть! Мы встретимся в суде.

— Постой! — кричу я. — Хорошо! Я согласен!

— Так я привезу тебе бумаги?

— Ну нет! Это я не хочу тебя видеть. Пусть привезет Максим. К тому же мне надо с ним поговорить.

— Ты еще сегодня мог с ним поговорить. Но ты был невменяем. Ты оскорблял сына, оскорблял Сергея. Ты хотел с ним драться! Ты кидал в меня своими тапочками!

— Кто — я?!

— А кто — я?! Хорошо, завтра к тебе приедет Максим. Только умоляю тебя — не продолжай пить.

В супермаркете покупаю бутылку коньяка.
Краснодарского. Не надо мешать напитки.

Неужели Тамара не врет?
Это я бросал в нее тапки?

ШВЕЙЦАРСКИЙ НОЖ

Просыпаюсь поздно от того, что мне трудно дышать и кто-то наждаком полирует мой подбородок. Лиза! Вчера я забыл закрыть дверь, и эта чертовка пробралась в спальную комнату и охраняла меня непосредственно на моем ложе. Вот и теперь лежит у меня на груди и облизывает мне лицо шершавым языком. Матерясь, стряхиваю ее с одеяла и с трудом принимаю вертикальное положение.

Состояние после вчерашнего ужасное! Голова шумит, а во рту кошки нагадили. Кстати... Почему наша девочка сегодня не просится на улицу? Выхожу в гостиную, и мне становится совсем плохо.

В квартире едко воняет собачьей мочой. Твою ж мать! Осторожно, как цапля, переступаю ногами, пытаясь найти следы преступления. Нос выводит меня к дивану. А-а, понятно! Лизанька напрудила на кучу любовных романов, сваленных на пол. Странно, что Вика с ее страстью к порядку и любовью к женскому чтиву так небрежно обращается с этими книгами.

— Лиза, — говорю я, — как читатель я одобряю твой поступок. Но не уверен, что с нами согласится хозяйка книг. А прикрывать тебя я не буду. Она все равно не поверит, что это безобразие сделал я.

Хотя вчера все могло быть. А что было, я ни хрена не помню!

Да! Бумаги. Сегодня приедет Максим. Звоню Тамаре и прошу перенести встречу на завтра.

— Все-таки надрался? — сердито спрашивает Тамара.

— Не твое дело. У тебя теперь надежный спутник жизни. Трезвый. Золотые руки. Мужик!

— Пошел ты в жопу...

— Скажи, — вдруг спрашиваю я, — насколько точно УЗИ определяет пол будущего ребенка?

— Почему тебя это интересует?! — удивляется Тамара.

— Просто спросил.

— Более или менее.

— Тамара, — говорю, — ведь это могла быть наша дочь.

В трубке молчание.

— Прощай, — говорит Тамара. — На развод подам сама.

Поднимаюсь на антресоль и снимаю с полки свой первый роман. Я никогда его не перечитывал. Я не перечитываю свои книги. Они мне кажутся не моими. Но в моей первой книге был сюжет, который я часто вспоминаю. Это был роман в новеллах, и одну я помню отлично, хотя другие забыл.

Общежитие середины восьмидесятых. Живут два студента, два друга. Они не разлей вода, даром что из разных социальных слоев. Один — сынок секретаря обкома, другой — деревенский парень. Но попали в одну комнату. У них все общее, даже одеждой своей заграничной мажор с «деревней» делится. Но есть вещица, которую мажор не дает никому, — шикарный швейцарский нож «Victorinox». С красной перламутровой рукояткой, длинным лезвием и множеством разных выдвижных штук вроде ножниц, пилочек, отверток и т. п. Такие ножи при Советах были в диковинку. Мажор приобрел его на черном рынке и очень этим ножом гордится...

И вот однажды, когда друзья вышли во двор покурить, в их комнату заходит один студент. Двери в общагах тогда часто не запирали, если постояльцы выходили ненадолго. Студент заходит занять денег до стипендии, без стука. Тоже обычное дело... Видит, что никого нет, а на тумбочке лежит нож. И студент машинально кладет этот нож к себе в карман — известный случай клептомании, когда человек ворует что-то абсолютно непроизвольно, хотя и не вор по натуре. И вот он выходит в коридор... Никого нет, никто его не видел, а в кармане у него драгоценный нож. И тут студент испугался.

Нож-то он украл, а что с ним делать? Его же не покажешь никому. Все в общаге знают, чей это нож. И не воспользуешься им. И назад уже не вернешь, потому что, если ребята застигнут его на месте, как он им это объяснит?

Начинаются его мучения. Ему ужасно стыдно за свое воровство и хочется вернуть нож, но — как? И выбросить совесть не позволяет. Да и глупо: украсть и выбросить. Зачем тогда крал? И он постоянно носит нож в кармане, прячет его под матрасом во время сна, а утром, проснувшись, первым делом вспоминает о нем и нащупывает его под матрасом.

Так проходит месяц. Все это время несчастный вор придумывает способы, как бы вернуть нож, но любой из них кажется ему странным, даже абсурдным. Например, подбросить под дверь ночью. А если его кто-то случайно застигнет за этим непонятным поступком? Как тогда объяснить, что украл не специально, что вышло случайно? Кто в это поверит?!

Нож становится его кошмаром. Особенно пугает, что слухи о пропаже ножа почему-то не разнеслись по общежитию. Это странно, потому что воровство в общаге — дело вообще-то неординарное, его так просто не прощают. Вор не знает, что мажор грешит на «деревню», — забыл, что сам случайно оставил нож на видном месте. Его друг на следующий день уехал домой, к родне, тогда-то мажор и обнаружил пропажу. Решил, что «деревня» с собой не совладал, стащил ножик и повез домой бахвалиться. Но прямо в лицо ему это не говорит, потому что не уверен. Так бывает между близкими друзьями, этот феномен описан в психологии. По возвращении отношения между ними натягиваются. «Деревня» не может понять, в чем дело, и спрашивает друга, куда подевался его замечательный нож, а тот уклоняется от ответа и пытается понять, лукавит приятель или нет...

И вот однажды вор идет по коридору и замечает открытую дверь в одну из комнат. Он заглядывает и видит студента с их курса, который стоит на краю стола с веревкой на шее. Парень решил повеситься из-за несчастной любви. На самом деле это трюк, хотя, может быть, влюбленный и сам себе в этом не признаётся. Нарочно оставил дверь открытой в расчете, что кто-нибудь войдет и остановит его, а девушка, в которую он безнадежно влюблен, его пожалеет и так далее. И вот он видит, что кто-то вошел, и инстинктивно делает шаг навстречу, но тут стол опрокидывается, и самоубийца повисает в воздухе, чуть-чуть не доставая ногами до пола. Наш незадачливый вор бросается к нему, хватает его за ноги, пытается поднять, но тот конвульсивно брыкается и еще туже затягивает петлю. И тут вор вспоминает, что в его кармане лежит нож, тот самый злосчастный нож. Достаточно воспользоваться им, и бедный самоубийца будет спасен. Всего лишь — достать нож с острым как бритва швейцарским лезвием и чиркнуть по веревке. Но — как?! Это же украденный нож. Как потом всем объяснить, что этот нож целый месяц делал в его кармане?

Есть вариант: бежать и звать на помощь. Но это тоже странно: в кармане нож, а он им не воспользовался.

И парень уходит... Отправляется к себе в комнату и ждет. И вдруг с ужасом понимает, что если самоубийцу спасет кто-то другой, то он-то в этом случае точно пропал, потому что тот его видел, а он, вор, помощи ему не оказал. Он слышит за дверью крики студентов, однако продолжает сидеть в комнате бледный как полотно. Он ждет собственного смертного приговора. Но тут становится известно, что студента в петле обнаружили уже мертвым.

Девушку, в которую был влюблен самоубийца, несколько раз допрашивает следователь. Ее начинают третировать друзья повесившегося и даже собственные подруги, ведь причиной смерти несчастного была ее гордость. Из первой красавицы курса и круглой отличницы девушка превращается в изгоя. С ней случается психический срыв, она уже не может продолжать учебу. Ее родители понимают, что нужно срочно переезжать в другой город. Ее отец теряет хорошую работу, а мать вовсе уходит со службы, потому что должна все время находиться рядом с дочерью.

Отец, при всей доброте и любви к близким, не может смириться с крахом своей карьеры. В семье начинаются трения, и вскоре она оказывается на пороге развала...

Однажды ночью вор просыпается в холодном поту и отчетливо понимает, что это не простой нож. Он — про́клятый. За ним есть какая-то нехорошая история, и она продолжается. И тогда вор совершает новую глупость: тихо, чтобы не разбудить соседа, открывает окно и выбрасывает нож как можно дальше. Но, закрыв окно, понимает, как это бессмысленно, потому что такой нож непременно скоро найдут, и еще — неизвестно кто. Что делать? Бедолага спускается со своего этажа вниз и видит, что вахтерша спит, а на стойке лежит ключ от запертой входной двери. Парень хочет его взять, но тут вахтерша просыпается и спрашивает, какого рожна он тут делает и куда намылился глубокой ночью? «Покурить», — говорит тот. «Разве ты куришь? Не замечала раньше». — «Да вот, начал, — врет парень. — Но вы правы, не нужно».

Возвращается и не спит всю ночь...

На следующий день по общежитию проносится новость, что утром во дворе был найден мертвый молодой мужчина с перерезанным горлом, а рядом с ним швейцарский нож. Конечно, многие вспоминают, кому мог принадлежать этот нож, ведь мажор им нередко хвастался. К парню приходит милиция, и он честно признаёт нож своим, но говорит, что его давно у него украли. Тем не менее мажора серьезно проверяют, а заодно — все общежитие. Вахтерша, дежурившая ночью, разумеется, вспоминает о студенте, который пытался выйти во двор покурить. Но милиции она об этом почему-то не сообщает. По каким-то своим личным мотивам. Прежде всего из-за нежелания впутывать в это дело студента, который ей, бездетной старушке, по-человечески симпатичен. А вот к милиции она, опять же по каким-то своим причинам, любви не питает.

К тому же вскоре находят настоящего убийцу. Это местный бомж. Он нашел этот нож ночью во дворе и пытался продать случайному ночному пешеходу, чтобы всего лишь купить у знакомой бутлегерши бутылку паленой водки. Тот подумал, что нож украден, проявил гражданскую принципиальность, стал угрожать милицией, и тогда бездомный в порыве злобы и похмельного отчаяния всадил ему нож в горло и как на грех перерезал яремную вену.

Бомж, понятно, идет под суд. Но и на мажора заводят уголовное дело — «за незаконное приобретение и хранение холодного оружия». Хотя какое там холодное оружие? Обычный швейцарский нож. Но по факту он оказался орудием убийства.

Ситуация осложняется тем, что высокое партийное положение папаши мажора именно в это время трещит по швам. Под него серьезно копают завистники и ненавистники. В результате дело получает широкую огласку в печати. Секретаря обкома делают козлом отпущения, чтобы показать, что партия не расслабилась и блюдет чистоту своих рядов. Она не позволит сынкам крупных руководителей носить заграничные шмотки и покупать у спекулянтов швейцарские ножи! Мажор отделывается годом условно и исключением из института, а папаша летит с должности, не выносит этого и умирает от инфаркта. Но на этом история не заканчивается.

После суда и исключения из вуза мажор распускает среди студентов слух, что этот треклятый нож все-таки украл его бывший друг, а потом испугался и выбросил во двор. Что делать, мозги-то деревенские! Так в институте после девушки намечается еще один отверженный. Над ним и до того посмеивались, потому что институт элитный и явно не по рангу «деревне». Собственно, он и держался-то в нем благодаря своему другу и соседу по комнате, который во всем ему помогал, защищал от насмешек однокурсников и возможного отчисления за неуспеваемость. И вот все это рушится в одночасье, и парень остается голым и беззащитным. Не зная за собой никакой вины, «деревня» окрысился и стал на курсе уже настоящим изгоем.

И тогда его приглашает на беседу одна серьезная контора. Ему намекают, что история с ножом им известна. «Я его не крал!» — чуть не со слезами доказывает парень. «Это не имеет значения, — объясняют ему. — Значение имеет общая гнилая атмосфера в вашем вузе. История с ножом просто ее проявила, а вас выбрали в качестве жертвы, потому что вы — деревенский парень и не заражены этой гнильцой. Вы чувствуете на себе эту ненависть прогнившей золотой молодежи? Она же люто ненавидит советскую власть, хотя и кормится от нее, от таких, как вы, как ваши родители...» Ну и так далее.

И парень соглашается на сотрудничество. О его стукачестве в институте, конечно, узнают. Стукачей быстро вычисляли и презирали на любом уровне, от студентов до преподавателей и даже начальства. Парня несколько раз бьют, тонко издеваются на зачетах и экзаменах, но оценки ставят правильные, потому что у него появились другие, более могущественные покровители. Однако жизни его не пожелаешь и врагу. Парень заканчивает институт, который он ненавидит... А потом приходят иные времена и другая мораль.

Самое любопытное в этой истории — мораль.

Кто виноват? Вор? Нисколько. Каждый может оказаться в ситуации, когда ты совершаешь непреднамеренное действие, а потом не можешь выпутаться из психологической ловушки, в которую попал. Самоубийца не виноват в том, что влюбился в первую красавицу курса, а она не виновата в том, что не разделила чувств некрасивого, неумного парня и мечтала о более достойном ухажере. Ее отец не виноват в том, что с дочкой случилась такая беда и он не вынес семейного испытания, потому что очень любил свою работу. Студенты и студентки не виноваты в том, что не проявили должного понимания и милосердия, — эти качества приобретаются с возрастом, если вообще приобретаются. Папаша мажора не виноват в том, что баловал своего сына, потому что это был единственный их с женой ребенок. Мажор не виноват в том, что влюбился в этот нож с первого взгляда, увидев его у спекулянта, — все мальчишки мечтают о таких красивых мужских вещах. Возможно, он виноват в том, что заподозрил своего друга, но друг действительно завидовал ему. И не только из-за ножа, а и вообще... Мажор не мог этого не чувствовать. Да, их дружба была мезальянсом, ничего не попишешь! «Деревня» не виноват в том, что он «деревня» и, видимо, сел не в свои сани, подружившись с мажором. Словом — никто ни в чем не виноват...

В этой истории есть только один непосредственный виновник. Нож. Самый обычный швейцарский нож. Таких или ему подобных в мире существует больше миллиона, но именно этот оказался в ненужное время в ненужном месте. Красивый, с перламутровой рукояткой, со стальным, острым как бритва лезвием и массой всяких выдвижных штучек в придачу. Такие красивые и удобные вещи могут делать только в удобной и красивой Швейцарии. Но Швейцария, разумеется, тоже не виновата в том, что в каких-то уголках мира ее красивые вещи могут порождать такие некрасивые истории.

Когда Игумнов прочитал рукопись романа, он обратил внимание именно на этот странный сюжет.

— Ты это сочинил или вспомнил? — спросил он.

— Я помню нож, — признался я. — Красивый был нож! А что с ним было, не помню.

— Это интересно! — сказал Слава. — Когда мы учились в Лите, у одного студента действительно украли швейцарский нож. Кто это сделал, так и не узнали. И у нас действительно повесился парень из-за несчастной любви, а девушка после этого чуть с ума не сошла. Но чтобы во дворе общежития кого-то убили... Этого не было.

Сегодня я напьюсь в хлам. Определенно.

Максим

Мой сон изменился. Я-верхний спустился на землю и соединился с я-нижним. Но это не доставило мне радости...

Во-первых, я почувствовал телесную тяжесть, которую испытывает каждый земной человек, даже если перестал ее замечать. Тяжесть усиливалась абалаковским* рюкзаком, висевшим за плечами, вернее, лежавшим на спине, потому что я тропил глубокий снег, согнувшись под углом девяносто градусов, и, как бык на корриде, бодал лбом казавшийся таким близким перевал. Временами я поднимал на него взгляд, но почти ничего не различал, потому что глаза заливал пот. Во-вторых, воссоединение оказалось совершенно бессмысленным, поскольку я тотчас забыл о его главной цели. Ангел-хранитель из меня вышел, прямо скажем, хреновый. Мне не только не пришло в голову, что надо немедленно остановиться и повернуть назад, но я с удвоенной силой рванул вперед. Перевал был так близок!

Конечно, я знал, что это может быть обманом зрения. Нет ничего на свете обманчивей гор. То, что в горах видится близким, вдруг окажется так далеко! Цель, до которой, ты уверен, рукой подать, может

---

* Рюкзак, разработанный в середине XX века советским альпинистом Виталием Абалаковым.

быть на расстоянии даже не одного, а двух дней пути.

И еще. Спустившись вниз, я понял, что я здесь не один. За мной шли еще пять человек. Я знал, кто они, знал каждого в лицо, знал их характеры, их слабые и сильные стороны в походе. Но сейчас это не имело для меня никакого значения, потому что их задача была просто тупо следовать за мной. Это я нашел перевал! Я разгадал этот ребус, который не смог разгадать руководитель первой группы.

Просыпаюсь от того, что трудно дышать. Пытаюсь нащупать Лизу, но не могу даже пошевелить рукой — она упирается в какую-то мягкую стену. В страхе пытаюсь поднять голову — и тоже не могу, передо мной все та же стена. Вскрикиваю и тотчас понимаю: я просто лежу на животе. Что было вчера?

Встаю с кровати. Странно, похмелья сегодня нет совсем, чувствую себя совершенно здоровым.

Из гостиной слышится:

> Александра, Александра,
> Этот город — наш с тобою.
> Стали мы его судьбою —
> Ты вглядись в его лицо.
> Что бы ни было вначале,
> Утолит он все печали…*

Это что-то новенькое! Одеваюсь и выхожу. Вика поет и танцует с Лизой. Держит ее одной рукой под

---

* Стихотворение Ю. Визбора и Д. Сухарева «Александра» (1979 г.).

задницу, другой — за правую лапу. Та отвела острую мордочку в сторону, зажмурила глазки и ловит кайф. Тоже мне, Наташа Ростова!

Александра, Александра,
Что там вьется перед нами?
Это ясень семенами
Кружит вальс над мостовой...

Вика необычно одета. На ней шикарная бежевая юбка с разрезом и белая блузка без пуговиц, запахнутая на груди. Я не разбираюсь в женской одежде, но это что-то модельное и недешевое.

— Новые песни о главном? И новый прикид? Ты что, получила приз на конкурсе провинциальных красавиц?

Вика туманно смотрит сквозь меня, но не останавливается и продолжает петь и вальсировать.

Ясень с видом деревенским
Приобщился к вальсам венским...

— Наш папик — Обломов, — говорит она. — Он просто завидует нашей красоте.

Целует Лизу в нос, опускает на пол и, все так же вальсируя, приближается ко мне и звонко чмокает меня в губы мокрыми от собачьего носа губами.

— Доброе утро!

Сидим на кухне, пьем кофе. Интересно, что она скажет, когда узнает о моем разводе?

— Откуда у тебя новый костюм? Спецзаказ на Черкизовском рынке?

— Ты безнадежно отстал от времени, папик. Черкизон давно закрылся. Просто Даша получила премию в издательстве и решила меня приодеть.

— Она работает в издательстве?

— Но разве я тебе не говорила?

— Нет.

— Она старший редактор.

— Любит женские романы?

— Что ты! Она их презирает! Она обожает твои книги и очень не одобряет мой вкус.

— Я на ее стороне. Это она выбирала одежду?

— Даша заявила, что раз уж я живу с тобой, мне нельзя одеваться во что попало.

— Не понимаю, что у вас за отношения? Называете друг друга по именам, как подружки...

— Мы не разлей вода!

— Мама не думает переехать в Москву?

— На какие шиши? Нашу халупу в С. можно обменять на будку для собаки. Лиза, хочешь отдельную будку?

— Вообще я мог бы...

— Купить нам квартиру, ты хочешь сказать? Нет уж, сама заработаю.

— Напишешь женский роман и прославишься, как Маринина и Донцова?

— Типа того...

— Вчера встретился с Нугзаром, — говорю я. — Кавказец, который тебя обидел. Он живет на нашем этаже.

Молчит. Ноль внимания. Обидно-с.

Вчера вечером, когда я пошел выгуливать Лизу, на площадке перед лифтом меня ждала неприятная встреча. Оказывается, квартира Нугзара тоже находится на пятом этаже.

Странно, я не заметил этого раньше.

— Привет, Нугзарчик! — говорю первое, что приходит в голову. И сразу понимаю, что поступаю правильно. Он ждал от меня чего угодно — страха, агрессии, но только не фамильярности. Как назло, лифта долго нет, а пауза перестает быть томной.

— Ты не хочешь извиниться передо мной, Иннокентий? — говорит он. — Я ведь перед твоей девушкой извинился. Я не знал, что она не такая.

— Ты не знал, что не все русские девушки проститутки?

— Вот именно.

— За что я буду перед тобой извиняться? За то, что не знал, что ты не знал?

Но для Нугзара это слишком сложная умственная комбинация. Вообще я вдруг вижу перед собой не горного орла, а уязвленного кавказского мальчишку, которого я, взрослый дядечка, действительно очень обидел.

— В принципе, мне твои извинения до фонаря, — говорит он, отклячивая зад и дрыгая одной ножкой. — Если б не мой отец... Слово отца для меня закон! Но ты, Иннокентий, обидел моих ребят. Мой отец — не их отец. Там другие отцы. Нельзя говорить кавказцу то, что сказал ты. Ты меня понял?

Это даже смешно. Пошли они... со своей патримониальной иерархией! Врезать девушке по физиономии можно, а «пидарас» — несмываемое оскорбление.

Приходит лифт, и я вежливо пропускаю Нугзара первым. Все-таки не стоит подставлять ему спину. Но в лифте мне становится немного не по себе. Уж очень близко Нугзар ко мне стоит. Однако выдерживаю испытание и только на улице говорю ему:

— Извини, Нугзарчик! И парням своим передай мои извинения и всяческий респект. Кто старое помянет...

Видимо, я снял камень с его гордой души.

— Принято, Иннокентий! Зачем нам собачиться?

С чистой совестью садится в «ягуар» и с ревом проносится по двору. Не задавил бы кого-нибудь!

— Нугзар не живет на нашем этаже, — вдруг говорит Вика. — Он живет на шестом этаже, квартира 115. Ты не знал?

Ставлю чашку на блюдце и слышу, как она звенит.

— Откуда ты знаешь? — говорю я. — Ты была у него?

— Не скажу.

Я ее убью.

— Дыши глубже, — говорит Вика. — У тебя такое же глупое выражение лица, какое было у нашего генерального, когда он заперся со мной в кабинете.

Я убью ее.

— И помни, — продолжает Вика, — пока я с тобой, мое сердце для других закрыто.

— Только сердце?

— Мне пора, — говорит Вика. — Не забудь погулять с Лизой. И запомни, если ты еще раз проспишь и собачка напишет на мои книги, я запру ее на ночь в твоей спальне.

Сегодня у Вики какое-то важное собрание в издательстве. Помогаю ей одеться и обуться в прихожей. Ба! У нее новая шубка! Едва ли натуральная, но она ей так идет!

Вечером, когда я возвращаюсь с прогулки с Лизой, на антресоли горит свет, но в гостиной темно. Собака с лаем устремляется в гостиную, и я, не разуваясь, тоже вбегаю, предчувствуя неладное... И предчувствие меня не обманывает.

На диване сидят Вика и Максим. На девушке все та же распахнутая блузка. Даже в полутьме я отчетливо вижу открытую до соска грудь. Второе, что сразу отмечаю, — испуганные лица молодых людей. Но напугала их явно не Лиза.

Возвращаюсь в прихожую, нарочито долго раздеваюсь и только потом включаю в гостиной свет. Вика и мой сын уже сидят по разные стороны дивана. Лучше бы не рассаживались. Оба щурятся на яркий свет. Оба похожи на двух породистых щенков, которых разглядывает дядя-покупатель.

За этот год Максим сильно изменился. Не то чтобы возмужал, но и ребенком быть перестал. Только сейчас я замечаю, как он стал на меня похож. Вылитый я в юности. Такой же Иноземцев, с надменно-беззащитным выражением лица и волевым подбородком с симпатичной ямочкой. Да, он должен нравиться девушкам! Например — Вике. Но почему-то меня это не радует. Я бы даже сказал, что давно не чувствовал себя так мерзостно.

— Привет, Вика! — говорю. — Здравствуй, Максим! Какими судьбами?

Идиотский вопрос. Мой мальчик отвечает не сразу, сначала приходит в себя. Это мне тоже не нравится.

— Привез бумаги, — говорит он. — Разве мама тебе не звонила?

Когда мы уединяемся с ним на кухне, я плотно закрываю дверь. Интересно, Вика будет подслушивать?

Даю сыну время окончательно прийти в себя. Или себе прийти в себя? Неважно. Завариваю чай, разливаю по чашкам.

— Ты уже все знаешь, Максим. Мама нашла себе другого мужчину, и это ее право. Ты мальчик взрослый, так что в объяснения вдаваться не буду. Кстати, ты решил, куда будешь поступать?

— Я пойду в армию, — говорит сын. — Я так решил, и не надо меня отговаривать...

— Я и не отговариваю. Главное, что ты сам решил. И маму в этом вопросе не слушай.

— Кто эта девушка? — перебивает меня Макс.

— Нравится? — невольно вырывается у меня, и мне становится совестно. Неужели я ревную Вику к собственному сыну? Но сейчас я точно зол больше на него, чем на нее. Зол, как мужчина на мужчину, который вторгся в мое пространство и сидел в полумраке с моей женщиной. Признайся, Иноземцев, что это так. Стыдно!

— Можно я не буду перед тобой отчитываться? Одно скажу: она не моя любовница. Ты доволен?

— Вполне! — обрадованно отвечает Максим. Хотя я не совсем понимаю, чему именно он рад.

Однажды в школе Максиму сломали руку в подростковой свалке. Я узнал, кто это сделал. Гаденыш ходил вокруг свалки из тел своих же одноклассников и бил ногой всех подряд. Я позвонил его отцу и назначил встречу. Попытался ему что-то объяснить. Он смотрел на меня через очки в дорогой оправе и в конце моей пламенной речи сказал: «Вы ничего не докажете». Потом удивляются: откуда в нашем обществе берутся подонки?

Руку заковали в гипс.

Как-то я заметил, что Тамара с Максимом идут в ванную.

— Что такое? — спросил я.

— Помогу ему помыться, — ответила жена.

— Мальчишка слишком взрослый, чтобы мыться с мамой!

— Тогда помоги сам.

Странное ощущение, когда намыливаешь голое тело собственного взрослого сына. Я впервые обратил внимание на его фигуру. Широкие плечи, узкий таз, крепкие ягодицы и большие ступни, не меньше сорок второго размера. Гладкая кожа без малейших признаков дряблости, которые я уже замечаю на себе. И крупный член с жесткими, курчавыми волосами...

— Пап, она такая крутая! — говорит Максим.

— Кто?

— Вика!

— А о чем вы разговаривали, если не секрет?

— О тебе.

— Вот как?

— Она тебя так уважает! — говорит сын, и я понимаю, что благодаря Вике сильно вырос в его глазах. — Она устроила целую экскурсию в твоем кабинете. Она сказала, что мне страшно повезло с моим отцом, что если бы у нее был такой отец...

Не знаю, радоваться мне этим словам или нет?

— Хочешь совет, Макс? Никогда не верь женщинам. Не верь даже тогда, когда они уверены, что говорят правду. Они искренни только в истерике. Впрочем, в истерике они тоже лживы.

— И мама?

— Маму я не имел в виду. Она редкое исключение из правил.

На самом деле это не так. Жена знает, что я не выношу женских слез, и всегда этим пользовалась. Есть два типа мужчин. Одни — их меньшинство — легко воспринимают женские слезы и даже, говорят, получают от них удовольствие. Другие — абсолютное большинство — при виде рыдающей женщины теряют над собой контроль и готовы согласиться на что угодно. Это — я.

Пока мы сидим с Максимом, я чувствую, как во мне поднимается волна нежности. Это ведь мой сын, мое произведение! И может быть, как раз поэтому мне порой странно и неловко на него смотреть. Такое же чувство я испытываю, когда пытаюсь перечитывать свои романы. Я не могу этого делать, мне — стыдно! Все их недостатки — это моя вина, а все их достоинства мне уже не принадлежат. У них своя жизнь.

Принесенные Максом бумаги просматриваю бегло и сразу подписываю. Меня удивляет только то, что они уже нотариально заверены. Тамара не смогла бы это сделать одна. Рука Сергея Петровича?

Мы расстаемся в прихожей. Вика тоже выходит проводить моего сына.

— Значит, договорились? — спрашивает Максим. — Или мне тебе еще позвонить?

Вика мотает головой. Смеется.

— Нет, не нужно звонить. Договорились.

Какой это по счету удар под дых за сегодняшний день? Вспоминаю слова Игумнова: «А ты изменился, Иноземцев. Ты стал слабым. Пропускаешь удар за ударом».

Ничего, со Славой у меня будет отдельный разговор в его отдельном кабинете.

Когда мы остаемся с Викой одни, я не пытаюсь себя сдерживать. Мне надоело играть роль.

— Что это значит? О чем ты без меня договорилась с Максом?

— Ой как страшно! — смеется мерзавка. — Сейчас описаюсь на паркет, как Лиза.

— Ты пыталась его соблазнить?

— Это он пытался меня соблазнить. И был близок к успеху.

Вот как мне вести себя в этой ситуации? С какой стороны ни посмотри, я выгляжу полным идиотом. Ведь это я впустил эту девушку в свой дом. Это я позволил ей пичкать меня любовными романами. Это я согласился держать в доме собачку-инвалида и привязался к ней, да, привязался. Но дело, конечно, не в собачке. Дело в самой Вике. Она мне нужна, мне плохо без нее! Но этого нельзя ей говорить. Она и так это знает и откровенно издевается надо мной. И сейчас у меня просто чешутся руки. Мне ужасно хочется сделать две вещи. Врезать по ее смеющейся физиономии, как это сделал Нугзар. Или повалить ее на диван, как это, возможно, тоже сделал Нугзар. Или Игумнов. Ведь я не знаю, что у них там было в кабинете. Но ни того ни другого я не сделаю. Потому что я не Нугзар и не Игумнов. Я не Сергей Петрович, который трахает мою жену и при этом считает себя порядочным человеком... Я — Иноземцев, да будь я проклят!

— Послушай, Вика, — говорю я. — Ты живешь в моем доме, и это мой сын. Я имею право знать, о чем вы с ним договорились.

— О свидании, — отвечает она.

— И что вы собираетесь делать?

— Не знаю. Это зависит от мужчины. Пойдем в кино. Потом видно будет. Может — ресторан.

— Ты старше его на год.

— А ты старше меня на тридцать лет.

— Но у меня не было с тобой ничего.

— У меня с ним — тоже. Во всяком случае, пока. Кстати, ты в курсе того, что у Макса есть теперь отдельная квартира?

Кажется, я понял. Вика хочет, чтобы я ее ударил. Зачем ей это нужно, не знаю, но она хочет, чтобы я причинил ей боль. Она этого добивается с утра. Сразу после возвращения от Даши.

Че Гевара

Но работа не ждет, а Вика неумолима. Раз я поклялся, то должен ей помогать. Впрочем, не скрою, мне и самому интересно. Наверное, глупею с возрастом. Сегодня у нас романы о женской мести. Я не оговорился: не роман, а именно романы. В издательстве задумали издавать серию женских романов под названием «Сладкая месть». Идея, разумеется, принадлежит Пингвинычу, но мозговой штурм он устроил среди своих сотрудниц. Он запер их в своем кабинете, и они под стенограмму Вики вслух сочиняли сюжеты о женской мести. Сам редактор при этом не присутствовал, и я его понимаю. Думаю, после такого заседания он полдня проветривал помещение от миазмов лютой бабской ненависти ко всем особям мужского пола.

Теперь задача Вики — отобрать из этой груды виселиц, гильотин и «испанских сапог» что-то более или менее человеческое и написать на эти сюжеты синопсисы для литературных негров.

— Негритянок, — уточняю я. — Ни один нормальный мужчина не станет этого писать.

— Да, ты прав, папик, — не спорит Вика, — потому ты и должен мне помочь.

Подозреваю, на это она и натаскивала меня, как волкодава, весь сегодняшний день.

Сюжеты романов о мести оказались не так замысловаты, как я предполагал. Вика записывала их коротко, обозначая самую суть, но и так все было понятно до тошноты.

Героиня мстит герою, вызвав в нем неразделенную страсть к себе, за то, что он обидел ее в школьные годы. Она технично влюбляет его в себя, разбивает его пару с другой женщиной, затем начинает мучить, терзать и дразнить.

— Здесь интересно только одно, — замечаю я. — Сколько времени она вынашивала эту месть? Сколько лет этой редакционной даме?

— За сорок, — говорит Вика. — Она замужем, и у нее трое детей.

— Как мило! — восхищаюсь я. — И эта матрона все еще прокручивает в своей бедной голове месть своему однокласснику.

— В корзину? — спрашивает Вика.

— Конечно, — решительно говорю я. — Хрен ей, а не премия в квартал! Надо быть милосерднее к людям.

Вика что-то пишет в свой блокнот.

Героиня встречается с героем через десять лет, преобразившаяся и богатая, и мстит ему за то, что в прошлом он когда-то бросил ее с ребенком, женившись на другой, и не помог, когда она нуждалась в его поддержке и помощи.

— Ну, это совсем банально! — морщусь я. — Она бы еще алименты с него за эти годы потребовала.

Героиня мстит герою за то, что переспал с ее матерью.

— Годится, — заявляю я. — На этот сюжет можно написать чушь, а можно — шедевр, как Джулиан Барнс в «Предчувствии конца».

Героиня из мести герою за его хамское обращение с ней подкинула ему наркотики и чуть не упекла в тюрьму. Потом уже герой мстил героине, шантажируя ее. Но в конце концов он влюбляется в нее. Ее задетая гордость удовлетворена.

— Нет, Вика, это ужасно! Это банально и пошло. К тому же провоцирует читательниц на преступление.

Героиня не сообщает герою о рождении их сына. Это месть за то, что он бросил ее и не защитил от злословия.

— Это придумала мать-одиночка?

— Ты угадал.

— Поставь два жирных плюса. Пусть ей выпишут двойную премию.

— Какой ты добрый, папик!

Мать героини продолжает любить мужчину, который когда-то ее оставил. Дочь, выдавая себя за другую, хочет влюбить в себя отца, чтобы отомстить ему за мать. И это ей почти удается...

— В корзину! — командным тоном говорю я. — У дамы инцестуальные наклонности. Не будем их поощрять!

— А мне нравится, — возражает Вика.

Героиня ради мести женила на себе героя...

— Как это скучно, — зевая, говорю я. — Ни фига вы не понимаете в настоящей мести!

— Почему это?!

— Потому что судите о ней с женской точки зрения. Вас интересует не объект мести, которому вы могли бы сделать больно, а сам мстящий субъект, то есть вы сами.

— Но эти романы и пишутся для женщин.

— Вот именно! Любой мужчина просто посмеется над ними. Все эти сюжеты, как правило, заканчиваются тем, что герой по уши втрескивается в героиню, которую раньше не замечал или презирал. Это не месть, а достижение своей цели — непременно влюбить, а в идеале еще и женить. При чем тут месть? Нам от этого не больно. Нам смешно. Вы тратите столько сил, прибегаете к таким хитростям — и все для того, чтобы просто добиться нашего внимания. Отлично!

— И как же, по-твоему, женщина может сделать мужчине больно?

— Тебе это правда интересно?

— Ты даже не представляешь себе, насколько интересно!

— Хочешь, расскажу тебе одну историю?

— Расскажи-и, папик! Расскажи-и!

— Ну, слушай. Сама напросилась.

— ...Февраль. Остров свободы. Он и она — журналисты московских газет, прилетевшие на культурное мероприятие. Ему под пятьдесят, ей за двадцать. Он мнит себя писателем. За спиной шесть книг и какие-то литературные премии. Она себя... просто мнит. Но сама это понимает и чуточку стесняется. Просто по жизни стесняется. И это в ней самое притягательное. Но при этом у нее характер! Танцует фламенко в студии у немолодой женщины испанского происхождения. Он выслушивает историю этой испанки, судьбой занесенной в Россию и ее ненавидящей, с показным сочувствием. На самом деле он не слушает девушку, а рассматривает ее лицо. Ее фигуру. Ему ужасно нравится, что она танцует фламенко.

Он легко представляет себе, как она танцует фламенко. Как она нервно движется и топает ножкой. И как ей это все идет. Ему нравится ее лицо. Больше, чем ее фигура. Хотя фигура тоже хороша. Мальчишеская, но женственная. Ему нравится, что ее лицо нравится ему больше, чем фигура. Когда духовное нравится больше телесного, это всегда вызывает уважение…

— А что тебе больше всего нравится во мне? — перебивает меня Вика.

— Ты отлично готовишь кофе, — говорю я.

Вика сощуривает каштановые глаза.

— Я припомню тебе эти слова! Завтра сварю тебе на завтрак такую бурду!

— Мне продолжать или будем говорить о тебе?

— Продолжай!

— Как описать ее лицо? Приятное? Пожалуй. И даже красивое. Полные губы. Темные глаза. Нос с заметной горбинкой, как бы надломленный. Волосы темные, прямые, чуть волнистые, с завитушками на концах. Самое приятное в ее лице то, что все в нем, кроме губ и глаз, только намечено, но не развито. Не кричит. И когда она смотрит тебе прямо в глаза, взгляд ее тоже не завершен. В этом взгляде нет убежденности в своем праве смотреть тебе прямо в глаза.

Она нравится ему сразу, с первого взгляда, с первого приближения, с первого звука ее голоса. И он знает, что тоже ей нравится. И это его возбуждает. Он истосковался по женщине, которой он бы сразу понравился. Которая не скрывала бы этого, но и не навязывалась на знакомство. Просто молча себя предлагала. Без унижения. Вот ты, вот я, вот мы с тобой. Это ведь так здорово, что мы встретились! Так неужели ты будешь таким идиотом, что не начнешь меня кадрить на глазах у всего журналистского пула? Нас здесь двое неслучайных. Так неужели ты думаешь, что я буду такая дура, что не позволю тебе кадрить себя на глазах у всех? И пусть они хихикают и завидуют нам по-черному. И пусть кому-то станет хорошо, а кому-то очень плохо. Вот ты, вот я, вот мы с тобой... Ну же, действуй, дурачок...

Так думает он, а не она. Он думает, что она так думает. На самом деле неизвестно, что она думает. Писатель-мужчина, воображающий мысли героини, всегда рискует оказаться смешным в глазах женщин.

...Он думает, что она так думает. Ему приятно так думать. Он боится женщин. Раньше он считал, что презирает. Но с возрастом понял, что просто боится...

У него жена и почти взрослый сын. У нее был любовник, который соблазнил ее несовершеннолетней. И она не понимала и не понимает до сих пор, что это она его соблазнила. «Все равно скотина», — мрачно говорит он себе.

В их сближении все идет как по писаному. Во всей делегации только они двое курящие. Во время пересадки в парижском терминале оба мечутся в поисках места для курения. Места, конечно, нет. «Какие мерзавцы», — говорит он, а сам мысленно благодарит Францию, запретившую курение в аэропорту как раз накануне их полета на Кубу. «Мерзавцы», — говорит она, глядя на него незавершенным взглядом. Ничто так не сближает, как общая болезнь. Они переходят на «ты». Когда девушка моложе тебя в два раза, годится тебе в дочери и сразу говорит тебе «ты», это может означать только две вещи. Либо она журналистская вошь, с которой нельзя иметь дело... Либо это судьба и они оба *попали.*

Уже там, в парижском терминале, он понимает, что попал. И она это тоже понимает. Он думает, что она это понимает. Он заметил победоносную улыбочку на ее губах и подумал: «Бедная девочка! Что-то она про нас воображает?» Ничто так не ловит мужчину в сеть, как ощущение его превосходства, которому женщина умеет подыграть.

В самолете по пути из Парижа в Гавану она дремлет, полузакрыв глаза. Он сто раз проходит между кресел якобы в туалет, чтобы увидеть ее лицо. В Гаване он будет ревностно отслеживать, не говорит ли она «ты» кому-то еще из мужчин. Она не говорит. Хотя, наверное, могла бы. Она из тех, на кого мужчины западают. Но она стесняется... Он так думает, что она стесняется.

«Слушай, — говорит она в Гаване в старом кафе на Старой площади, — наше поколение такое больное! Ты не представляешь, как много у нас старческих болячек!» — «Почему?» — вяло спрашивает он, вспоминая своего сына и прекрасно понимая, о чем она говорит. «Экология... образ жизни... я простужаюсь... меня укачивает... я должна принимать таблетки, от которых мне хочется спать». — «Ты много куришь», — говорит он и ловит себя на том, что то же самое постоянно говорит своему сыну. И еще вспоминает, как бегал за этой девочкой по терминалу, чтобы вместе отравиться никотином. Она и сейчас простужена и вдобавок натерла ногу. В гостинице он дает ей аспирин и пластырь. Он отдал бы несколько лет жизни и свои шесть книг, чтобы самому налепить этот пластырь на ее стертый палец. Но это будет перебор. Он понимает, что не палец волнует его. Он не хочет перебирать. Он боится что-то спугнуть, что-то испортить...

Его, авторитетного журналиста, поселяют в обычном номере. Ее, еще недавнюю студентку Литературного института, — в роскошном бунгало в райских кущах. О чем они там думают, эти организаторы! Наутро она говорит ему: «Слушай! Меня поселили в та-аком роско-о-шном доме!» Потом говорит: «Слушай! Твой аспирин мне та-ак помог! А я уже думала, что свалюсь».

В прелестной провинции Пинар-дель-Рио в придорожном кафе под пальмовой крышей певец-гитарист с комплекцией Демиса Руссоса тонким голосом поет грустную песню про команданте Че Гевару. Они сидят за общим столом рядом. Что это за песня, спрашивает он кого-то из делегации, кто понимает по-испански. Местный шлягер, презрительно говорят ему. Как она называется? «Hasta Siempre». Что это значит? «Всегда До». Всегда До?! «Всегда До Победы». Но почему «Всегда До»? Глупость какая...

Понимаешь, говорят ему, этот сумасшедший команданте так любил справедливость, так любил, что хотел взорвать весь мир. Выступая на международном форуме, он так и заявил: «Не может быть границ в борьбе с империализмом». В шестьдесят седьмом его замочили в Боливии, где он пытался свергнуть чужую власть. И вот бедные кубинцы до сих пор его оплакивают. Это плач по Че, понимаешь? Гребаный мир, который он хотел взорвать, стоит и стоит, а Че давно уже подох. Ты видел его последнюю фотографию? О, это известный снимок! Мертвый Че Гевара с открытым глазом, в котором отражается тот самый мир, который он мечтал взорвать.

Эта песня вонзается в его мозг как тонкая игла. Она начинает терзать его. Как заведенный он повторяет ее припев: «Команданте Че Гевара!» В городе с каждого грязного угла, с каждой витрины, обморочно закатив глаза к небу, пялится этот команданте, туристический бренд Гаваны. В какой-то момент журналиста охватывает ощущение некрофилии, разлитой в воздухе этого живого, прекрасного города с его дивным народом, бедным, простым и разговорчивым, но в то же время таким деликатным. «Зачем вы торгуете своим Че?» — спрашивает он по-английски уличного торговца майками. Тот не понимает или делает вид, что не понимает. «У нас в Москве на Арбате Лениным торгуют подонки», — говорит наш герой по-русски. И вдруг видит презрение в глазах торговца.

И тогда ему становится стыдно. Какое дело ему до этих бедных, гордых людей, ему, залетному писателю?

Она в восторге от Гаваны! Она счастлива, что ее начальник не смог полететь и на ее тусклом журналистском небосклоне сверкнула звездочка удачи. «Представляешь, — говорит, — меня больше никуда не пошлют. Не может же начальник снова заболеть?»

Он думает: как погано устроен мир. Сколько раз он летал, в скольких странах побывал! И везде он был не с ней, а с ее начальником. Который не может, сука, еще раз заболеть!

— Это ведь ты про Игумнова? — Вика опять вклинивается в мой рассказ, который явно ее тревожит, но она не может понять, чем именно. — Бедный-бедный ревнивый папик!

— Не выдумывай! Слушай дальше...

— Слушаю, сэр!

— ...Она все время норовит отстать от группы. Он увязывается за ней. На глазах у всех, но это его не унижает. Вот если бы она сказала: «Зачем ты идешь за мной?» — он сгорел бы от стыда. Но она не скажет. Между ними все ясно. Было ясно еще в Москве.

О чем он говорит ей во время прогулок по Гаване, в этих старых café? Разумеется, он пудрит ей мозги. Он рассказывает о том, как много повидал, а он много повидал. О том, как в юности, в ее примерно возрасте, один ходил на Кавказ, чтобы в межсезонье взять перевал, который в прошлом году не одолели целой группой. Как облучился в заснеженном цирке, похожем на гигантскую космическую тарелку. Как трое суток валялся и бредил в пастушьем балагане, слыша жалобные женские голоса. И как очнулся совсем другим человеком, повзрослевшим и чуточку постаревшим.

Еще он рассказывает о любимой Индии и почему в Дели уже не встретишь священных коров. «Ты представляешь! Они обложили их налогом. И оказалось, что хотя коровы священные, но они кому-то принадлежат. Нищим людям, у которых нет денег на налог». И вдруг он сам впервые задумывается: куда же делись эти коровы? Сами сдохнуть они не могли, их и так ничем не кормили. Неужели зарезали? Индус, который режет священную корову... Бр-р! Это такая же гадость, как мертвый Че, которого продают туристам.

О, она умеет его слушать! Она еще не знает цену людям. Она не знает цену мужчинам, подобным ему. Однажды она обмолвилась: «Когда недавно я познакомилась со своим отцом...» Он не стал развивать эту тему. Это была граница, за которую он испугался перешагнуть. Просто струсил.

В его откровениях тоже есть своя граница. Например, он не говорит ей о себе самого главного. Что он трудоголик и алкоголик. Что он трудоголик именно потому, что наследственный алкоголик. Он не говорит ей о кайфе проснуться в пять утра, когда люди еще спят, но божий мир просыпается. Об этом кайфе сесть за компьютер и пробуждать слова в ритме пробуждения мира, его горячих солнечных толчков. Во-первых, такой кайф ей недоступен и это отдалит его от нее. Для нее это ужас — проснуться в пять! Сова! Во-вторых, ему хочется быть с ней до конца честным. Но тогда надо рассказать и о кайфе проснуться в пять утра и отправиться за первой бутылкой водки в ночной магазин, и о том, как в магазине самообслуживания кассирша спутала его товар с товаром стоявшей позади женщины с ребенком. «Это тоже ваше?» — спросила кассирша. Он что-то промычал в ответ. Женщина возмутилась: «Вы не можете отличить товар обычного алкаша от товара нормальных людей?» И как он почему-то запомнил, что слово «обычный» задело сильнее, чем слово «алкаш».

Тогда он еще не знал себе настоящую цену. Он не знал, что не бывает обычных и необычных алкашей. Это не вопрос личного выбора. Это — вопрос инстинкта самосохранения. Тот, в ком этот инстинкт ослаблен, приговорен. Его ждет смерть. Быстрая и жуткая смерть.

В кафе он задает ей вопрос о личной жизни. Вряд ли ему хочется знать о ее мальчике, если такой имеется. Тем более вряд ли мечтает услышать, что у нее есть любовник его возраста. Но он уверен, что нет ни мальчика, ни любовника. Спрашивает просто так, чтобы убедиться в своей наблюдательности. Еще в Шереметьеве он понял, что никого у нее нет. Раньше был. И не один...

— Откуда такая уверенность? — с презрительной миной говорит Вика. — Все вы убеждены, что видите баб насквозь. На самом деле ничего вы не видите, ничего о нас не знаете.

— Повторяю вопрос: мы будем слушать рассказ или обсуждать баб и мужиков на нашем с тобой примере?

— Рассказывай! Хотя я и так знаю, чем это закончится.

— Откуда такая уверенность? — с улыбкой повторяю Викин вопрос.

— Большой опыт чтения, дорогой!

— ...В ответ она наконец-то спрашивает, женат ли он. Он усмехается. Если бы не его многотерпеливая жена, он давно бы вел разговоры с команданте на небесах. Вернее всего — в аду. Женатый алкаш еще имеет какой-то шанс на выживание, а холостой — практически никакого. Природу и общество не обманешь. Им не нужны лишние люди. Но ей он об этом не говорит.

«Сколько лет твоим детям? — спрашивает она, и разговор, который он сам же по глупости затеял, начинает его раздражать. — Сколько тебе лет?» И впервые в жизни он ловит себя на том, что стесняется назвать свой возраст. Это его озадачивает. Он знает, что благодаря своей матери, которая осталась красивой женщиной и в старости, он тоже выглядит моложе своих лет, но никогда этому не радовался. Он даже морщится, если в метро к нему обращаются не «мужчина», а «молодой человек». Почему же теперь он стесняется?

«Когда ты окончила институт?» — спрашивает он. «Три года назад». — «Тогда тебе двадцать пять?» — «Ну, где-то так...» — со странной уклончивостью отвечает она. Это озадачивает еще больше. Она тоже стесняется своего возраста?

...Вообще-то они странная пара, как он очень скоро понимает. И — не в свою пользу. Он категорически не пьет. Она, находясь рядом с ним, тоже не пьет. Вся делегация сладостно хлещет мохито и дайкири, не брезгуя и чистым гаванским ромом. А они бродят как трезвые тени на шумном и пьяном карнавале. «Тебе заказать выпить?» — смущенно спрашивает он ее в ресторане. «Нет», — говорит она и не пьет ничего крепче того, что пьет он. Но однажды, когда они вернулись в гостиницу под дождем, она говорит, что хочет выпить чистого рома. Берет в баре две порции по сто грамм и пьет без закуски.

Он смотрит ей прямо в лицо. Сейчас у нее предательски покраснеет носик. Потом начнет заплетаться язык. Потом она станет куском мокрого снега. В результате он затащит ее к себе в номер. Или — в ее роскошное бунгало. И все эти деликатности с возрастом и детьми отпадут сами собой. В конце концов, чего он от нее хочет? Ежу понятно, чего он от нее хочет. Давай, девочка, пей еще! Какой мужик не любит вас пьяненьких, таких умных и гордых?

— Какие вы все подонки! — возмущается Вика.

Я пропускаю ее комментарий мимо ушей.

— ...Но возможен неприятный вариант. Из нее просто-напросто вылезет на свет отвратительная дура. Он много таких навидался и лучше бы никогда не видел. Она станет молоть всякую чушь. Не дай боже, еще начнет читать ему Бродского. Тогда он ее или убьет, или от стыда сгорит. Он сгорит от стыда за нее и за себя. Он не виноват, что он сложный человек. Не плохой и не хороший, а просто сложный. Он не виноват, что ищет в женщинах тоже сложные натуры. И теперь ему кажется, что нашел. Кажется, он кого-то нашел.

— Твой герой законченный эгоист, — опять встревает Вика. — Как и ты. Не видит никого, кроме себя. И ищет он не женщину, а себя.

— Ты мне мешаешь, Вика! — серьезно говорю я.

— Извини! Продолжай!

— …Как он был благодарен, что ей понравилась песня деревенского парня о Че Геваре! Он же чувствовал, песня тоже ее как-то зацепила. Потом уже он с умным видом рассуждал специально для нее: «Нет, я все понимаю головой. Этот мерзавец мог уничтожить весь мир. Достаточно одного Карибского кризиса. Но мир стоит, а его убили. И я не уверен, что мир этого достоин».

Самое главное, она ни разу ему не возразила. Она с ним не спорила. Конечно, он слегка осторожничал с ней. Однажды вдруг обронил: «Не буду тебя этим грузить». — «Почему?» — как-то удивленно и несколько обиженно спросила она.

Порой ему казалось, что она мудрее его. Вернее, в ней было что-то, что было мудрее его. Слабое и больное поколение его сына было мудрее его поколения просто по сумме прожитых человечеством лет. Точно так же он чувствовал себя мудрее по отношению к своему отцу. Отец был в сто раз опытнее и энергичнее. Он сделал головокружительную карьеру, а скончался в следственном изоляторе на каменном полу.

Но наш герой был почему-то уверен, что сам он не умрет в следственном изоляторе на каменном полу. Это так глупо!

— Я никогда не спрашивала тебя об отце, — вдруг говорит Вика. — И ты сам ничего о нем не рассказывал... Он жив?

— Это не тема. Не путай жизнь и литературу.

— Извини! Ну, что там дальше?

— Иногда его сын, умный, чистый, добрый и талантливый парень, но слабый для этой жестокой жизни, как почти все из их поколения, в ком еще осталась хоть чуточка духовности, говорил вещи, которые казались ему мудрее его собственных мыслей и слов. «Ты рассуждаешь слишком сложно, папа, — говорил сын. — Все куда проще». — «Проще, но и сложнее! — немедленно вскипал он. — Если ты этого не понимаешь, ты просто боишься жизни! Ее настоящей, а не компьютерной сложности! Ты просто боишься бросить этой жизни вызов!» — «Пап, а почему я должен бросать жизни вызов?»

— Правильный мальчик, — заявляет Вика. — Твой Максим — тоже правильный. Мне он понравился.

— Макс сказал, что вы тут говорили исключительно обо мне и ты меня превозносила до небес. Это правда?

— Щас! — смеется Вика. — Разбежалась, волосы назад! Это он тебя за нос водил. Твой сын нагло приставал ко мне. Опыта у него еще маловато, но напор и энергия есть. Я оценила.

— Ну, это же мой сын, — стараясь сохранять хладнокровие, говорю я. — Иноземцевы всегда добьются своего.

— Продолжай уже свой рассказ, — ворчит Вика. — Когда он уже наконец ею овладеет? А то скучновато как-то.

— ...Он смотрит на нее и ждет. Вот сейчас у нее покраснеет носик. Важно не пропустить тот момент, когда клиенту пора освежиться. Отвести ее в бунгало, пока не началась пьяная истерика. С этими истеричками из окололитературной среды просто беда! И он до судорог в душе представляет себе это «фламенко». Самое ужасное, что ее не бросишь. Придется провожать.

С ней происходит то чудо, на которое он надеялся. Ничто не проявляет женщину с такой беспощадностью, как сильная доза алкоголя. Перед тем как жениться, невесту нужно подпоить. Сразу увидишь то, что потом придется узнавать годами.

Ее лицо становится нежно-розовым. Оно согревается изнутри ровным светом, как фарфоровая чаша, в которой горит свеча. Если бы он сам выпил, он просто рехнулся бы, глядя на это лицо. Она становится немного многословнее (да, не тупит! просто нормальная реакция на алкоголь!), однако не говорит глупостей и вообще, как ему кажется, ничего не говорит. Ее слова легки и необязательны. Ее лицо становится таким счастливым! В нем вдруг проявляется то чистое представление о счастье, которое она хранит в себе.

Не доходя метров двадцать до своего бунгало, она жестом останавливает его. Она говорит: «Спокойной ночи!» Это разумно с ее стороны. Она просто избавляет его от необходимости расставания у дверей недалеко от ее постели. Конечно, он задал бы ей вопрос: «К себе не пригласишь?» Не пригласит.

О чем он думал по дороге в бунгало? Он думал о том, что не взял презервативы. О чем он думает, если честно, возвращаясь обратно, огибая гостиницу и выходя на берег океана? О том, не таскать же эти презервативы в кармане постоянно.

Наутро она говорит ему: «Я совсем не помню, что было вчера! Ничего не помню!» — «Как тебе спалось?» — «Отвратительно! Бродила по всему дому, натыкалась на мебель!»

— Протестую! — опять возмущается Вика, ерзая на диване. — Уверена, она отлично выспалась и утром была свежа как майская роза. Вот и я напьюсь как-нибудь в дым! Почему ты можешь приходить домой пьяный, а я нет?

— Потому что это — мой дом.

— Спасибо за напоминание!

— …Когда они возвращаются на общем автобусе из Пинар-дель-Рио, она пьет таблетки от укачивания и просит: «Можно посплю у тебя на плече?» Господи! Он мечтает об этом! «Конечно», — говорит. Она кладет голову ему на плечо. Он чувствует свою ключицу, как она жестко врезается в ее ухо. Ему хочется стать резиновым, надувным.

Конечно же, она догадалась, как ему приятно за ней ухаживать. Нет, не так. Приятно ее оберегать. Приятно чувствовать ее зависимость от него. При этом он замечает, что она ни разу никуда не опоздала. Он замечает: она прилично, но бедно одета. Он замечает: во время прогулок по Гаване она не интересуется магазинами. Она ничего не купила. «Терпеть не могу шопинг», — говорит она. «Где работает твоя мама?» Она отвечает не сразу и тихо: «Нигде».

На следующий день после бурной отвальной гулянки всей делегации она улетает раньше него. Ему, как авторитету, подарили еще неделю отдыха на Кубе. Вместе с писателями. Это тешит его самолюбие. Но в день, когда она уезжает с журналистами на автобусе в аэропорт, он проклинает организаторов поездки. Он не хочет быть на Кубе один. Один, то есть без нее. Он хочет улететь с ней в заснеженную Москву, к черту на рога! Просто улететь.

Само собой, он не идет провожать ее у автобуса. Это выше его сил. Что он будет ей говорить? Типа: «Береги себя»?

Потом он будет жалеть об этом. Надо было проводить! Нагло проводить на глазах у всех. Купить в дорогу бутылочку воды. Напомнить, чтоб не забыла поплотнее застегнуть курточку на выходе из Шереметьева. Предложить денег на такси, которые она, конечно, не возьмет. Попросить кого-то из делегации, чтобы присмотрели за ней в Париже, на пересадке, когда она будет метаться, страдая от никотиновой зависимости, и заблудится, не дай бог. Он хотел это сделать. Но не сделал. И какой же он после этого герой? Какой же он Че?

— Какие же вы слабаки, — вздыхает Вика. — И ты такой же.

— Он бродит по Старой Гаване и не находит себе места. Он поражается бестолковости и бессмысленности этого грязного города, наспех, с пошлой советской грубоватостью приспособленного для туристов. На единственном книжном развале в центре он покупает единственную книгу на английском языке. Конечно, это биография Че, после ее отъезда Че — единственный близкий человек, который еще остался с ним в Гаване. Вернувшись в отель, он с жадностью листает книгу, пытаясь найти в ней оправдание его и своей жизни.

Гевара родился в состоятельной семье в Аргентине. В нем текла кровь испанцев и ирландцев. С детства он страдал астмой. Ради любимого мальчика родители переехали из пыльного Буэнос-Айреса в глушь, в аргентинский Саратов под чудесным названием Alta Gracia. Мать Гевары, в точности как русская дворяночка, свободно владела французским и научила этому сына. Еще он увлекался литературой и спортом... «Да, негусто, — думает наш герой. — Кроме астмы и французского — можно сказать, ничего».

Когда Геваре стукнуло восемнадцать, семья вернулась в Буэнос-Айрес, чтобы он мог учиться в университете. Поступил на медицинский факультет. Специальность — кожные заболевания. Стоп-стоп! В биографии сказано: «Интересовался проказой и тропическими лихорадками». Откуда у юноши такие интересы?!

Не валяй дурака, говорит себе наш герой. Чем еще интересоваться будущему врачу в жаркой и грязной Латинской Америке? Не ангиной же? Когда Че поступил в университет, уже был пенициллин. И все-таки... Пойти на контакт с прокаженными решится не каждый. А Че работал в Венесуэле в лепрозории. Вообрази, чего он там насмотрелся! Кстати, астмой он страдал всю жизнь и поэтому кроме проказы занимался аллергическими болезнями. Этот парень знал, что такое страдания.

Перевернем картинку обратной стороной земного шарика. Так, предположим, что он родился в Индии. Ну конечно! Он же Будда наоборот!

Еще он постоянно сбегал от своих родителей. Колесил на велосипедах и мотоциклах по всей Латинской Америке и нарушал пограничный режим. Подвергался депортации.

Революционную биографию Гевары журналист пролистывает без интереса. Такие биографии все одинаковы. Как жития святых. Только глаз специалиста или глубоко верующего различит в них оттенки. Но почему после победы на Кубе Че сбежал от Фиделя сперва в Африку, потом в Боливию? Чего ему на Кубе не сиделось? Слава победителя, министр промышленности, президент кубинского Национального банка… Зачем в Боливию? Либо он был патологический солдат, либо везде, в том числе и на победившей Кубе, ему все-таки мерещился лепрозорий как зримое воплощение несправедливости, на которой построен этот мир. Конечно, Че был заточен на смерть. Это видно по его глазам на любом фото. Там, где он, как Ленин, тащит с рабочими носилки на кубинском субботнике. И где сидит на комбайне, как Хрущев. И где снимается с Фиделем. Особенно хорош снимок с Гагариным. Два смертника, два смертоносно обаятельных парня!

В Боливии, в джунглях, с партизанским отрядом в двадцать пять человек, окруженный правительственными войсками, Че был страшно одинок. У него не было даже мобильного телефона (их вообще тогда не было), чтобы позвонить и сказать Фиделю, как ему плохо. Какое же он чувствовал бессилие! Его схватили живого, но раненного в ногу. Наверняка ему было очень больно. И обидно. Его не судили. Его пристрелили на месте, как бешеного пса...

Вдруг я замечаю, что Вика плачет. Отвернулась, чтобы я этого не видел, и плачет. Кажется, я перебрал.

— Так нельзя! — всхлипывая, говорит Вика. — Они не имели права пристреливать раненого. Это жестоко!

— Согласен. Но рассказ же не о нем.

В общем, наш герой обморочно бродит по Старой Гаване, по ее туристическим тропам и трущобам, не видя в них никакой разницы. Он непрерывно думает о ней. Надо же было зимой пролететь десять тысяч километров, чтобы возле теплого моря, среди кокосовых пальм думать об этой странной московской девочке. В номере он вставляет в ноут диск с песней о Че, который купил на рынке, и гоняет его так же непрерывно, как думает о ней. «Команданте Че Гевара!» Он уже выучил эту песню наизусть, не зная испанского. И он старается не вспоминать о том, что все-таки случилось между ними в последнюю ночь. Он вспыхнул, зашипел, как мокрая спичка, и — потух. Немного треска, чуть-чуть огня и никакого горения. Такое было с ним впервые. Он даже не успел расстроиться. А она была прекрасна, как богиня!

— Вот с этого места поподробней! — сердито требует Вика. — Что между ними произошло? Он... не смог?

— На пятые сутки кубинской ссылки он берет мобильник и набирает в контакте ее имя. «Я ЛЮБЛЮ ТЕБЯ», — пишет он, но почему-то долго медлит с отправлением эсэмэс. Решительно стирает контакт и набирает имя своего сына, оставляя прежний текст сообщения и понимая, что в обоих случаях это чистая правда. И опять медлит, медлит, проклиная сам себя за трусость...

Через три дня они встречаются в «Кофе Хауз» на Никитской, напротив «ИТАР-ТАСС». Он сам напросился на встречу. «Плохой кофе, — говорит он ей, чтобы что-нибудь ей сказать. — На Кубе был гораздо лучше». — «Да, на Кубе все было гораздо лучше», — соглашается она и смотрит на него незавершенным взглядом. «Я отправил тебе по почте рассказ. Ты прочитала его?» — «Да». — «И?» — «Долго смеялась». — «Я не угадал твоих мыслей, как Толстой не угадал мыслей Анны?» — «Толстой угадал мысли Анны. Он не угадал мысли Наташи Ростовой». — «Слушай, а ведь ты права! — удивленно говорит он. — Я тоже это чувствовал! И знаешь почему? Толстой не любил Анну Каренину. Она была не его женщина. Он любил добродетельных. Наташа была исключением. В Наташу он был влюблен... Поэтому он ее не угадал?»

В этот момент он замечает, что она смеется над ним.

«Ты хороший человек, — говорит она. — Правда, ты очень, очень хороший человек... Зачем тебе я?» — «Может быть, для того, чтобы написать этот рассказ», — говорит он. «Зачем?» — спрашивает она. «Понимаешь, — говорит он, — все это... — он обводит рукой пространство кафе, — все это полная ерунда. В этом нет никакого смысла. А в этом рассказе, пусть он у меня и не получился, какой-то смысл все же есть». — «Ты серьезно так думаешь?»

Они долго молчат. Он поднимает глаза. И видит в ее взгляде абсолютную завершенность...

«Ты все угадал правильно, — говорит она, — кроме главного. У меня есть постоянный... Но это не мальчик и не мужчина твоего возраста». — «Вот как? — удивленно говорит он. — Кто же тогда этот он?» — «Моя учительница фламенко».

— Ты это специально для меня придумал? — сердито спрашивает Вика. — Чтобы меня позлить? Или это было с тобой на самом деле?

— А что у вас с Игумновым было на самом деле?

— У нас с Игумновым было все и на самом деле! — с вызовом заявляет Вика.

— Тогда и со мной все было на самом деле. Сладких тебе снов!

ДА, БОСС!

Мой сон меняется стремительно, так что это начинает меня пугать. Проснувшись, я помню его отчетливо и понимаю, что это вовсе не сон, что во сне ко мне возвращается память.

Я разгадал ребус на горном хребте, который не смог разгадать опытный руководитель первой группы.

Первой... Да, черт побери! Всего два дня назад я был здесь не первым, а вторым. Мы шли на перевал двумя соединенными группами, одна — его, вторая — моя, и по правилам в экстремальной ситуации я был в его подчинении. Вспомнил! Он был из поволжских немцев, и у него была фамилия Хальтер. Ребята из моей группы между собой в шутку прозвали его Хайль Гитлер, и хотя себе я этого не позволял, но и не пресекал такие настроения...

Какое же у Хальтера было имя? Вроде бы русское, но я его не помню. Смешной педант, высокий, тощий как жердь, с горбатым носом и бесцветными глазами, он перед сном на глазах у всей своей группы напяливал на голову розовый фланелевый колпак, объясняя это тем, что фланель отлично хранит тепло, а на внешний вид ему наплевать, не красоваться они сюда пришли. При этом он был опытнейший горный турист и на его счету были куда более сложные восхождения. Он даже побывал в походе, где был один труп*, что

---

* Погибший в горах.

для начинающих туристов звучало почти легендарно. А я был, в сущности, еще начинающим. Три похода за плечами — это пустяки. Мне впервые доверили самому вести группу — но с группой Хальтера. И в этом была какая-то обидная двусмысленность.

Всего два дня назад мы сидели с Хальтером на краю бараньего лба*, выступающего из-под снега и отполированного движением ледника каких-нибудь несколько сотен тысяч лет назад, смотрели на карту и пытались понять, как отыскать перевал. Порой найти его в горах не так-то просто, как думают. Не обязательно им окажется ближайшее понижение в хребте, и не обязательно он будет находиться прямо перед вашими глазами. Вполне возможно, что перевал откроется вам случайно и внезапно, слева или справа, за той или этой скалой, и вы пробормочете: «Вот тебе, бабушка, и Юрьев день!»

Из нашей туристической секции при университете на этот перевал еще никто не ходил. Интернета тогда не было, а в библиотеке туристкой литературы в Москве рядом с метро «Марксистская» наши московские друзья описания перевала не нашли.

— Нет, — сухо и твердо сказал Хальтер, — рисковать не будем. Межсезонье не шутка. Возвращаемся!

Этот чертов немец даже не нашел нужным мне хоть что-то объяснять. Ему-то что! Это было не первое его руководство походом. И не самое сложное. И он поступал по правилам. Никто не осудил бы его за осторожность, ведь в наших группах были одни новички. Наоборот — отправить группы из начинающих весной, то есть в межсезонье, было некоторой

---

* Пологие скалы, похожие на бараньи лбы.

авантюрой со стороны тренера. Он вообще был человеком авантюрным. В отличие от Хальтера...

Мы не взяли перевал. Я предвкушал, как надо мной будут потешаться в секции. Не над Хальтером — его уважали. Надо мной. Еще мне было стыдно смотреть в глаза ребятам в моей группе. Я их сам собирал. Я их тренировал. Проводил инструктажи. Вешал им лапшу на уши про горы — какие они опасные и коварные. И про черного альпиниста*, естественно. Куда ж без черного альпиниста! И вот выходит, что я их просто обманул...

По дороге остановились на ночевку. Утром я заявил Хальтеру, что моя группа остается еще и на дневку.

— Зачем? — спросил тот, не снимая своего идиотского розового колпака.

— Молодняк устал, — сказал я.

— Когда это твои успели устать? — спросил Хальтер.

— Это психологическая усталость, — сказал я. — Мальчики и девочки настроились на взятие этого перевала, а ты им, Хальтер, все обломал.

— Ты мудак, — сказал Хальтер. — Из-за таких, как ты, и бывают трупы. Обычно трупами становятся они сами. Но сейчас ты — командир и поэтому вдвойне мудак. Из тебя никогда не получится настоящего горника. Я тебя насквозь вижу, Иноземцев. Ты в секции случайно. Ты вообще случайный.

— А это не твое дело, — сказал я. — Ситуация сейчас не экстремальная, так что я имею право взять полное руководство группой на себя. Остаемся на отдых.

Хальтера подвели его немецкие честность и педантизм. Он даже представить себе не мог, что я ре-

---

* Одна из самых популярных баек среди горных туристов.

шусь отправиться со своей группой на перевал. Это было слишком против правил. А я решил, что, когда мы возьмем перевал, я сниму с него записку* и покажу тренеру, это будет моей моральной победой. Я понимал: за это меня выгонят из секции. Но иначе поступить я не мог. Ночью я видел перевал. Это было как прозрение! Хальтеру я об этом не сказал.

За завтраком Вика спрашивает:
— Что с тобой происходит, папик? Раньше ты кричал во сне, а теперь — смеешься. Причем таким демоническим смехом. Ты давно не был у своего врача?
— Подслушиваешь за дверью? — спрашиваю я.
— Больно надо! — фыркает Вика.
Она говорит, что Варшавский задумал новую серию и ждет ее соображений.
— Представляешь, мне нечего ему сказать! У меня совсем нет такого опыта. Помоги, папик!
— Что за серия? — интересуюсь я.
— Условное название «Да, босс!».
— Понятно, — говорю. — Пингвиныч, как всегда, неоригинален. Романы о великолепных боссах и секретаршах. Ее задача влюбить его в себя, что ей в конце концов и удается... Про это написано миллион романов и снято сто тысяч сериалов.
— Неужели? — удивляется Вика. — И ты все это читал и смотрел?
— Я похож на идиота? Разумеется — нет. Это и так всем известно.

_____

* Записку в самодельном контейнере и пирамидке из камней оставляли советские туристы на перевалах.

— И что ты об этом скажешь?

— А ты не задумывалась, почему резиновые женщины пользуются гораздо большим спросом, чем резиновые мужчины?

— Советуешь серьезно об этом подумать?

— Да, это был бестактный вопрос.

— Нет, давай обсудим, раз ты начал! Скажи, зачем нам бездушный резиновый мужчина, если все, что нам от него нужно, — это его член? Просто представь: как будет удовлетворять себя женщина искусственным мужчиной? Ей придется все делать самой. И удовольствия она от него не получит, а только устанет.

— Однако, я вижу, ты специалист в этом вопросе, — язвительно говорю я. — Но рассуждаешь грубо. Тем более что современные технологии позволяют сделать искусственного мужчину не совсем бездушным. Ну, он может говорить вам ласковые слова, да и физически имитировать кое-что... Тем не менее искусственные мужчины не пользуются большим спросом, в отличие от примитивных фаллоимитаторов. А искуственные женщины — пользуются, и еще как! Эта индустрия развивается семимильными шагами.

— Почему?

— Потому что резиновой женщиной можно обладать, но нельзя принадлежать резиновому мужчине. Да, искусственная женщина — это в конечном итоге бездушное бревно, с которым можно делать все что угодно. Но это нас и заводит! А что можно сделать с резиновым мужчиной? Порезать на кусочки в качестве мести за женский род? Дорогое будет удовольствие...

— И что из этого следует?

— Элементарно, Ватсон! Нас заводит не их красота, грубая и условная, а их абсолютная подчиненность. С искусственной женщиной можно спать, а потом свернуть и засунуть в шкаф. Даже выбросить.

— Но не отдать другому?

— Что ты сейчас сказала?

— Так, к слову пришлось.

— В реальной жизни мужчины не любят идеально красивых женщин, потому что боятся их. Боятся отказа, понимаешь? И мы покупаем их в виде искусственных женщин, чтобы делать с ними любые гадости. Вы — наоборот. Вам подавай живой мужской идеал! И к этому идеалу вы относитесь как к идолу. Том Круз, Бенедикт Камбербэтч... без разницы. Ты заметила, как похорошели в последнее время политики? Электорат в основном женский. Кто сегодня победил бы на выборах — толстый Черчилль или стройняшка Энтони Блэр?

— Какое отношение это имеет к романам?

— Прямое! Все эти ваши романы о великолепных боссах суть одно и то же — жажда принадлежать великолепному мужчине. Стать его желанной вещью. Это как бы ваше соперничество с резиновой куклой. И сколько бы феминистки с этим ни боролись, романы о великолепных боссах будут иметь самый широкий успех.

— Какой ты умный, папик!

— Не стану тебе возражать.

Из кабинета Игумнова доносятся истошные вопли. Голос как будто женский, но разобрать нельзя. Верунчик стоит у двери, подслушивает. Даже в профиль я вижу улыбку на ее нарисованных красной помадой губах. Вера не испугана и даже довольна происходящим. Собираюсь выйти и зайти попозже, но в этот момент Вера меня замечает и смущенно отходит от двери.

— Здравствуйте, Иннокентий Платонович! Вячеслав Олегович занят.

— Надеюсь, его убивают?

— Надеетесь?!

— И еще как. Это избавит меня от необходимости делать это самому.

Дверь распахивается. Из кабинета выбегает Пингвиныч с побелевшими глазами. Вы когда-нибудь видели разъяренного пингвина?

— Подонок! — бросает он напоследок в глубь кабинета.

Странно, но Варшавского не смущает мое присутствие.

— Здравствуйте, Иннокентий Платонович! — своим тоненьким голосом поет он. — Когда вы пообщаетесь с этим мерзавцем, прошу ко мне на рюмочку коньяка!

— А что случилось?

— То, что не все такие порядочные люди, как вы! — кричит Пингвиныч, обращаясь явно не ко мне.

Игумнов, грустный и бледный, сидит за столом, опершись на него локтями и обхватив голову руками.

— Хочешь кофе? — говорит он.

— Горячий? Не боишься, что опрокину тебе на штаны?

— И ты о том же… Да вы все помешались на этой Вике! Морду мне бить пришел? — спрашивает.

— Нет, я не бью людей по срамным местам.

— В каком смысле?

— В прямом. В зеркало на себя давно смотрел? Во что ты превратился? Ты ведь был поэтом, мать твою! У тебя же порочное лицо! Скажи, ты трусы на задницу надеваешь?

— Ну... разумеется.

— Напрасно. Надо на лицо.

Но через несколько минут Игумнов снова в своей тарелке. Я всегда завидовал Славиной способности держать удар в любой ситуации. Он со мной предельно откровенен. Да, от Вики у него поехала крыша, поэтому и расспрашивал меня о ней так подробно. И только убедившись, что у меня с ней ничего нет, он *сделал ей предложение, от которого она не должна была отказаться.*

— Не отказалась? — спрашиваю я.

— Пойми, мне чужого не надо, — оправдывается он. — Ты мой друг. Но эта девчонка — что-то особенное! У нее даже запах какой-то особенный, как у свежескошенной травы. И слушать Вика умеет как-то так... словно она вся в твоей власти.

— Повторяю: у вас что-то было?

— Не было, не было, успокойся! И вообще, пошел ты... Сам как собака на сене — ни себе ни людям! Ты хоть в курсе, что Вика тебя любит? Непонятно — за что?

— Это не твое дело.

— Пингвиныч тоже перевозбудился!

— А он-то почему?

Игумнов загадочно смотрит на меня.

— Он тебе ничего не рассказывал?

— Нет.

— Ну, тогда и я не буду.

Пытаюсь представить себе Варшавского, пристающего к Вике, но не могу. Нет, тут что-то другое. Наверное, просто мнит себя добрым папочкой в своем гареме.

— Надеюсь, его ты не уволишь? — интересуюсь я. Слава тяжко вздыхает.

— Скорее — он меня. У него основной пакет акций.

— Не понял... Зачем тогда он работает редактором?

— Старая гвардия. Не может без черной работы, без привычных нарукавничков. Генри Форд, мать его! Взялся поднять серию женских романов, потому что прежние редакторы провалили.

— Ты зачем пришел, Отелло? — продолжает Игумнов. — Хотя какой ты Отелло? Ты — Железный Дровосек без сердца. А я Страшила, с сердцем и без мозгов.

— Сказал бы я тебе, где у тебя сердце...

— Зачем пришел?

— Хотел выяснить: кто украл тот швейцарский нож?

По лицу Славы вдруг разливается сладкая улыбочка.

— Ах, ты об этом? О своем первом романе, где была новелла про швейцарский нож? Да это ж когда было? Пять лет назад! Вот что я тебе скажу, Иноземцев. Негоже псу возвращаться на блевотину свою. Написал свой роман и написал. Он у тебя получился. Это был твой звездный час. Чего тебе еще нужно, дуралей? Правды? Да кому она нужна в нашей жизни?

— Ты сам советовал мне покопаться в моем прошлом.

— Я советовал тебе покопаться в своей памяти, а не в прошлом. Это, как говорят, две большие разницы. По крайней мере — в твоем случае.

— Это я стащил нож?

Слава задумывается.

— Да, старик, это ты украл нож. И выбросил его ночью в окно. И я это видел. Хотя ты думал, что я сплю. И еще я видел, как ты блудливо прятал его под матрас. Я давно обо всем догадался и хотел этот чертов ножик сам у тебя забрать и выбросить куда-нибудь на хрен, чтобы ты перестал мучиться.

— Почему мне не сказал? Мы же были друзья.

— А почему мажор не сказал «деревне» о своих подозрениях? Потому что не был в них уверен. Вот и я не был уверен в том, что ты этот нож украл случайно. То есть я догадывался по твоей задумчивой физиономии тайного онаниста, что ты попал в ловушку, но уверенности не было. Может, ты его сознательно украл...

— Прости, Слава!

— Не лезь в это дело, Кеша. Тухлое оно.

Главный вопрос.

— Той ночью во дворе действительно убили человека?

На этот раз Слава думает долго. Это на него не похоже.

— Да, Кеша, убили. Я тебе тогда соврал, что ничего не было. Больше того, я видел из окна, как его убивали, пока ты лежал на кровати в прострации. Только лица убийцы не разглядел. И это я спустился во двор. Я поднял, фигурально выражаясь, это орудие убийства и спрятал его так, чтобы ни одна собака не нашла.

— Зачем ты это сделал?

— Затем, что если бы этот нож обнаружила милиция, то на его рукоятке нашли бы твои пальчики. Ты же не в перчатках его носил и под матрас прятал.

— То есть ты меня спас?

— Ну, будешь мне морду бить или нет?

Нет, что-то тут не так. Не верю я ему.

— Опять не понимаю. Тебя же могла видеть ночная вахтерша и рассказать об этом милиции.

— Э-э, нет! Марьиванна — старая чекистка! Вернее, муж у нее служил в НКВД, потом в МГБ. После двадцатого съезда застрелился из табельного оружия, а она пошла работать вахтершей в общежитии Лита. И мы, студенты, были для нее как родные дети, потому что своих детей у нее не было. А своих детей она не сдала бы не то что под пытками, а даже на детекторе лжи. Когда ее допрашивали, твердила: никого не видела, ничего не слышала.

— И ей поверили?

— Может, и не поверили. Но дело-то нужно было как-то закрывать. Вот бомжик и попал под колесо истории. И умер, бедняга, в следственном изоляторе. Быстро.

— Тебе его не жалко?

— Он бы и так помер.

— Опять что-то не сходится, — возражаю. — Убийство — дело серьезное, такими делами прокуратура занимается. А на бомже не было ничего, ни ножа, ни крови — разве не так?

— Было, не было... — говорит Слава. — Может, и было. Он ведь этой ночью водку у бутлегерши таки купил, и за живые деньги, хотя за час до этого просил бутылку в долг, но она ему не дала. Кошелька в кармане жертвы не нашли. Говорю тебе: дело нужно было как-то закрывать. Бомж с похмелья, ничего не помнил. Надавили, что-то пообещали... Грязная работа, что тут скажешь?

— Славочка, — тихо спрашиваю я, — а ты-то откуда это знаешь? Ты вроде в милиции никогда не работал.

— Я не работал, а кореш мой работал. Отстань от меня Христа ради! Ты понимаешь, что было бы, если бы на ножике нашли твои отпечатки? И институту бы не поздоровилось.

— Ладно, — продолжаю я свое следствие, — а за что тогда мажора наказали?

— Тоже мне следак! — презрительно говорит он. — Ну, понятное дело, что примерное орудие убийства экспертиза вычислила. А дальше как по писаному. У тебя, между прочим, писанному. Перечитай сам свой рассказ.

— Я тебе не верю.

— Да ради бога! Иди-иди, копайся в своем прошлом, если мозги чешутся. Только ничего хорошего ты там не найдешь. Дерьмо там, Иноземцев, одно дерьмо. Зачем тебе это? Ты же у нас, плять, блаженный. Практически святой. Живи своей придуманной жизнью и не лезь в нашу грешную жизнь. Ты же счастливый человек. Ты ни хрена ничего не помнишь. Вообще, ты мне надоел!

— Если ты еще раз пристанешь к Вике...

— Пошел, пошел! — кричит Игумнов. — Сдалась мне твоя Вика! Минутная слабость. Мог бы и понять меня как мужчина. Не было ничего и быть не могло.

Выходя от Игумнова, замечаю на столе секретарши книжку в глянцевой обложке — «Да, босс!». На обложке — девушка с силиконовым личиком, длинными ресничками и веками, закрытыми, как створки раковины. Пухлые, ярко накрашенные губки и розовое платье-вязанка, приспущенное с одного плеча. За другим плечом смущенно притулился молодой босс, тоже вполне себе силиконовый — оживший манекен из дорогого магазина мужской одежды...

Киваю на книжку:

— Не боитесь, что вас застукает Вячеслав Олегович?

Лицо Верунчика становится надменным.

— Лев Львович приглашает меня работать в свой отдел.

— Секретарем?

— Редактором.

— Вы согласились?

— Я еще подумаю!

Вера бросает в сторону кабинета ненавидящий взгляд и прячет книгу в ящик стола. Надулась.

Как же они все похожи!

ДА, БОСС – 2

Пока я сидел у Игумнова, пришло СМС от Максима: «*Пап, нужно встретиться*». На улице пытаюсь с ним соединиться, но сын не отвечает и присылает второе СМС: «*Не по телефону*». Что случилось? Что еще затеяли Тамарочка с Сергеем Петровичем? Как же меня достали Сергеи Петровичи!

«*Еду домой. Жду тебя через час*». — «*Не у тебя*». Что за черт?

Назначаю встречу в ресторане «Пушкинъ» на Тверском бульваре. Мне все в нем нравится, кроме этого дурацкого «ъ». У хозяина не хватило вкуса, чтобы понять, что Пушкин не нуждается в винтажности. Но зато прекрасная кухня.

Максим напряжен. Кусает губы и смотрит мимо. Взгляд холодный, деланно безразличный.

— Что случилось, сын?

— Вика позвонила и отменила встречу.

— Так бывает. Вика — занятая девушка.

— Она отменила ее навсегда.

— Так тоже бывает. Мой тебе совет, Макс: никогда не потворствуй прихотям женщин. Помнишь, как у Булгакова? Никогда ничего не просите, сами придут и все дадут.

— Там не о женщинах, пап...

— О них тоже.

Пытаюсь разрядить атмосферу.

— Закажем что-нибудь вкусное! Рекомендую кабанятину с брусничным соусом...

— Пап, я тоже пригласил Вику в «Пушкинъ».

Ни фига себе замашки у моего сынишки!

— А ты здешними ценами интересовался?

— Интересовался, — с вызовом говорит он.

Мне вдруг становится обидно за сына. Мало ей, что она терзает меня, она и сыну моему сделала больно.

— Что у вас с Викой, пап? Только — если честно.

— Я уже говорил тебе и повторять не собираюсь.

— Зачем же ты с ней живешь?

Этот вопрос задавала и Тамара.

— У писателей бывают свои причуды. Эта девушка мне интересна. Если угодно, как типаж для моего романа.

Не нужно было этого говорить. Лицо Макса передергивается от ненависти.

— Лучше бы ты с ней переспал!

Господи, это не мой сын! Тамара имела на него куда больше влияния. А чего я хотел? Я же им не занимался.

Максима вдруг прорывает. Он начинает говорить ужасные вещи. Он говорит, что всю жизнь боялся меня и старался мне подражать. Что читал все мои книги, пытаясь понять, что в них такого и почему они пользуются таким успехом. Что так ничего и не понял и решил, что это он такой тупой. Что с Викой они говорили только обо мне и о моих романах. Что на самом деле они ему не нравятся, но ей он врал, что нравятся. Зачем он ей врал?

— Она думает только о тебе! Если бы мы с ней встретились, мы опять говорили бы только о тебе!

Максим уже не говорит, а кричит. На нас начинают коситься с соседних столов. Нетрудно догадаться, что они себе воображают. Не хватало, чтобы нам сделали замечание. К счастью, Максим быстро устает и утыкается носом в меню:

— Ладно, проехали! Где там твоя кабанятина, с чем там, с малиной?

Мне больно. Мне очень больно. Мне больно за сына, больно оттого, что это я во всем виноват. Нельзя было впускать Вику в свою жизнь. Ведь знал, что добром не закончится. Да и как еще могут закончиться такие двусмысленные отношения?

Несмотря на свои переживания, Максим уплетает блюдо за обе щеки, а мне кусок в горло не лезет. Быстрый секс и хороший аппетит — два преимущества молодости.

— Ты серьезно влюбился?

— Да, — говорит Максим с набитым ртом. — Я решил сделать Вике предложение и уйти в армию. Если она меня дождется, значит, судьба.

— Макс, а ты не боишься, что она согласится на твое предложение?

Он с удивлением смотрит на меня. Он не ожидал этого вопроса. Макс явно был уверен, что Вика ему непременно откажет. Захотел поиграть в несчастного влюбленного. Нет уж, сынок, это не игра, это жизнь!

— Ты считаешь, Вика согласится?

— Тогда, сын, как честный человек, ты будешь обязан жениться. И значит, к черту карьера. У мамы будет своя семья, у вас своя, а я буду вас содержать. Об этом ты не подумал?

Мне неприятно это говорить, но лучше сразу расставить точки над «i». Если они все такие простые, такие правильные, так умеют любить, то какого дьявола собираются сидеть на шее у меня, такого сложного, такого неправильного и такого бесчувственного! Тамара с соседом уже завладели моей квартирой, и неизвестно еще, как жена поведет себя во время развода. Этот оболтус влюбился в мою девушку и ждет от меня моральной поддержки. Почему-то я думаю, что Вика согласится на его предложение. Почему бы не согласиться? Не папа, так сын. Сын богатого папочки.

— Для начала, — говорю я, — она сегодня же съедет с моей квартиры. А там уж вы сами решайте. Дело молодое.

Лицо Максима становится мрачнее тучи.

— Прошу тебя, ничего не говори Вике о нашем разговоре!

— А я и не собираюсь говорить, просто выставлю ее за дверь.

— Тогда Вика все поймет.

— И что ты предлагаешь? Оставить все как есть? И я буду жить в одной квартире с твоей девушкой?

— Почему бы и нет?

— Ты хоть понимаешь, что говоришь?! Влюбленная в меня девушка будет жить со мной и ждать твоего возвращения из армии? Максим, давай рассуждать по-мужски. В конце концов, я тоже женился на твоей маме не раздумывая и никогда об этом не жалел. В том, что сейчас между нами случилось, виноват прежде всего я. Не знаю, подходите вы с Викой друг другу или нет, это может только время показать. Ну женись, если не терпится. Но если хочешь моего совета, выбрось эту дурь из головы вместе с Викой и армией. Ты компьютерный гений, Максим. У тебя две победы на олимпиадах, одна — международная.

Тебя за границей с руками и ногами оторвут. Поступай в МГУ, МФТИ, не валяй дурака!

Мы сидим у окна с видом на Тверской бульвар. Я замечаю, что взгляд Максима туманно устремлен на Литературный институт, который почти напротив нас.

— Даже не думай!

— Пап, ты о чем?

— Салют, мальчики!

Нет, только не это!

Вика стоит возле нашего стола и хитренько улыбается.

— Что ты тут делаешь?

— А ты что тут делаешь?

— Ты не заметила? Я ужинаю с сыном.

— Вообще-то Максим пригласил на ужин меня. И это я выбрала ресторан «Пушкинъ».

Максим краснеет. А не нужно было врать папе!

— Я и не сомневаюсь, что это был твой выбор, — говорю я. — У моего сына хватило бы вкуса не приглашать девушку из бедной семьи в пафосный ресторан. Кстати, у моего сына хватило благородства не говорить мне о твоем выборе...

— Как это мило с его стороны!

— Я вам не мешаю? — говорит Макс.

— А ты всегда ходишь на свидание с девушками вместе с папочкой? — язвительно спрашивает она.

Вопросительно смотрю на Максима.

— Пап! Она отказалась — это правда!

Тогда я перевожу взгляд на Вику. Она смеется. Она довольна тем, что поставила нас в идиотское положение.

— Без нервов, мальчики! Я не претендую на ваш суровый мужской разговор. И у меня своя деловая встреча.

Только сейчас я замечаю за спиной Вики Варшавского. Но теперь он похож уже не на злобного пингвина, а на пузатого кота, застигнутого у миски со сметаной.

— Вы что тут делаете? — чуть не срывается у меня с языка. Но он и без слов меня понимает.

— Мы с Викусей хотели обсудить некоторые деловые вопросы, — оправдывается он. — А это ваш сынок, Иннокентий Платонович? Просто вылитый вы!

— Спасибо на добром слове. А на работе вы уже не обсуждаете деловые вопросы?

— После того, что ты устроил в редакции? — спрашивает Вика.

— А что я устроил в редакции?

— К счастью, меня там в это время не было, я пришла позже. Редакция стояла на ушах! Ты пытался избить генерального. Ты оскорблял его последними словами. Его секретарша в шоке. Теперь я вообще не знаю, как там появиться, ведь все слышали, что ты орал из-за ревности ко мне!

Смотрю на Пингвиныча. Он смущенно разводит руками: мол, да, так и было. Краем глаза замечаю взгляд сына. В нем какое-то даже уважение. Дескать, пап, ты даешь!

— Вика, выйдем на пару минут.

— Типа покурить?

— Типа покурить.

После чопорного, выдержанного в старинном стиле «Пушкина» Тверской бульвар кажется грязным и шумным. Валит мокрый снег. Перед Тверской встала пробка.

— Вика, что произошло?

— Говорю тебе, меня там не было. Я приехала ко Льву Львовичу позже. Говорят, ты учинил в кабинете Игумнова настоящий погром...

— Из-за тебя?

— Из-за кого еще? Верочка хотела вызывать милицию, но Лев Львович как-то тебя успокоил. Когда я заходила в редакцию, Игумнов как раз выходил с Верочкой. Ты бы видел его физиономию!

— Поэтому ты отказала Максиму?

— Не хватало еще, чтобы ты убил своего сына, как Тарас Бульба.

— Вика, кажется, у меня серьезные проблемы. Только не говори об этом никому. Мне кажется, я живу не совсем в том мире, в котором... живу. Ты меня понимаешь?

— Клянусь, я никому об этом не расскажу! Папик, а ты не думаешь, что у тебя белая горячка?

— Не говори ерунды! Что ты знаешь о белой горячке?

— А ты о ней знаешь?

— Знаю, но не на своем опыте!

Поубивал бы всех женщин!..

Когда мы возвращаемся к столу, Пингвиныч уже сидит на моем месте. Настоящий Сергей Петрович! Если только Сергей Петрович сидел на моем месте... Если он вообще существует, Сергей Петрович.

— Иннокентий Платонович, — торжественно говорит Варшавский, — имею честь авторитетно заявить: у вас гениальный сын! Я готов завтра же взять его на работу в свою редакцию. Нам как раз не хватает толкового компьютерщика, а Макс разбирается в этом как господь бог. Вы не против?

— Позвольте, Максим еще только школу окончил. Его весной в армию могут забрать.

Максим смотрит на меня исподлобья, так, словно я сейчас нанес ему страшное оскорбление.

— Пап, это мне решать!

— Нет, дорогой мой, это уже не тебе решать! — грубо говорю я. — Это решать военкомату. Но кое-что с военкоматом могу решить я. Если ты не против, разумеется.

— Я ненавижу тебя! — кричит Максим, вскакивает со стула и убегает. Вика бежит за ним. Слышу их глухой разговор в гардеробной. Похоже на то, как Тамара шепталась в передней с Сергеем Петровичем. Если... Лучше не думать об этом.

Сажусь на стул Максима.

— Напрасно вы так, — грустно произносит Варшавский. — У вас такой прекрасный сын! А вы...

Подходит Вика, какая-то взъерошенная. Варшавский тяжело вздыхает.

— Пойдем, котенок, — говорит он. — У нас заказан столик на двоих.

Котенок?!

Они усаживаются недалеко от меня. Варшавский сидит ко мне спиной. Только сейчас замечаю на его голове аккуратную тонзуру, как у католического монаха. На ней выступили капельки пота. Вика нарочно сдвинулась немного в сторону, чтобы я мог видеть ее, а она меня.

Варшавский здесь явно не впервые. Официант суетится возле него с подобострастием.

— Мне, голубчик, суп а-ля императрикс с трюфелями и жареные морские язычки с раковыми шейками. Котенок, а ты что будешь?

— Я не голодна, Лев Львович.

— Хотя бы возьми себе десерт. Вот, рекомендую: блинчики со сливочным кремом и горячими ягодами.

— Нет-нет, я худею! — кокетливо возражает мерзавка. — Мне только ирландский кофе.

Официант мнется. Проблема...

— Простите, мадемуазель, — говорит он тихо, чтобы не слышал Варшавский, — паспорт у вас с собой?

— Что такое?! — сердито повышает голос Пингвиныч.

Официант готов сквозь землю провалиться.

— Простите, Лев Львович! Но нас за это увольняют. Я не могу подать вашей даме алкоголь, если она несовершеннолетняя.

Вика открывает рюкзачок и копается в нем.

— Забыла... — смущенно произносит она. — Тогда мне капучино. И — блинчики, пожалуй, тоже...

Подзываю официанта и громко заказываю себе триста грамм водки с солеными огурцами. Официант удивленно смотрит на меня, но заказ принимает. По лицу Вики пробегает улыбка. Но немного растерянная. Так уж мне показалось...

Инга

Самое смешное, что у меня, пятидесятилетнего мужчины, практически нет сексуального опыта. Тамара, ругавшая меня за то, что я летал с бабами на Кипр, на самом деле сильно ошибается. Единственной бабой, с которой я переспал на Кипре, была жена Игумнова. Его четвертая жена. Молодая, красивая, редкой души сука. Слава менял жен вместе с жилплощадью, пока не доженился до Инги, и, похоже, сам не знает, до кого он доженился. Слава принадлежит к породе мужчин, настолько уверенных в своем мужском превосходстве, что им и в голову не приходит, что жена может изменить. Как Стива Облонский, Слава не может представить себе, что его Долли в принципе может быть неверна. Долли может только сидеть дома и ревновать его к другим женщинам, а другие женщины вроде Верочки — в свою очередь, ревновать к прочим женщинам. Еще он принадлежит к породе мужчин, которые, расставшись с очередной супругой, любят всем говорить, что у него сохранились с ней прекрасные отношения. Почему-то мужчинам этого типа важно подчеркивать прекрасные отношения с бывшими женами.

Однажды в шутку я предложил Славе сделать обрезание и перейти в мусульманство, которое разрешает многоженство. Он вполне серьезно ответил, что было бы неплохо, но наше законодательство это не позволяет. «Понимаешь, — сказал он, — я люблю всех своих жен. Просто Инга самая любимая».

Два года назад я полетел на Кипр, чтобы купить дом в районе Пафоса, на скалистом берегу. Почему я не сказал об этом Тамаре? Возможно, потому, что это была моя личная мечта — иметь свой дом на скалистом берегу теплого моря. Потом я сказал бы ей, конечно, если бы случайно не встретился там с четвертой женой Славы.

Инга прилетела раньше мужа, он задерживался по делам. До этого мы виделись с ней только один раз. Тем не менее она узнала меня и слишком уж заметно обрадовалась: «Мне так скучно одной!»

Когда она успела соскучиться?..

Все это чепуха, будто мужчины ценят добродетельных жен. Они ждут добродетели от собственных жен, это правда. Но самая безошибочная приманка для мужского самолюбия — чужая развратная жена, и особенно жена твоего лучшего друга. Никогда не нахваливайте друзей своим женам. Будьте уверены, вашим женам они и так намного интереснее, чем вы...

Впервые я увидел Ингу в редакции, в кабинете Славы, хотя до этого она каким-то образом успела познакомиться и даже подружиться с Тамарой. Игумнов, щедрая душа, так горячо расхваливал меня своей жене, что в какой-то момент мне стало даже неловко. Потом он вызвался подвезти меня на своей персоналке домой, потому что у меня, как обычно, барахлила машина и я приехал в редакцию на такси. Мы с Ингой сели на заднее сиденье, Слава — рядом с шофером. Слава продолжал напевать что-то о моих несравненных достоинствах, когда я почувствовал вдруг на своем еще мягком члене твердую руку его красавицы жены. Даже через штаны она сжимала его так же уверенно, как Славин шофер дергал ручку коробки передач на перекрестках. При этом с преданным лицом продолжала смотреть в глаза мужу. Тот сидел, полуобернувшись к нам, и она с милой улыбкой внимала его лестным словам обо мне.

В результате я, как пишется в любовных романах, *излился* в штаны. И это было за минуту до того, как шофер остановил машину возле моего подъезда. Не знаю, как смогла Инга так точно рассчитать время? Тоже перфекционистка?

Кстати о шофере. Он все видел в зеркале заднего вида. Это было понятно по его глазам, которые в зеркале видел я. Я видел глаза ее мужа, говорившего попеременно с женой и со мной, видел глаза его шофера, но почему-то был уверен, что он ничего не скажет своему боссу. Ни сейчас, ни потом…

«Мне здесь так скучно одной!»

Черт возьми, нужно было прогнать ее с позором! Но память о выдающемся оргазме, что я испытал в автомобиле, испытал с непроницаемым лицом, на глазах мужа Инги ударила мне в мозг со страшной силой. Вдобавок я был преисполнен гордости за удачно купленный дом — трехэтажный, в английском стиле, с невероятно красивым видом из кабинета на Средиземное море. Я не заигрывал, но не мог отказать жене друга в желании взглянуть на мои хоромы. И конечно же, ей захотелось осмотреть спальню. Оценить попой и спиной фантастическую двуспальную кровать.

Которая совсем не скрипит.

Последней соломинкой, за которую я пытался ухватиться, было отсутствие у меня презервативов. «Расслабься, малыш! — сказала Инга. — Разве ты не знаешь, что презерватив есть в косметичке любой порядочной замужней дамы?»

Вернувшись в Москву, я тайно заглянул в косметичку Тамары. Там не было презервативов...

Было ли мне совестно потом? Ответьте на этот вопрос сами. Стыдно ли юноше, который переспал со второй в своей жизни женщиной? Которая опытнее и беззастенчивей, чем он. Которая все знает. С которой он испытал то, чего раньше никогда не испытывал. Ответьте-ка на этот вопрос, потом судите судом праведным.

Хуже было другое. Я не позволил жене Игумнова остаться у меня на ночь. Довольно было и того, что между нами случилось днем. Но Инга, видимо, обиделась. Прощаясь, она (уж не знаю, как это у нее вышло) успела сделать наше общее селфи на фоне моего дома и в тот же день отправила моей жене ММС со словами: *«Тамарочка, твой Кеша приобрел виллу на Кипре! Прими мои поздравления!»*

Слава увидел этот снимок еще в Москве — ему переслала Тамара. Он перезвонил жене, и та соврала, что это шутка.

Слава ничего не заподозрил. Прилетев, он хлопал меня по плечам, хохотал и говорил, что у его благоверной и в мыслях не было меня *спалить*, потому что мыслей в ее прекрасной голове быть не может, как не может быть и мозгов. «Мы с котенком всем скажем, что это шутка. Не волнуйся, ты вне подозрений. Шутка неудачная, согласен, но что ты хочешь от баб? Такое у них понимание юмора».

Знал бы он, на какие еще шутки способна его супруга.

Однако своего эта сука добилась. Мне пришлось засекретить виллу. Тамара, конечно, была уверена, что на Кипре я ей изменил. Она поругалась со мной и рассорилась в пух и прах с Ингой. Но в то, что покупка виллы — это шутка, поверила...

После трех дочерей, рожденных от трех жен, Инга родила Славе четвертую дочь. «Это даже не "Три сестры", — уныло сказал Слава, — но и не "Братья Карамазовы"».

В кармане моих джинсов вибрирует сотовый телефон, напоминая мне о руке жены Игумнова. Звонит Максим и говорит нервным голосом.

— Пап, извини! Я погорячился. Но зачем ты...

— Ты звонишь, чтобы извиниться, или у тебя ко мне есть еще какие-то вопросы? Отвечаю на все сразу. Я не ворую носовые платки, не ем маленьких детей и не сплю с Викой. И Лев Львович — тоже.

— Ты выпил? — спрашивает сын.

— Совсем немного, — почти честно говорю я, вспоминая свои недавние подвиги.

— При чем тут Лев Львович? — говорит Максим. — Он отличный мужик! Такой толковый, во всем разбирается...

— Да, профессионал высочайшего класса.

— Вот именно. Пап, ты сказал, что можешь освободить меня от армии. Это правда?

— Как два пальца... — пьяно говорю я, пытаясь сообразить, как это делается. Я не пальцы имею в виду. Просто никаких связей в военкоматах у меня нет.

Однако нужно отвечать за слова.

— Договорились. Я освобождаю тебя от армии, а ты поступаешь в вуз.

— Да! В Литературный институт.

— Только через мой труп. Я положу его у дверей приемной комиссии, и вам с Викой придется через него перешагнуть.

— При чем здесь Вика? — кричит в трубку Макс.

— Ты же не будешь снова врать папе, что это была твоя светлая идея? Я знаю, что Вика мечтает стать писательской женой, чтобы кто-то писал за нее ее дешевенькие любовные романчики...

Я громко несу еще какую-то пьяную чушь, не замечая даже, что Максим давно отключился. Зато меня внимательно слушает весь ресторан, включая официантов, Вику и Варшавского.

Когда поздно ночью я возвращаюсь домой, в моей квартире — картина маслом. Вика в ночнушке сидит на диване и читает любовный роман. Эту обложку я уже видел сегодня: «Да, босс!». Пока я раздумываю, выгнать Вику сразу или отложить до утра, она отрывается от книги и как ни в чем не бывало смотрит на меня честными глазами. Словно ничего и не было в ресторане сегодня.

— Как ты думаешь, папик, — задумчиво говорит Вика, — почему наши и американские романы такие разные? В американских босс пристает к ней и она обводит его вокруг пальца, а в наших она пристает к нему и обводит вокруг пальца, но как-то некрасиво.

— Это потому, — говорю, — что в американских женщинах развито чувство собственного достоинства. Они не красят губы, не подводят глаза и не одеваются как проститутки, когда идут знакомиться с мужчиной. Они не пытаются соблазнить их дешевыми ночными рубашками, разгуливая перед ними без трусов. Ой, да ты, кажется, хочешь от меня уйти? Тебе помочь собрать мамин чемоданчик?

— Нет, — говорит Вика насмешливо, — я поживу еще у тебя. Конечно, если ты не против.

— Нет, что ты! Наглость — второе счастье.

— А знаешь, что ты кричал генеральному в его кабинете? Ты кричал, что, если он еще раз посмеет... если он хоть пальцем ко мне прикоснется... ты сотрешь его в порошок. Еще ты сорвал со стены портрет Че Гевары и надел ему на голову. Во-от! А еще обещал засунуть его вонючие сигары ему...

— Все, хватит!

Смотрит с победоносным видом...

— Дело в том, душа моя, — злорадно говорю я, — что мы с генеральным просто разыгрывали Верунчика.

— Это еще как?

— А так. Ты знаешь, что она хотела уйти от него к Пингвинычу?

— Ну... да.

— Во-от! А Слава этого не хочет. Во-первых, Вера отличная секретарша. Во-вторых, она еще кое-что умеет, о чем тебе знать рано. Ничто так не возбуждает любовь женщины, как жалость к мужчине. Кстати, запиши это в блокнот. Так вот, Игумнов, когда я оскорблял его на глазах Веры, выглядел таким жалким, таким несчастным, таким потерянным... Я сам был готов разрыдаться, но оставил эту радость Вере. Ты не представляешь, какими глазами она на него смотрела. А меня была готова придушить.

— Ты это серьезно?

— Абсолютно. Воображаю, какой у них сегодня был секс!

— Да, — растерянно говорит Вика, — они уходили вместе.

— Еще бы! Недалеко от издательства есть прекрасный мини-отельчик для влюбленных. Но об этом вам тоже еще знать рано, мисс!

Сейчас глаза Вики похожи на две гневные тарелки.

— Какие же вы сволочи! — восклицает она. — Какие вы все сволочи! Я завтра же все расскажу Верочке!

— И этот вариант нами продуман, — говорю я. — Сегодня она его просто пожалела, а завтра благодаря тебе будет восхищаться им как мужчиной, способным ради нее на такое сумасбродство. И что бы ты ей ни говорила, все будет мимо.

Вот на хрена я это придумал, а?

— Так мы собираем мамин чемоданчик? Что-то мы давно не доставали его из шкафа. Эй, чемодан, ты где?

— Никуда я не уйду, — зловеще говорит Вика, — но я тебе: а) отомщу, б) скоро отомщу и в) страшно отомщу!

— Тогда спокойной ночи, любовь моя.

Уже начинаю засыпать, когда тренькает телефон. Эсэмэс от Игумнова: *«Спасибо, старичок! Это было великолепно!»*

ПАЛИМПСЕСТ

Не знаю, как изменения во сне были связаны с моим утренним решением забрать из редакции рукопись последнего романа, но, видимо, как-то связаны. Просто я не хотел об этом думать.

По дороге к редактору заворачиваю в кабинет Игумнова. Смешно наблюдать, как Верочка, увидев меня и перепугавшись, вскакивает с места и встает между мной и дверью начальника.

— Вячеслав Олегович не принимают!

— Вера Павловна, — говорю, — поверьте, сегодня я безоружен и пришел принести свои глубокие извинения.

Она мне верит. Влюбленные женщины — очень чуткие существа. В отличие от нас, толстокожих мужчин.

Игумнов радуется моему появлению как ребенок.

— Ты гений! — шепчет он. — Вчера у нас с Верой был потрясающий секс! Я даже ночевать домой не поехал. Соврал жене, что был срочно вызван на совет акционеров.

— Ночью? — удивляюсь я. — Не знал, что совет акционеров проводят по ночам.

— В бане, ха-ха! И жена поверила, ты представляешь!

Поверила, как же!
Инга позвонила мне вчера, когда я возвращался на такси из ресторана.

— Малыш, — не сказала, а как-то выдохнула она, — мой дуралей завис на всю ночь с какой-то бабой. Думаю, с секретаршей. Вера так здорово изображает из себя влюбленную школьницу, а у Славочки же вечный пубертатный период...

— Зачем ты звонишь?

— Ты помнишь наш секс в машине?

— Нет, я помню наш секс на Кипре.

— Нет, на Кипре мы с тобой элементарно перепихнулись. Настоящий секс был в машине.

Инга предложила мне встретиться и хотела, чтобы я заехал за ней на своей тачке.

— Малыш, выедем на загородное шоссе, ты разгонишься километров под сто восемьдесят, а я сделаю...

— Не продолжай... Зачем это тебе?

— Хочу еще раз проверить твою выдержку. Тогда, в машине, у подъезда, когда ты кончал, глядя Славе в глаза, у тебя на лице не дрогнул ни один мускул. Это было потрясающе, малыш! Не представляю, что ты при этом испытывал!

— А ты?

— Я кончила три раза!

Да, Слава долго выбирал себе подходящую жену. Самое ужасное, что он действительно любит ее. А Вера? Это не пубертатный период. Это другое. «Понимаешь, — признался мне Слава, — ничего не могу с собой поделать. Люблю Ингу так, что крышу сносит! Особенно когда просыпаюсь и вижу ее рядом в постели, без этой ее косметики, без всей этой бабской херни». — «Зачем же ты ей изменяешь?» — «Бес во мне сидит какой-то! Я однолюб, но не одноёб. Инга это понимает. А прежние жены — нет».

Предложение Инги было таким неожиданным и экзотичным, что я чуть было не согласился. «Хорошая будет писательская смерть, — подумал я. — Альбер Камю, погибший в катастрофе между Провансом и Парижем, в сравнении со мной будет выглядеть просто школьником в коротких штанишках. Нас с Ингой найдут в кювете, вдвоем, в кабине, забрызганной кровью и спермой. А не слабо!»

Хотите верьте, хотите нет, но остановил меня не страх смерти, а мысль о дочке Инги и Славы.

И еще я вдруг представил себе, как Слава Игумнов и Тамара посмотрят друг другу в глаза.

Портрета Че Гевары действительно нет на стене, а вот старина Хэм продолжает смотреть своим обаятельнейшим взглядом. На нем точно такой же грубый свитер, какой был на мне в том походе. Впрочем, что я себе вообразил! Это на мне был точно такой же свитер. Я подражал ему, всегда подражал.

— Ты уже заказал нового Че? — спрашиваю я.

— Да ну его! — говорит Слава. — Надоел! Закажу себе портрет Пингвиныча. Вот кто действительно крутой мужик!

— А мы с тобой правда вчера разыгрывали комедию перед Верой?

— Да, — удивляется Слава. — Это же твоя была идея. Я бы до такого ни за что не додумался.

— Я этого не помню…

Он смотрит на меня вытаращив глаза. Потом садится за стол и начинает рыться в одном из ящиков. Достает и протягивает мне швейцарский нож со *светлой* рукояткой. Но я точно помню, что в моем рассказе рукоятка была красной и перламутровой.

— Держи на память! Может, напишешь продолжение истории. Кстати, договор на твой следующий роман уже готов. Но учти, это в последний раз. Не оправдаешь моего высокого издательского доверия, выгоню из литературы на хер!

Рассматриваю нож. Я по-другому его представлял. Настоящий армейский ножик старого образца с алюминиевой рукоятью и минимумом причиндалов. Не боевой, конечно. Но и не игрушка.

— Откуда это у тебя?

— Я уже рассказывал.

Уверен, что он врет. Но зачем? Несколько секунд думаю, открываю основное лезвие и направляюсь к нему. Игумнов смотрит на меня с улыбкой.

— Да брось ты, Кеша! Никого ты не убьешь. Ты даже курицы зарезать не сможешь. Ты давно живешь в своем вымышленном мире, и тебе в нем офигенно комфортно. Твоя совесть чиста. Двадцать лет назад ты родился заново, как Адам. Благодари подонков, которые дали тебе по башке...

— Я переспал с твоей женой на Кипре.

— Знаю, — ленивым голосом отвечает Слава. — Инга мне все рассказала. И я заметил, что у вас было в машине.

— Как же ты после этого с ней живешь?

— Легко! Инга — отличная жена и мать. Немного больная на голову по части секса. С возрастом это проходит.

— У тебя же не прошло.

— Что ты сравниваешь!

Говорить ему или нет о вчерашнем разговоре с Ингой? Нет, не нужно. Да и был ли этот разговор? Нужно срочно встретиться с Мефистофелем. Сегодня же...

— Скажи, — спрашивает Слава, — а ведь Инга тогда тебя сильно завела? Вот же стопудовая женщина! Какой мужик не мечтает о том, чтобы красивая баба сама залезла к нему рукой в штаны. Вот так, без лишних слов, без предупреждения! Не обижайся, Кеша, но тогда, в машине, у тебя было такое идиотское лицо… Мы с Ингой потом до слез хохотали. Да убери ты этот нож!

Моего редактора не удивляет мое решение забрать рукопись. На всякий случай уточняю: «Я забираю не на доработку, а навсегда». Редактор кивает, и я вижу на ее лице плохо скрываемую радость. Я знаю, она не любит мою прозу, но ко мне неравнодушна. Нет, это не влюбленность, она замужем и вроде бы вполне счастлива. Если только бывают счастливые семьи. Я ей приятен чисто по-человечески.

Она возвращает рукопись, уже пестро исчерканную ее замечаниями. Я никогда не оставляю в редакции электронные версии и тем более не посылаю их по электронной почте, как писатели нового времени. Нет, я не боюсь воровства или частичного плагиата. Просто терпеть не могу раньше времени множить сущности.

— А я даже рада вашему решению, — искренне говорит редактор и протягивает мне яблоко. — Угощайтесь!

Мы грызем с ней яблоки. Это вкусно.

— Скажите честно, чего в моей прозе не хватает? — спрашиваю я. — Она бездарна?

Редактор возмущенно машет рукой.

— Нет! Вы талантливый писатель, Иннокентий Платонович! Вы лучший из всех, с кем мне приходилось работать!

— Но вы не любите мою прозу, признайтесь.

— Да, не люблю. Вас люблю, а прозу вашу — нет. Но это ничего не значит. У вас так много поклонников... поклонниц... А я простая рабочая лошадь, которая доставляет ваш ценный груз в приличной упаковке. И это для меня, поверьте, огромная честь.

— Все-таки чего в моей прозе не хватает? Любви? «Вы любили кого-нибудь, поручик?» Не помню, кто это сказал.

Женщина улыбается. Она понимает меня с полуслова.

— Поручик непременно кого-нибудь любил, — говорит она. — Просто он забыл об этом.

Я вздрагиваю. Она не может знать о моей амнезии. О ней знают только три человека — Тамара, Игумнов и Мефистофель. Ах да, еще врачи в больнице, куда я попал после травмы. Но вряд ли они помнят неизвестного пациента, которого привезли на «скорой» с проломленной башкой и который никого не узнавал, даже собственной матери... Об этом не знают ни Вика, ни Максим.

— В вашей прозе мне не хватает вас, — говорит редактор. — Зачем вы себя так старательно скрываете? Вы хороший человек!

— Вы любите любовные романы? — спрашиваю я.

— Нет, конечно.

— Все женщины любят любовные романы, но не все...

— ...в этом признаются? Кто сказал вам эту глупость?

— Есть тут одна.

Редактор поджимает губы.

— Я даже догадываюсь, кто она. Будьте осторожней с ней, Иннокентий Платонович! Говорю это вам как женщина, которая кое-что понимает. Вика не та, за кого себя выдает. И Вика очень опасный и коварный человек.

Знаю это и без нее. Знать бы только, кто эта Вика на самом деле.

Мефистофель в своем репертуаре. Дистанционно выписывает мне пропуск, дистанционно заказывает лифт на свой этаж (здесь лифты без внутренних кнопок), дистанционно открывает дверь в квартиру и встречает меня дистанционно, стоя на голове и локтях на специальном коврике.

— Я не вовремя?

— Что вы, Иннокентий Платонович! Как вы можете быть не вовремя? Но уж простите, десять минут придется подождать. Режим есть режим. И вам того же советую. Садитесь, располагайтесь, сделайте себе кофе в кофе-машине и все такое. Коньяка, извините, не предлагаю. Довольно с вас коньячка...

Откуда он знает?

В этот раз Мефистофель со мной бесцеремонен. Просит показать язык. Хмыкает и морщит лоб.

— Вы знаете, что такое палимпсест, Иннокентий Платонович?

— Это когда произведение пишется как бы поверх другого, уже написанного. «Дубровский» — это палимпсест «Ромео и Джульетты».

— Меня не интересуют ваши филологические штудии, — грубо обрывает Мефистофель. — Вы знаете, что такое алкогольный палимпсест?

— Нет.

— Это когда человек после пьянки не помнит, что с ним происходило вчера. Начальная стадия неизлечимого алкоголизма. Еще это состояние называют лоскутной или перфорационной амнезией. Как в одном фильме: «Тут помню, а тут не помню». То, о чем вы мне с такой тревогой рассказали по телефону, называется алкогольным палимпсестом. И это меня сейчас волнует гораздо больше вашей настоящей амнезии. Я вас предупреждал! Я вас...

— Ну, хватит! — говорю я. — Это происходит со мной не только в пьяном состоянии. Этот ваш так называемый палимпсест бывал со мной и раньше, как и у многих выпивающих людей. Но тогда я именно ничего не помнил. А сейчас помню, но не то, что происходило на самом деле. И вообще... Раньше, после травмы, я не помнил того, что было, а сейчас помню то, чего не было.

Мефистофель надолго задумывается.

— Да, вы правы. У вас куда более сложный случай. И все-таки предупреждаю: если вы не откажетесь от спиртного совсем, я передам вас своему знакомому наркологу. Между прочим, отличный врач.

— Практиковался в Париже и Вене? — с улыбкой интересуюсь я.

— Нет, в советских вытрезвителях и ЛТП*, если слышали о таких. Но доктор от бога!

Мефистофель считает, что происходящее со мной — это, возможно, процесс выздоровления от амнезии, но суть процесса он не может понять. То,

---

* Лечебно-трудовой профилакторий.

что человек, страдающий амнезией, начинает вспоминать давние события и при этом забывает, что было вчера, — не новость. Это-то как раз самый распространенный случай. Новость — что я не просто забываю вчерашнюю реальность, а придумываю новую, как бы параллельную.

— Может быть, ваш мозг, блуждая впотьмах и ища выхода для вашей памяти, делает неправильные телодвижения. Мозг словно мечется в панике. Он напрягается, вспоминая, что было с вами двадцать, тридцать, сорок лет назад, а вы, хулиган эдакий, уже забыли, что было с вами вчера. И что ему, бедному, делать?! Тогда он наспех латает эти, не главные, дыры в потерпевшем катастрофу судне, заполняя их чем попало. Мешками с мукой, чтобы потом откачать воду, найти главную пробоину и спасти судно. Как-то так.

— Как-то так меня не устраивает, — сердито говорю я. — Что для меня важнее: вспомнить события молодости или не выглядеть круглым идиотом в глазах людей сегодня? Наконец, это просто опасно! Завтра я кого-нибудь зарежу, а мой мозг, как вы выразились, наспех придумает, что я подарил трупу букетик цветов.

— Почему именно цветов? — спрашивает Мефистофель. — Цветы обычно дарят женщинам. Девушкам.

— К слову пришлось.

— Да нет, Иннокентий Платонович, не к слову! Вы постоянно что-то от меня скрываете. Да?

Профессионал, что тут скажешь! Но я задумываюсь... А с чего это Игумнов именно сегодня расщедрился и подарил мне нож, который не показывал больше двадцати лет? Ведь не лежал же он у него все время в рабочем столе? И зачем он меня провоцировал, когда сказал, что я и курицу зарезать не смогу? И почему именно курицу? Черт, я сам превращаюсь в психоаналитика.

— У нас с вами похожее ремесло, — словно угадывает мои мысли Мефистофель. — Мы оба занимаемся поиском мотиваций человеческого поведения — всеми этими страхами, фобиями, комплексами... Но знаете, почему даже о-очень талантливый писатель никогда не станет просто хорошим психотерапевтом?

— Почему?

— По той простой причине, что мы по-разному относимся к этим мотивациям. Вы их видите в романтическом свете, а мы — в медицинском. В этом отличие писателя от врача. Вы пишете, допустим, «чахоточная дева» и видите в этом прекрасный по-своему образ. А мы видим, что жить ей осталось не больше месяца.

Мефистофель продолжает рассеянно улыбаться, потом выражение его лица делается серьезным, даже каким-то грозным, что ему, кстати, очень идет.

— Шутки в сторону! Я не смогу продолжать наши сеансы, пока вы не расскажете мне о самом главном.

— Вы правы, — говорю я. — Дело в том, что мой сон радикально изменился. Впервые за двадцать лет...

— При чем тут ваш сон? — кричит Мефистофель. — Вы не рассказываете о девушке, с которой живете!

— Откуда вы о ней знаете, доктор?

— Об этом знает вся светская Москва! Ваша пассия тиснула интервью в одной желтой газетке! Я понимаю, что вы их не читаете. Но советую полюбопытствовать. Расскажите-ка мне о ней подробно.

— Что-то не нравитесь вы мне, Мефистофель, — говорю. — Какой-то вы стали нервный. Кричите... Вам самому лечиться не пора?

Кажется, я потерял хорошего врача... Но мне наплевать!

Белый попугай

Мефистофель был прав. Писатели совершенно иначе понимают мотивации разных страхов и фобий, которыми одержимы едва ли не все люди на планете. Сегодня я имел возможность убедиться в этом.

Как нарочно, вечером Вика заставила меня читать какую-то бездарную страшилку о Большой Любви. Впрочем, почему бездарную? Скорее беспомощную, написанную человеком, который понятия не имеет, что такое настоящий хоррор.

Так вот что они обсуждали с Пингвинычем в ресторане! Новая серия: «Страшные истории о любви».

— Папик, у тебя в жизни была какая-нибудь страшная история?

— Да.

— Расскажи!

— Изволь. Однажды темной-темной ночью в темный-темный книжный магазин пришла темная-темная девочка...

— Ошибаешься! — Вика смеется. — Девочка была светлая-светлая, добрая-предобрая, а вот писатель, который там выступал, был темный-темный, тупой-тупой... Короче, бесчувственное бревно, а не мужчина!

— Так, — решительно говорю я, — открываем блокнот! Первый закон Эдгара По: страшно не то, что происходит, а то, что может произойти. Самый страшный страх — это ожидание страха...

— Переведи!

— Не могу... Писатель должен это чувствовать. Но я могу привести образцы: «Вий» Гоголя, в «Идиоте» сон Ипполита…

— Ты сам ни за что не сможешь сочинить страшную историю о любви. Страшную — сможешь, а о любви — нет. А нам нужно, чтобы была страшная и о любви.

— Легко, — говорю. — Прямо сейчас могу рассказать.

— Опять про Кубу?

— Зачем? Дело будет происходить в Москве.

У девочки вспыхивают глаза.

— В нашей квартире?!

— Во-первых, не в нашей квартире, а в моей.

— Спасибо, что напомнил.

— Во-вторых, о моей квартире сочинять страшные истории с некоторого времени уже не нужно, сама знаешь почему.

— Зануда.

— В-третьих, молчи и слушай. Этот сюжет заказал мне один великий режиссер. Он действительно великий, поэтому я не мог ему отказать, хотя ты знаешь, что я не беру заказы. Он сказал: напиши мне историю о любви. Но напиши мне такую историю о любви, чтобы мне от нее стало страшно.

— Как зовут этого режиссера?

— Не имеет значения. Если в тебе есть капелька фантазии, просто представь себе великого режиссера. Его не устроит ни одна обычная история о любви. Ни одна из тех, что вы фабрикуете с Варшавским под суп а-ля императрикс и блины с кремом. Это должен быть вынос мозга, как выражается ваше поколение.

— И ты написал?

— Конечно!

— Прочитаешь?

— Расскажу.

Лиза, как обычно, устроилась у меня на коленях. Почесываю ее за ухом, путаясь пальцами в длинной шерсти. Порой мне всерьез кажется, что эта собачка — продолжение меня самого.

— Я расскажу историю любви двух попугаев.

— Кого? — удивляется Вика. — Ты издеваешься надо мной?

— Почему ты думаешь, что история любви двух попугаев хуже истории любви двух людей? — возражаю я. — И потом, ты еще не выслушала ее.

Итак, жил да был на свете волнистый попугайчик-альбинос, которого звали, допустим, Кеша…

— А что такое альбинос?

— Он был совсем белый.

— Белый — неинтересно!

— Есть очень красивые волнистые белые попугайчики. Кстати, более редкая порода. Но и сволочью он был тоже редкостной.

— Почему сволочью?! Попугай не может быть сволочью!

— Ты очень высокомерно относишься к животным, — говорю я, поглаживая Лизу. — По-твоему, и любить они не могут, и сволочами быть не могут? Только мы с тобой?

— Ты меня совсем запутал!

— А ты помолчи немного.

…Так вот, эта маленькая пернатая сволочь разрушила большую любовь.

— С этого места подробней!

— Я буду рассказывать от первого лица, если не возражаешь.

…Мы познакомились в поезде дальнего следования.

— В ресторане? — сразу интересуется Вика.

— Нет, это было обычное купе. Но почему-то мы оказались в нем вдвоем. Наверное, пассажиров было мало. Вот захожу я туда и вижу: лежит на нижней полке милая такая девушка. Милая, понимаешь? Не красивая, нет. Но милая просто до невозможности! Такая блондинка, в шортиках, в очках круглых, больших, глаза зеленые, спина худая, ноги бледные. Все время как бы потягивается…

— Кокетка!

— Нет, не кокетка… Очарование в ней было какое-то необъяснимое… Какое-то смертоубийственное! Прелесть была, понимаешь? Не грубая, не бабья…

— И вы пошли в ресторан, — напоминает Вика о главном.

— Милая, ты, возможно, не знаешь, но в поезде есть еще много разных мест кроме вагона-ресторана. Я никогда не хожу по ресторанам со случайными женщинами. Тем более в поезде, откуда не сбежишь. Нет, мы не пошли в ресторан. Но я вдруг заметил, что рядом с ней лежит моя газета и открыта она на странице, где напечатана статья с моей фотографией. Я был известным журналистом. Я был просто ор-рел! Усы такие гусарские! Орлиный взор!.. Что ты смеешься? Это сейчас я выгляжу неважно, потому что в моей жизни возникло много проблем и я знаю, кто в них виноват.

Вика просто заливается смехом.

— Папик, ты о себе, что ли, рассказываешь? Ты влюбился в купейную барышню с первого взгляда? Ни за что не поверю!

— Уже поверила. Запиши в блокнот: кратчайший путь обмана читателя — повествование от первого лица.

— Пишу — ха-ха!

— Ну вот! Она...

— Можно я угадаю? — говорит Вика. — Она сравнила твои орлиные усы в газете с тобой и поняла, что перед ней тот самый. Нет, не могу, я умру от смеха! А обещал страшную историю.

— И еще в руках у нее был «Митин журнал».

— Митя — это еще кто? — спрашивает Вика.

— «Митин журнал» — это журнал крутых интеллектуалов девяностых годов, — поясняю я. — Кто-то из присутствующих тогда еще писал в подгузники. Словом, мы опознали друг друга, как боевые ракеты в полете безошибочно определяют «свой — чужой». Я ее — по «Митиному журналу», она меня — по статье в газете. И вот тогда, моя дорогая, вот тогда мы... пошли в вагон-ресторан.

— Ну наконец-то... — вздыхает Вика.

— Вот. А после ресторана...

— Мне уже пора на выход?

— Не было у нас ничего!

Вика недовольно супит брови.

— Я не по́няла! Вы с ней всю ночь журнал Мити вслух читали?

— Да уж не любовные романы. Мы с ней были родом из одного города и ехали к родителям. Но я вернулся в Москву почти сразу же, а она осталась на все лето. Мы переписывались по электронной почте каждый день, два-три раза в день.

— Ты бы еще эсэмэски каждый день посылал, — ворчит Вика. — «Как ты, дуся? Погода? В Москве — говно».

— Грубо. И не смешно.

— О чем же вы писали?

— Вот об этом я не расскажу никому даже под смертными пытками... Но мы забыли о главном, о попугае...

— Нет, подожди! Давай я угадаю ее имя! Ее звали Людмила? Мила?

— Пять с плюсом, дорогая! — восклицаю. — Лет восемнадцать назад я на тебе непременно бы женился.

— На ком? — смеется Вика. — На кульке из пеленок?

— Итак, она звалась Людмилой. И эта Мила была совсем не то, что ты.

— Лучше?

— Тоньше. Нежнее. Ранимее. Но в одном вы с ней похожи. Мила была из бедной семьи...

— Эта история начинает мне нравиться, — заявляет Вика. — Ты был богатенький и несчастный, а она бедная, но счастливая.

— Пусть будет так. Но мы опять забыли про попугая.

— Ну хватит, папик! Не было никакого попугая, да?

— Любезная моя Вика! Я отдал бы половину своей жизни, чтобы этой твари не было на свете. Но она была. И эта маленькая гадина — главная причина того, что я сейчас сижу с тобой, а не нахожусь рядом с лучшей на планете женщиной.

— Я припомню тебе это, папик!

— Ты спросишь, встречались ли мы с ней в Москве? Конечно! В Москве мы встречались каждый день. Не было, наверное, ни одного кафе в центре, в котором бы мы не побывали. Нужно ли говорить, что я влюбился в нее, как сопливый пацан? Она была женщиной, в которую невозможно не влюбиться...

— Я не такая? — спрашивает Вика.

— Нет, ты не такая. И в этом твое глупое счастье. Ты просто красивая девушка. Из тебя получится прекрасная жена и мать. Дело за малым — находи своего молодого человека...

— Уговорил. Я выхожу за Максима.

— Даже думать не смей о моем сыне!

— Сам напросился.

— Вернемся к нашим баранам, вернее, попугаям. Я влюбился в Милу с первого взгляда. Влюбился еще в поезде. Но я не говорил ей этого. Главное, не делал никаких попыток сближения. Но в какой-то момент мы стали с Милой очень откровенны, и она сказала мне, что боится любви, что, если она полюбит, это разорвет ее изнутри.

— Она боялась влюбиться в тебя, — заявляет Вика. — То есть она тоже полюбила тебя в поезде (не понимаю, за что), но боялась признаться. А ты вел себя трусливо.

— Но мы опять забыли про попугая.

— Тьфу на тебя! Ну почему ты такой трус?

— Да, я боюсь женщин. Но с ней все было иначе. Она была для меня подарком небес, и я боялся потерять его, потому что такой подарок дается один раз в жизни. Мы с ней были очень похожи. Я тоже такая глубоководная рыба, которая на поверхности взрывается изнутри. В сущности, нам не стоило встречаться с ней в Москве.

— И все-таки не могу понять, что же такого особенного было в этой твоей Миле? — ревниво спрашивает Вика.

— А я не могу тебе этого объяснить — ни на своем, ни на твоем языке. Попробуй сосредоточиться на звуке ее имени, и ты, быть может, что-то поймешь, если у тебя есть музыкальный слух. Или, скажем, Мила была ведьма. Ведьма с зелеными глазами.

— Вот еще глупость! — фыркает Вика. — Не верю ни в каких ведьм. Просто запал на молодую.

— В твоих словах есть доля правды, — не отпираюсь я, — но и ведьмой Мила была настоящей.

— Она не прилетала к тебе ночью на метле?

— Она приходила ко мне ночью во сне, — серьезно говорю я. — Приходила в своих круглых очках, садилась напротив меня и слушала внимательно, впитывая каждое мое слово. Это вообще была ее манера: больше не говорить, а слушать. Но когда однажды я похвалил ее, сказав, что умная женщина больше слушает мужчину, чем говорит сама, она возмутилась. «Если ты решил, что я одна из твоих поклонниц, которые смотрят тебе в рот, ты ошибаешься! Просто я с детства не выговариваю звук "л"».

— Она была заикой?

— Кроме «л», она говорила чисто, но при этом могла вдруг впасть в заикание в чужой компании. Среди самых простых людей, ногтя ее не стоивших.

Мила была серьезно больна. В детстве она росла таким бледным цветочком. Добрые советские педиатры намекнули родителям, что девочка проживет недолго. Мила рассказывала мне, что когда ее приводили в детский садик, то вечером находили на том же месте, где оставили утром. У нее были больные почки — нефрит. Потом были врачи, врачи... Палаты, капельницы, километры электропроводов... И наконец, ее отец, боевой офицер (прошел Афган), плюнул на врачей и стал дочь закалять. Он гонял ее рано утром по парку, обливал ледяной водой, брал с собой в горы. Воспитывал не как больную дочь, а как здорового, но ленивого сына. И это странным образом дало результаты. Мила, разумеется, не выздоровела, но научилась относиться к своей болезни стоически. Она старалась свою болезнь не замечать.

— Но он мог ее убить!

— Мог. Но чутьем отца понял, что поступает правильно. Кстати, любил он Милу безумно. Впрочем, я уже сказал, Милу невозможно было не любить. В итоге сломался сам отец. Из сильного мужчины он стал слабым, равнодушным ко всему средним мужичком. До этого он носил мать Милы на руках, теперь чуть ли не она носила его. Мила не могла ему этого простить. Как будто, воспитав ее такой, какая она есть, он потом сам ее предал. Эта ведьма не понимала, что отец просто подарил ей свою силу.

— Твоя Мила — неблагодарная дочь, — ответственно заявляет Вика. — Ее нужно было выпороть и отправить обратно к врачам... К добрым современным врачам.

— О, я пытался это сделать! — возражаю я. — Не в смысле выпороть, а в смысле врачей. Предлагал найти лучшую клинику, предлагал денег... Она только смеялась.

— Вот я и говорю: неблагодарная тварь! Стоило связываться с ней при такой хорошей жене! Ведь ты был женат, верно?

— Жена у меня была хорошая, — говорю. — Это я, видишь ли, был нехорош. То, что я пил, еще полбеды, хотя тоже важно. У меня злой ум, милая девочка! Не знаю, доброе ли сердце, но ум злой, как волкодав, которого долго держали на цепи, чтобы он никого не грыз и не душил. Когда я напивался, в семье начинался ужас. Нет, я не бегал за домашними с топором и вообще никогда в жизни не ударил женщину или ребенка. Но я говорил им такие злые и обидные вещи, что, по их словам, это было хуже топора. В сущности, я сломал своего сына, с детства стараясь показать ему его ничтожество. Как я сейчас понимаю, я пытался поступать по системе Милиного отца. Так сказать, закалял своего мальчика, вызывая его на гордость, на желание встать поперек меня. Но... в результате я его сломал. И он не может мне этого простить. Проблема отцов и детей, словом. Возможно, я никого не любил. Сейчас полюбил, но теперь уже поздно.

У Вики расширяются глаза.

— Кого ты полюбил, папик?

— Как кого? — говорю. — Милу, разумеется. Продолжать?

Каштановые глаза сужаются, как две щелочки.

— Продолжай... Только рассказывай о Миле, а не о себе.

— Так я о ней и рассказываю! Только история эта уж слишком запутанная...

Ты не поверишь, но в первый раз я поцеловал Милу после пятнадцатой, кажется, встречи. Поцеловал в губы. Впервые крепко обнял ее за плечи. И губы, и плечи были горячие. Плечи сухие, тонкие в кости, а губы влажные и очень горячие!

— Как она ответила на твой поцелуй?

— Она ответила страстно! Так страстно, что у меня остановилось сердце. Она меня выпила до дна... Весь мой злой рассудок, а заодно — не знаю какое сердце. Ведьма и есть ведьма.

— Да выдумал ты свою Милу! — нервно смеется Вика. — Обычная девушка, без больших успехов на личном фронте. Втюрилась по уши в знаменитого журналиста и решила его охмурить. Не приглашала к себе на квартиру, потому что не хотела стать легкой добычей. С такими мужчины быстро расстаются.

— Только не надо строить из себя опытную гетеру, — говорю. — Неужели ты думаешь, я не наводил справки? У Милы было немало поклонников. На вокзале (я это заметил!) ее провожал стильно одетый парнишка, определенно — не из рабочей семьи. С ее знанием языков у Милы была возможность стажироваться в Америке, в Европе... Может быть, ты и права и она решила охмурить известного журналиста. Может быть, ради коллекции... Нет, дорогая моя, ничего ты в этом не понимаешь. Ты никогда не любила по-настоящему.

— А это была любовь? — тихо спрашивает Вика.

— Да, это была любовь, — серьезно подтверждаю я, закрывая глаза. — Выскочила перед нами, как из-под земли, как выскакивает убийца в переулке, и убила нас сразу обоих. Так убивает молния, швейцарский нож...

— Ты цитируешь «Мастера и Маргариту».

— Да, но это была чистая правда.

— Ты ушел от жены?

— В это время как раз посыпалась моя семейная жизнь. Это не было связано с Милой, о которой моя жена, скорее всего, ничего не знала. Это было связано с моим пьянством, уходом с работы, попыткой писать книги, отказами в издательствах их печатать, моей невыносимой грубостью даже в трезвом виде... Невыносимым уже для меня хамством сына, ведь теперь он имел право называть меня ничтожеством. Ну и другими прелестями семейного быта, который на моих глазах разваливался на куски.

— Что же дальше?

— Дальше жена со всего маху разбила о кухонный пол супницу, которая досталась ей от пра-пра-пра и так далее бабушки. Жест был такой нелепый, комический, потому что супницей мы никогда не пользовались. Она стояла, как дорогая ваза, в серванте. Жена специально достала ее, принесла на кухню и разбила вдребезги. Потом села и залилась слезами. Мне было ее очень жалко, но именно в этот момент я понял, что самое лучшее сейчас — уйти. Бывают семейные ситуации, которые нельзя разрулить правильными словами, даже поступками. Я быстренько собрал какие-то вещи и позвонил Миле.

— При жене! — ахает Вика.

— Ну не делай из меня такое уж чудовище, — почти возмущаюсь я. — Позвонил, конечно, с улицы.

— И Мила тебя приняла. Ясненько.

— Ничего тебе не ясненько! Она просто не позволила мне жить в гостинице. Она понимала, что там я допьюсь до белой горячки. Она пожалела меня, как подсознательно жалела своего отца. И еще она поняла, что я, не слабый, в общем-то, мужчина, тоже сломался. Наконец, она любила меня, как отца своего любила. Она вообще любила мужчин этого типа. Которые ломаются сразу, мгновенно и непредсказуемо, как ломается однажды стальная надежная трость.

— Мила увидела в тебе своего папика.

— Прощаю тебя за твою молодость и красоту, двух сестер глупости. В тот день я был пьян и не смог найти дом Милы в районе Ботанического сада. Тогда я снова позвонил. Она нашла меня во дворе, молча взяла за руку и отвела к себе в квартиру.

— И в этой квартире был страшный бардак. Ох, знаю я этих интеллектуалок, которые вечно посуду за собой не вымоют...

— Нет, — с удивленным видом возражаю я, — там было чистенько. Не знаю, может, она приготовилась к встрече со мной?

— Не сомневайся.

— Вообще-то Мила была очень стильная девушка. Она как-то странно, но выразительно одевалась. Когда мы с ней встретились в Москве в первый раз, на ней была клетчатая юбка в стиле шестидесятых годов, сиреневые чулки, лаковые башмаки из серии «их так любила моя бабушка!» и полосатый джемпер, больше походивший на тельняшку. Вместо круглых очков она надела очки вызывающе большие, в черной оправе с широкими крыльями. От тяжести очки постоянно сползали с переносицы...

— Какая безвкусица!

— Да, но все мужчины, проходившие мимо нас (мы ужинали с ней на террасе ресторана), замечали Милу и оглядывались. А официантка слишком долго писала заказ, стараясь запомнить детали ее одежды. Мила сказала мне, что подруги подражают ей в стиле, чем доставляют немало хлопот. Мила всегда должна была оставаться штучным экземпляром. Впрочем, она и была такой, даже если бы была одета обычно.

Мила сутулилась и ходила смешно, то выбрасывая ноги вперед, как на параде, то семеня так осторожно, будто шла босая по стеклу. Есть женщины, которые тебе либо сразу нравятся, либо — нет, а Милу нужно было рассматривать. Я с ума сходил от ее ночных рубашек, всегда простых, с бретельками, которые часто сползали с плеча, как очки с носа. Но они были таких расцветок, словно я каждую ночь ложился спать с новым цветком.

— Все понятно, — скучно говорит Вика.

— И опять тебе ничего не понятно, — говорю я. — Ты забыла, Мила была серьезно больна.

— Вот поэтому она и старалась выглядеть как попугай, чтобы ее все замечали. Кстати. Как там попугай?

— Наконец мы и подошли к главному...

Кеша был первым предметом в доме, который я заметил. Я еще не оценил обстановку, не оценил даже поведения Милы, а это так важно, когда женщина впервые ввела тебя в свой дом. Я еще не видел ничего: ни ее кровати, ни ее книг, а их было множество. Но маленького попугайчика заметил сразу. Кеша сидел на краю платяного шкафа и буровил меня желтыми глазками. И это были глаза тигра! При этом он нервно шаркал одной лапкой по краю шкафа, как бык на корриде. От него исходила мощная волна необъяснимой ненависти. Как будто он затаился в квартире и ждал моего прихода, чтобы расправиться со мной.

— Странное впечатление от птички.

— Мы не успели и поговорить с Милой, когда эта тварь слетела со шкафа и уселась мне на плечо...

— Это хороший знак, — возражает Вика. — У меня тоже был попугайчик, и он всегда так ласкался к гостям.

— Да-да, — мрачно соглашаюсь я, — вот и Мила удивилась, улыбнулась и сказала: «Ах, как это странно! Кеша вообще-то у меня злой. Мне его подарили, чтобы он скрашивал мое одиночество по вечерам. Но он не хочет общаться со мной. Он кусается, когда я его кормлю, молча сидит на шкафу целый день или любуется на себя в зеркало на моем ночном столике. Он еще ни разу не сел мне ни на руку, ни на плечо. А вот тебя, видишь, он сразу полюбил! Может, ему не хватало мужского общения? Попробуй погладь его, что будет?»

Я уже понимал, что ничего хорошего не будет, но все-таки осторожно погладил птичку и пощекотал ей под горлышком. Кеша закурлыкал якобы от удовольствия и вдруг перелетел на мои очки. Он расхаживал по ним с важным видом, курлыча и иногда свешивая голову и посматривая мне в глаза с лукавым видом. Довольная Мила пошла на кухню готовить чай, и Кеша тотчас улетел обратно на шкаф, а я долго и с омерзением оттирал носовым платком все, извини, дерьмо, которое он оставил на рубашке и на стеклах моих очков.

«То ли еще будет, приятель, — говорили его злые желтые глазки. — Ты зачем пришел, пьяный ублюдок? Если думаешь, что это дом твоей глупой сучки, ты горько ошибаешься. Это мой дом, уразумел?! И тебя в нем не будет никогда... Никогда!»

Я сразу понял, что с этим куском мяса, костей и перьев надо говорить по-мужски. Подошел к шкафу и, чего он явно не ожидал, схватил его правой рукой. Он стал кусаться, царапаться, разодрал мне кисть до крови, но было поздно.

— Значит, так, — тихо сказал я, чтобы не слышала Мила. — Я вижу тебя насквозь. Тебя в молодости лишили попугаихи, и ты вымещаешь свою обиду на людях. Понять тебя я могу, но простить — нет. Если будешь себя хорошо вести, я подарю тебе женщину. Хотя, боюсь, в тебе накопилось слишком много злобы, чтобы ты кого-то полюбил. Но самец в тебе еще живет. А если ты позволишь себе еще... Скормлю тебя двум кошкам, которых видел во дворе возле помойки, а Миле скажу, что ты вылетел в окошко.

Попугай продолжал царапаться и клеваться и делал это так больно, что несколько раз у меня было желание его отпустить. Но я держал крепко, продолжая наш непростой разговор.

— Я уморю тебя голодом, гаденыш, — говорил я, — если ты еще хоть раз посмеешь на меня нагадить. Я тебя задушу двумя пальцами, а Миле скажу, что ты сдох от болезни щитовидной железы — есть такое слабое место у вашего брата. Я посажу тебя на дверь и прищемлю, как таракана, — вы часто погибаете от того, что гуляете по верху дверей. Я тебя утоплю, как вошь, а Миле скажу, что ты случайно залетел в ванную в мое отсутствие. Но хозяином здесь ты не будешь. Никогда!

— О чем вы разговариваете? — крикнула из кухни Мила. — Вообрази, со мной он никогда не разговаривает. Зато может вцепиться мне клювом между пальцев и так висеть... Ой, это так больно! Я пытаюсь его стряхнуть, а Кеша только машет крыльями и продолжает висеть между моими пальцами.

— Слышишь ты, жалкое порождение тухлого яйца! — шептал я. — Если ты еще раз посмеешь обидеть Милу, я поверну твою башку на триста шестьдесят градусов, чтобы она встала на то же место, но без тебя на этом свете. По ночам ты будешь спать в своей клетке, а утром говорить нам: «Доброе утро! Кеш-ша хорош-ший!» Еще я научу тебя разговаривать по-английски, для прикола, для гостей. И срать ты будешь только в своем домике.

Моя кисть уже заливалась кровью. Вошла Мила, и я за секунду до этого успел выпустить попугая.

— Что случилось?! — с ужасом спросила Мила, глядя на мою руку через круглые очки. — Это тебя... Кеша?

Я не стал ничего объяснять, она и так все поняла.

— Пойдем пить чай, — сказал я. — Птичка погорячилась.

И вдруг Мила зарыдала. Я мог простить этой твари свою изуродованную кисть. Но слез Милы я простить не мог.

«Ты понимаешь, что это война?» — взглядом сказал я ему. Кеша сидел на шкафу повернувшись к нам хвостом.

— И все-таки я не понимаю, — удивленно говорит Вика, присаживаясь рядом со мной на корточки и поглаживая Лизу. — Первая встреча с Кешей, и вдруг такая ненависть.

— Потому что мы были с ним похожи, — задумчиво произношу я. — Мы это поняли с первого взгляда. Если бы этот попугай умел говорить, он замучил бы ее своими словами, как я своих родных. Но у него, кроме говна, ничего в душе не было.

— Вы хотя бы обработали кисть?

— У Милы йода не нашлось, но в холодильнике обнаружилась бутылка водки. Я протер раны водкой, она перебинтовала руку, я хлопнул еще сто грамм... как бы для нервов.

— Знаем мы твои нервы, папик!

— Нет, больше я пить не стал. Видишь ли, Миле был противопоказан алкоголь, даже капля его. Это из-за почек. Иногда, читая книгу, она могла задумчиво закурить сигарету. Но когда в первый раз я это увидел, то осторожно отобрал окурок, протер ей губы чистым носовым платком, поцеловал и сказал, что курить мы не будем, а будем лечиться. Я уже искал ей хорошую платную клинику в Москве. «Ни за что!» — сказала она. «Ты подлечишься в клинике, — сказал я, — потом мы поедем в лучший в мире санаторий. Мы будем жить долго и счастливо и умрем в один день».

— Где вы спали той ночью? — спрашивает Вика.

— А ты проницательная девочка! — поражаюсь я. — Задаешь точные вопросы. Конечно, я спросил, нет ли раскладушки.

— Есть, — сказала Мила и стала стелить на свою кровать свежее белье. — Раздевайся! Или ты хочешь принять душ? Я дам свежее полотенце.

— Может, вместе с тобой? — неловко пошутил я.

— Размечтался. Иди помойся первым. Я потом.

Полчаса я стоял под контрастным душем и полностью протрезвел. Когда из душа пришла Мила в своей ночнушке, я, веришь ли, чуть ли не задохнулся от спазма в горле, отвернулся к стене и заплакал как дитя. Меня разорвало изнутри. В эту ночь у нас случилось все. Но в самый интимный момент я почувствовал что-то неладное. Я оглянулся назад и при свете ночника увидел попугая. Он сидел на грядушке кровати и буравил нас тигриным взглядом. Слава богу, глаза у Милы были закрыты. Я махнул рукой и смел Кешу с грядушки. Он перелетел на одеяло и стал подпрыгивать в такт нашим движениям. Я смахнул его еще раз. Кеша снова уселся на грядушке. Эта подлая циничная гадина изучала каждое наше движение.

— Что случилось? — полуобморочно спросила Мила, открывая глаза. Я ласково прикрыл их ладонью.

— Ничего... ничего...

Утром, когда я умывался и чистил зубы, Кеша изволили завтракать в своей клетке. Мила подсыпала ему проса, положила кусочек яблока и сменила воду.

— Позволь, я буду чистить его клетку, — сказал я. Никакого отчетливого плана еще не было в моей голове.

— Хорошо, — согласилась Мила. — Честно говоря, это самое неприятное занятие в этом доме... Буду тебе очень благодарна.

— А уж как Кеша будет мне благодарен, — подхватил я. — Клетка, вычищенная заботливой мужской рукой. — Я потряс в воздухе забинтованной кистью. — Это счастье для волнистых попугайчиков!

— Но-но! — Мила погрозила мне пальчиком. — Только не вздумай ему мстить за руку. Просто у Кеши сложный характер.

— Кто тебе его подарил?

— Моя лучшая подруга.

— Она тебя очень любит.

Разными хитростями и приманками мне удавалось заманивать Кешу на ночь в клетку и запирать ее на замочек, потому что в надежность крючков я не верил. Я убедил Милу, что спать птичка должна в своем домике, а летать ночью по квартире просто небезопасно, Кеша же не видит в темноте (я был уверен, что этот терминатор все видит и в потемках, как кошка).

Первые несколько ночей Кеша неистово бился в клетке, требуя «свободу попугаям», но потом смирился. Наша жизнь вошла в нормальное русло. Единственное, что меня удручало, это категорический отказ Милы ложиться в клинику. Но потом я понял, что ее отец был прав: душевных ресурсов в Миле было гораздо больше физических. К тому же (тут я горжусь!) ее жизнь со мной, кажется, добавляла ей этих ресурсов. Мы стали как бы одно тело и одна душа. Это бывает редко, но когда случается, ты чувствуешь невероятный прилив сил. Из одного ты становишься двумя. У меня вдруг все стало получаться! В издательствах взяли все мои книги, и они имели невероятный успех. Я вошел в десятку самых популярных писателей, появились деньги. Мы с Милой побывали на Соловках, на Бали, на Цейлоне, потом отправились в трехмесячный тур по Европе. Кеша жил в это время у лучшей Милиной подружки. Возвращая его нам, она удивленно говорила: «Как он у вас изменился! Общительным не стал, но такой тихий...» И я гордился своими педагогическими достижениями, забыв главную поговорку наркоманов: «Героин умеет ждать!»

Все эти дни Кеша подбирал свой кривой клюв ключиком к замочку. И — подобрал-таки, гад! Как-то часа в два ночи я вышел на кухню покурить (при Миле я себе этого не позволял) и вдруг увидел, что клетка открыта и пуста. «Вылетел, сволочь! — подумал я. — Тогда хрен тебе, а не красивая попугаиха!» Но пока я дымил, меня привлек странный звук холодильника. Он был советского производства и всегда дребезжал громко, но в этот раз даже не дребезжал, а колотился, как припадочный, задней решеткой о стенку.

В кухню вбежала Мила. Она что-то почувствовала и проснулась.

— Где Кеша? — тревожно спросила она. — В комнате его нет.

Страшная догадка пронзила меня. Рывком я чуть не опрокинул холодильник. Из-за решетки на пол выпало тельце Кеши. Не знаю, сколько времени его колошматило о стену решеткой и всей массой холодильника. Я поднял Кешу с пола и бережно положил на стол. Мила тихо заплакала и помчалась в прихожую звонить в ночную ветеринарку. «Какой странный суицид, — подумал я, глядя на бездыханное тельце. — Зачем было залетать за холодильник? Неужели Кеша всерьез решил своей смертью отомстить мне? Я показал ему, кто в доме хозяин, а он совершил свое птичье харакири. И теперь между мной и Милой всегда будет лежать призрак мертвого попугая. Ведь это я лишил его свободы, а Мила — фанатичная ее поклонница. Вряд ли мы вообще когда-нибудь ляжем вместе».

Ветеринар приехал неожиданно быстро, быстрее, чем приезжают к инфарктникам и аппендицитникам. Я вышел его встречать. Но когда мы пришли на кухню, Кеши на столе не было. Он сидел на дребезжащем холодильнике, важно посматривая на нас.

— Это ваш больной? — мрачно спросил ветеринар. — А по виду совершенно здоровый.

Мы объяснили ему, как было дело. Странно, но Кеша легко дал ветеринару себя осмотреть, ни разу не шелохнувшись и не попытавшись клюнуть в руку.

— Это невероятно, — пробормотал ветеринар, — попугайчик абсолютно цел. Не сломано ни одной косточки.

Я щедро расплатился с костоправом, и он уехал. Но Мила продолжала плакать.

— Ты во всем виноват, — сказала она, как я и предполагал. — Зачем ты запирал его на ночь? Чтобы удобнее было трахаться со мной? Ты боишься не только женщин, но даже птичек.

И тут меня взорвало! Злобный дух попугая вдруг переселился в меня. Я наговорил Миле кучу гадостей. Я сказал ей, что это сексопатология — спокойно принимать то, как попугай наблюдает секс своих хозяев. Я сказал, что ушел от здоровой жены к больной женщине, потому что безумно ее люблю, но всякому безумию есть предел. Я сказал, что она одевается не стильно, а по́шло и вызывающе, чтобы компенсировать свою невзрачность. Наконец, что ее любовь к бешеному попугаю — это ненормально и попахивает зоофилией.

— Я видел, — кричал я, — как ты целуешь Кешу в крылышко, когда он спит. Может, тебе доставляет удовольствие, когда тебя кусают? Я тебя не кусаю. Может быть, надо тебя кусать?

Мила вытерла насухо глаза, вздохнула и пошла собирать мои вещи. Я ринулся за ней в комнату.

— Прости, родная, — шептал я, обнимая ее ноги, — прости, я просто идиот! Ну можешь ты мне поверить, что я люблю тебя так, что готов ревновать к табуретке, на которой ты сидишь? Я не могу без тебя жить. А с Кешей... Вот что я вспомнил. Когда-то на Птичьем рынке я купил для своего сына, который был еще совсем ребенком, попугайчика. Это был зеленый красавец с таким же гордым видом, как у Кеши. Продавец убеждал меня купить птичку помоложе, к тому же они и дешевле стоили. «Это производитель, понимаете», — намекнул он мне. Но те, молоденькие, были какие-то серенькие, а этот — орел, а не попугай! Ну и купил на свою голову. Его тоже звали Кеша. И он тоже был злой и ни с кем не желал общаться. Но однажды мы уезжали в отпуск и отдали Кешу на время подруге, у которой была попугаиха. Когда вернулись, птички успели создать семью и были абсолютно счастливы!

— Что ты хочешь этим сказать? — спросила Мила, перестав наконец запихивать мои трусы и носки в спортивную сумку. — Кеше что, нужна своя женщина? Ты говоришь мне это серьезно?

— Господи, ну конечно, я говорю это только для того, чтобы остаться с тобой, — честно признался я. — Но эта история — правда! Кеше нужна женщина, сто пудов! Он сразу же изменится!

— Так покупай! — капризно воскликнула Мила.

Уже утром я бродил по Птичке, которую перенесли на МКАД. Кешина женщина бросилась мне в глаза сразу. Она была странным образом похожа на Милу. Тот же рассеянный взгляд, та же стильность в оперении и полное впечатление нездешности.

— Как зовут красавицу? — спросил я продавщицу.

— Вы сами должны дать ей имя, — сказала она. — Назовите Милой.

Торг был неуместен. Через десять минут я мчался в такси с огромной клеткой и заключенной в ней женщиной для Кеши.

Нужно ли говорить, что Миле попугаиха понравилась сразу?

— Как мы ее назовем?

— А у нее уже есть имя. Ее зовут... просто Мила.

Мила засмеялась, но предложение мое приняла.

Кеша отнесся сперва к новой Миле с интересом. Он залетел к ней в клетку, попробовал ее корм, показал ей, как лихо расправляется с ее яблоком, и, сев к ней на жердочку, закурлыкал. Смешно, но перед тем, как нанести визит даме, он встопорщил перья на голове и посмотрелся в зеркальце. Он вел себя как пошлый ловелас, этот Кеша.

— Слава богу, — умилилась Мила, — надеюсь, все будет хорошо. Они создадут семью, и Кеша больше не будет злым.

Но меня с самого начала стало что-то смущать в поведении Кеши. Я знал его как самого себя. Такие, как мы, не проявляем сентиментальности с первого шага. С другой стороны, подумал я, ведь и я влюбился в Милу в поезде с первого взгляда. Чем черт не шутит...

— ...пока Бог спит, — добавляет Вика.

— Вот именно, — говорю я. — Кеша сбивал нас с толку. Он сразу понял смысл подарка. Он понял, что я дал слабину, не выдержал обещания не покупать ему подругу в случае его плохого поведения. И он решил действовать дальше.

— Кеша стал преследовать Милу? — спрашивает Вика.

— Нет... Он просто ее убил. Первой же ночью. Наверное, он предложил подруге совершить ночной моцион, открыл клювом-отмычкой дверцу клетки и заклевал свою возлюбленную до смерти. Когда я вышел курить, Мила уже лежала под столом в лужице крови.

Вика прыгает на диван и плачет.

— Ах, как это все ужасно! Зачем ты мне это рассказал? Я всю ночь заснуть не смогу...

— Но ты же хотела страшную историю о любви? Нет уж, слушай!

...Я рассмотрел трупик птички и понял, что Кеша пробил ей горловую аорту точным и рассчитанным ударом, словно был профессиональным убийцей. Он сидел в своей клетке и слегка дрожал то ли от трусости, то ли от удовольствия. Я подошел и, обхватив клетку обеими руками, приблизил к нему свое лицо. Я был без очков, но уверен, что клюнуть меня в глаз он не решится. На сегодня он исчерпал заряд своей ненависти.

— Что ты наделал, лишенец? — спросил я. — Ты подписал себе смертный приговор. Ты думаешь, я оставлю тебя в живых? Нет, лучше я потеряю Милу, но и ты сдохнешь!

За окном шел снег и было морозно. Первым делом я выбросил в форточку мертвую Милу. Следом за ней вышвырнул попугая и закрыл форточку. Некоторое время он бился о стекло, пытаясь залететь обратно, но вскоре его унесло снежным вихрем. Я видел, как крутило его в воздухе, пока он не пропал в темноте... Тогда я снова открыл форточку и закурил. Я рассчитывал, что до того, как Мила проснется, попугаиху съедят кошки, а Кеша сдохнет от холода и, скорее всего, его тоже съедят. После этого я тщательно вытер лужицу крови под столом и засунул тряпку под холодильник. У меня было странное чувство, будто это я убийца, заметающий за собой следы.

— Не рассказывай больше ничего! — кричит Вика.

— А вся история, собственно, и закончилась, — равнодушно говорю я. — Утром Мила не нашла ни Милы, ни Кеши. Зато увидела открытую форточку и все поняла по-своему.

— Это из-за твоего курения, — сказала она и заплакала. — Почему ты не закрыл форточку? Ты знал, что Кеша научился открывать дверцу клетки. Ты сделал это специально?

— Конечно, — ответил я с ледяным спокойствием. — Ведь ты у нас ярая поборница свободы? Вот и молодые сделали свой выбор.

— Это не выбор! — закричала она. — Это убийство двух беззащитных существ! Я давно заметила, что ты хочешь отомстить Кеше, но не думала, что ты сделаешь это так омерзительно.

— Таков мой организм, — сказал я и пошел собирать вещи, на этот раз уже сам. — Если ты думала, что я буду терпеть постоянный выбор между попугаем и мной, ты ошибалась. И перестань, мой совет, менять каждую ночь свои ночнушки. Хотя я понимаю, тебе уже под тридцать. Пора подчеркивать свою сексуальность, чтобы привлекать мужчин. Но не меня. Я не люблю тебя.

— Молчи! — крикнула она. — Лучше скажи, это ты засунул Кешу между стеной и холодильником? Чтобы выглядело как несчастный случай?

— Конечно, — повторил я все с тем же ледяным спокойствием. — Я засунул его между стеной и холодильником. И еще я сыпал перец в клетку, когда ее чистил. Я хотел, чтобы эта тварь однажды задохнулась. И это я выбросил Милу и Кешу в окно.

— Тогда зачем ты вообще купил Милу? — удивилась она. — Это как-то нелогично.

— Почему же нелогично? Я хотел, чтобы твой домашний любимец сдох на вершине своего счастья. Вот радость мелькнула в его жизни. И бац! За окно!

— Какая же ты сволочь! — прошептала Мила. — Пошел вон!

Я уже собрал сумку, когда мы услышали тихий, но настойчивый стук по стеклу. За окном на водосливном отсеке сидел Кеша. Он был не белый, а седой от снега, покрывшего его перышки, и жалко просил впустить его обратно.

— Кеша! — завопила Мила, открывая окно.

Попугай влетел в комнату, описал круг возле меня, долбанул в темя и уселся на шкаф почиститься.

— Может быть, и Мила вернется? — затрепетала Мила.

— Она не вернется. Я случайно повредил ей крылышко.

Мила оделась и бросилась во двор.

— Если ты что-то сделаешь с Кешей, я подам на тебя в суд! — крикнула она.

Закинув сумку на плечо, я подошел к Кеше. Убийца смотрел на меня равнодушно...

— Ты победил, — признал я.

«А ты думал, будет иначе? — спросили его желтые глаза. — Я тебя предупреждал: пошел вон, пьяное чудовище! Ты не рассчитал свои силы, приятель! Ты решил: вот маленькая птичка, ну что она может? Но я сильнее тебя. И я — это ты».

— Прощай же, любимец богов, — сказал я, — в другой жизни я буду лично жарить тебя на вертеле.

Вернулась Мила с трупиком Милы. Значит, кошки проспали свой ранний завтрак. Жалко!

— Замерзла, — прошептала Мила, глядя мимо меня и брезгуя прикоснуться ко мне даже взглядом.

На улице я все-таки не выдержал и набрал номер Милы. Она не ответила. Я зашвырнул телефон за забор ближайшей стройки и пошел куда глаза глядят, а глядели они на горящие цифры «24». Я взял дешевый коньяк...

Когда я купил новый телефон с симкой, то понял, что не помню номера телефона Милы. Не помню, как найти ее дом. Вообще ничего не помню...

— Скажи, — задумчиво спрашивает Вика, — то, что ты тогда наговорил Миле про себя и попугаев, это правда?

— Страшная история? — интересуюсь я.

— Это зависит от ответа на мой вопрос.

— Не знаю. Все могло быть. Ночью на кухне никого, кроме меня и попугаев, не было. Я оставил режиссеру самому выбрать финал для сценария.

— А режиссеру сценарий понравился?

— Да! Он сказал, что я Хичкок! Что я выше Хичкока!

— И он снял этот фильм?

— Нет, конечно... Он сказал: гениальный сценарий, старик! Но где я найду тебе попугая, который это сыграет?

— Иди спать!

Осторожно опускаю собачку на пол, встаю и отправляюсь в свою спальную комнату. Спиной я чувствую на себе взгляд Вики. И он мне не нравится.

— Папик, — спрашивает Вика, — а как звали твоего героя?

— Иннокентий, конечно, — отвечаю я. — Спокойной ночи!

Голубой ковбой

С моим сном происходит какая-то чертовщина. Он меняется стремительно, но скачками. С ним происходит то же, что бывает с иглой на старой заезженной грампластинке, когда она застряла на одной канавке и бесконечно повторяет начало строки какого-нибудь романса: «Отвори поскорее калитку… Отвори поскорее калитку…» И вот вы пугливым касанием подушечки указательного пальца трогаете головку звукоснимателя, чтобы поощрить иглу к движению вперед, но она, вместо того чтобы попасть в следующую канавку, начинает скользить по пластинке к центру и — вж-ж-жик! — проигрывает весь романс за одну секунду, так что ни слова нельзя понять.

Я снова оглядываюсь и вижу, что за мной идут пять человек. Две девочки и три мальчика. Они идут в связке. Альпинистская веревка закреплена на карабинах, схватывающих страховочные обвязки на груди. Впереди идет мой заместитель, самый сильный участник в группе. Кажется, кроме горного туризма он занимается еще и самбо. Надежный парень, не помню, как его зовут. За ним девочка, мальчик, девочка, мальчик. Последний — самый слабый.

Я с ними не связан и ушел довольно далеко от группы в азарте охоты на перевал. Это неправильно и окажется моей роковой ошибкой. Но я рвусь на перевал! Я хочу его, как любимую женщину после долгой разлуки.

Все пятеро в черных очках и масках, закрывающих нижнюю часть лица. Это чтобы не ослепнуть от солнца и чтобы не сгорели губы. Губы — самая уязвимая в горах часть лица. Если не закрыть их от солнечного излучения, они лопаются посередине, несколько раз в одном месте, и появляется «альпийская розочка». С ней трудно говорить и очень больно смеяться.

Эти пятеро похожи на грабителей. Или на китайских туристов, которые боятся заразиться гриппом. С набитыми рюкзаками и нахлобученными на голову капюшонами, они похожи еще на колобков, которые и от дедушки ушли, и от бабушки ушли, а теперь не знают, куда идти, и послушно катятся за мной. Они много на кого похожи, только не на спортсменов. Горный туризм — не спорт. Горный туризм — это образ жизни. Кто-то его принимает навсегда, а кто-то примеряет один-два раза, чтобы потом, уже в зрелом возрасте, вспоминать с ностальгической улыбкой.

Я их люблю, они меня тоже. Пожалуй, они меня даже боготворят. Так всегда бывает в первом походе. Я их собирал. Я их тренировал. Вывозил на ночевки в загородный лес. Показывал, как вести себя в лавине, — с таким видом, будто сам в ней побывал. Сначала нужно пытаться плыть, как в воде, стараясь держать голову на поверхности. Когда плыть уже бесполезно и снежная волна накрыла тебя с головой, постарайся принять позу эмбриона, чтобы потом, когда лавина остановится, руками и ногами рывком освободить вокруг себя как можно больше воздушного пространства. Это я знаю в теории, а детям показываю, как делать на практике. «Группа моя, смотри на меня!» Они повторяют за мной на лесной поляне эти нелепые движения. «Группа моя, смотри на меня!» Повторяют. «Группа моя, плюй на меня!» Вытаращили глаза, но через несколько секунд уже хохочут-заливаются, особенно девочки. Девчонки соображают быстрее пацанов.

Но все это я вспоминаю уже проснувшись, а во сне успеваю только заметить, что за мной идут пять человек — две девочки и три мальчика, похожие на фантомасов... И — вж-ж-жик! — игла соскальзывает к центру пластинки, и я опять в пастушьем балагане. Я сплю и знаю, что сплю. И опять боюсь не проснуться. Кричу, но не слышу своего крика. «Успокойся, успокойся! Это всего лишь сон!»

Воскресенье. Утро. Морозный, солнечный день.

Когда мы гуляли в парке, Лиза шуганула здоровенного добермана, который кинулся от нее и потащил за собой хозяина, чуть не свалив его с ног. «Вы бы гуляли со своим уродцем где-нибудь в другом месте! — крикнул он мне. — Разве вы не видите, что собаки пугаются ее вида?» — «Социализация инвалидов — одна из основных задач гражданского общества, — парировал я. — Лиза, вперед!»

После моего рассказа про белого попугая Вика почему-то сердита на меня и прямо с утра заставляет читать с распечатки какую-то дичь про голубых ковбоев.

Два молодых ковбоя едут по пустыне. «Цок-цок» — топот копыт доносится до горизонта. Заходящее солнце красным фонарем освещает белый пе-

сок, окрашивая в кровавый цвет седые иглы обступивших дорогу кактусов. Они похожи на те, что городские люди выращивают на подоконниках, но увеличенные в десятки раз. Тишину наступающей южной ночи нарушает еще и мерный «скрип-скрип-скрип» — это скрипят дубленые кожаные штаны красавцев парней, полируя и без того гладкие, лодочкой выгнутые деревянные седла. На ковбоях одинаковые желтые кожаные штаны и желтого цвета сапоги, но из более грубой бычьей кожи. Билли и Джонни — как два близнеца, которые жить не могут друг без друга.

Оба красавца одеты щегольски, но по-разному. Билли — в изящной голубой курточке с бахромой и серебряными монистами. На Джонни — простой черный jacket, впрочем, тоже украшенный костяными вставками. Ковбойские шляпы на тесемках висят за их спинами и отличаются только тем, что в шляпе Билли торчит перо из хвоста горного орлана, которого подстрелил Джонни.

В обычае неразлучных друзей обмениваться своими трофеями. На смуглой шее Джонни изящное ожерелье из искусно переплетенных белых, синих, красных и золотых ниток — оберег одной прекрасной, печальной индейской девушки. Индейским девушкам больше нравится Билли, а не Джонни, и Билли этим своим преимуществом беззастенчиво пользуется.

Билли и Джонни всегда вместе. В удаче и в поражениях, в радости и в горе. И ранчо у них одно на двоих. А другого им и не нужно, потому что счастье парней не в богатстве, а в кристальной, как горная вода, мужской дружбе.

— Это что такое? — спрашиваю я. — Кто написал эту гадость? Надеюсь, не ты?

— Нет, подруга.

— Скажи ей, что она дура.

— А ты гомофоб, — говорит Вика. — Старый гомофоб.

— Это надо понимать как двойное преступление? — смеюсь я. — Гомофоб, да еще и старый. Молодой гомофоб — это лучше?

— Нет, — серьезно говорит она. — Понимай как снисхождение к твоему солидному возрасту. Молодой гомофоб — еще хуже.

— В твоих словах нет логики, дорогая! По-твоему получается, что гомофобами становятся в пожилом возрасте, а молодые люди все или голубые, или сочувствующие им. Но когда в Америке появился СПИД, кто забивал гомосексуалистов бейсбольными битами? Неужели добрые американские старички?

— Дела давно минувших дней, а наше поколение смотрит на это по-другому.

— Вот только не надо говорить за все поколение! Поверь мне, в моем поколении уродов не меньше, чем в твоем. Их одинаковое количество в любом поколении.

— Кстати, — говорит Вика, — почему ты решил, что эти парни голубые? Может, они просто неразлучные друзья? Держат одно ранчо на двоих, потому что так удобней. По твоей логике Смок Беллью и Малыш — тоже голубые? Они тоже всегда вместе. Ты только начал читать, а уже догадался, о чем идет речь. Покопайся в подсознании, папик, и откроешь для себя много интересного...

— Как ты можешь всерьез это слушать? — спрашиваю я. — Ведь это отвратительно написано! Какие *седые иглы кактусов*, что за литературщина? К тому же твоя подруга не чувствует, что кактусы на городских подоконниках недопустимы в этом контексте.

— Как ты сказал? — спрашивает Вика. — Контекст?

Она достает из-под пледа свой старенький ноутбук и быстро тыкает пальчиком по клавиатуре.

— Контекст... Контекст... От латинского contextus — «соединение, связь». Странно, я всегда думала, что это название презервативов... Можно я запишу это в блокнот?

— Издеваешься надо мной?!

— Я пошла на кухню курить.

В последнее время Вика начала еще и курить. Сперва скрывала от меня. Тайком, пока я писал в кабинете, выходила во двор. Когда я ее застукал, заявила, что у нее *нервы*.

— Понятное дело, — говорю. — Ты же постоянно читаешь любовные романы. От этого с ума можно сойти. Надо будет сказать Пингвинычу. Он слишком загружает тебя работой.

— Фигушки! — говорит она. — Я тебе не дочь!

— Если б ты была моя дочь, тебе бы не поздоровилось!

— А что бы ты сделал тогда? Отшлепал бы меня, папик?

— Иди ты к черту...

В результате я разрешил ей курить на кухне. Не хватало еще, чтобы за этим занятием ее увидели мои соседи. Или Нугзар. Для парней с Кавказа все курящие девушки — известно кто.

И это не всё. Я сам покупаю ей сигареты с минимальным содержанием смолы и никотина.

— Какой ты заботливый, папик! — говорит Вика. — Ну как бы я жила без тебя одна в общежитии? Наверняка спилась бы и пошла по рукам. Просыпалась бы каждое утро в кровати с новым мужиком, и от меня разило бы перегаром, представляешь?

— Нет, не представляю, — честно говорю я.

— А когда ты жил в общежитии, у тебя было много таких девиц?

— Миллион.

— Что ты им обычно говорил по утрам?

— Не забудь почистить зубы, любимая!

— Нет, правда, у тебя было много женщин?

Что я могу ей сказать? А врать не хочется. К тому же, живя с Викой уже полгода, я понял, что врать ей бесполезно. Не потому, что она мне не поверит, а потому, что сама всегда врет, но совершенно искренне, и сама в это верит. Врет, когда старается выглядеть как дура. И не врет, потому что она действительно дура. Врет, когда надувает щеки и хочет казаться серьезной женщиной. И не врет, потому что действительно серьезная женщина. Врет, когда одевается пошло и когда одевается стильно. И не врет, потому что и то и другое ей почему-то идет. Я в жизни не встречал более лживого и более искреннего существа. Но не нужно исключать и того варианта, что я сам ее для себя выдумал. Поэтому какой смысл мне ей врать?

— Не помню, — честно отвечаю я.

Вика сощуривает глаза.

— Неужели ни разу не считал? Ну хотя бы перед сном. Как овец, чтобы быстрее заснуть.

— Зачем? — говорю. — Понимаешь, в наше время секс был чем-то вроде спорта. Переспать с девушкой, а тем более с замужней женщиной, считалось доблестью. Что-то вроде еще одной медальки на шею. Совращение девственницы — золотая медаль. Этим хвастались, про это много врали, парни набивали себе цену байками о своих сексуальных похождениях. А сейчас какой смысл перебирать в голове потускневшие медальки? Никому они нынче не нужны. В тренде добродетель, а не разврат. Кстати, запиши это в блокнот.

— Записать для Варшавского или для себя?

Как-нибудь я задушу ее ночью подушкой...

— Ты не прав, — подумав, говорит Вика. — На самом деле женщины и сейчас уважают нормальных бабников. Чтобы за нами охотились, как за дичью, за трофеями. Но где эти бабники? Вы стали слабые, в вас совсем пропал сексуальный азарт. Вы сидите на порнухе, а кто побогаче — покупает резиновых кукол. Папик, ты смотришь порнуху? Хочешь, я подарю тебе силиконовую куклу?

Делаю вид, что ничего не слышал.

— Ах да, извини, я забыла, с кем живу! С господином Иноземцевым! Но тогда, господин Венценосцев, не учите меня жить и не рассказывайте мне, какие сейчас нужны любовные романы. Лев Львович и я разбираемся в этом гораздо лучше.

— Это уже ни в какие ворота не лезет! — возмущаюсь я. — По-моему, это вы с Пингвинычем посадили меня на эти галеры!

— Врешь, папик! Ты сам подсел на любовное чтиво. Ты сам ловишь от этого кайф. Признайся же себе в этом.

Ночью. Подушкой.

— Значит, ты никогда не пересчитывал своих женщин? — продолжает Вика с какой-то мстительной интонацией в голосе. — Никогда-никогда? Не верю... Сколько баб у тебя было? Пять, десять, пятнадцать, тридцать?

— Зачем в арифметической прогрессии? — говорю. — Давай сразу в геометрической.

— И даже лица их не помнишь? — продолжает допытываться Вика. — Так-таки ни одного не запомнил? Вы же всегда во время секса смотрите женщине в лицо.

Господи, откуда она про это знает? Сколько у нее самой было парней? Зрелых мужиков?

— Да, мы смотрим вам в лицо. Это вы закрываете глаза, но при этом шкодливо улыбаетесь, словно что-то про нас знаете. Кстати, выглядит довольно глупо...

Встает и уходит на кухню курить. Понятное дело, у нее нервы. Это у меня их нет. Я же толстокожий тип. Железный Дровосек.

— Верни мне мою зажигалку! — кричит она из кухни.

— Ты о чем? Я ее не брал.

— Не делай из меня дурочку! Верни зажигалку!

Иду на кухню, даю ей прикурить и прячу зажигалку обратно в карман. Вика со мной не спорит. Кажется, даже не замечает этого.

— Можно попросить тебя приготовить мне кофе? — задумчиво говорит она, выпустив облако дыма из сложенных трубочкой накрашенных красной помадой губ.

— Попросить можно.

— Приготовь кофе.

— А мне можно?

— Что — тебе?

— Можно мне приготовить себе кофе?

— Конечно... Зачем ты спрашиваешь?

— А зачем ты строишь такие сложные фразы? *Можно попросить тебя приготовить...* Ты уже полгода живешь с не самым последним писателем, а обращаешься ко мне, как старшеклассница к официанту, когда ее первый раз привели в ресторан.

— Ты водил в рестораны старшеклассниц?

Пьем кофе. Улыбаясь, смотрим друг на друга.

— Это Варшавского идея? — спрашиваю я.

— Конечно, его. Лев Львович — гигант мысли!

— Это не будут издавать.

— Почему? Ты думаешь, Игумнов не пропустит серию, потому что он стопроцентный натурал?

— Тебе виднее, — говорю я. — Игумнов не будет издавать это не потому, что он натурал, а потому, что коммерсант. Если б ты читала то, что он издавал в девяностые!

Пускает облако дыма...

— Я ведь не против любых тем в литературе. Но в России это не пойдет. Мы к этому не готовы.

— Однако фильм «Горбатая гора» собрал у нас полмиллиона долларов в прокате, — возражает Вика.

— Это тебе начальник сказал?

— Да.

— В США этот фильм собрал больше за первый уик-энд.

— Мне так и передать Пингвинычу? — спрашивает Вика.

— Он и без того это знает. Поэтому меня и удивляет его решение… Слушай, а ты мне не врешь? Я ведь могу проверить.

— Тебе понравился фильм «Горбатая гора»? — вдруг спрашивает Вика.

— Прекрасный фильм! Одна из немногих классических мелодрам в кинематографе. Зачем ты меня об этом спрашиваешь?

— Просто так.

— Не просто так! Никакой русской серии о голубых ковбоях Пингвиныч не задумал, он не идиот. А вот меня ты, похоже, держишь за идиота. Где ты взяла эту чушь?

— Прислали по почте, — признается Вика. — Мы всем отделом над этим текстом ржали. Там один герой говорит другому: «Как мы сегодня будем?» А тот: «Ты как сегодня хочешь?» — «Давай я тебя». — «Нет, давай я тебя».

— И зачем ты заставила меня это читать? Проверяла на сообразительность?

Вика нервно тушит сигарету.

— Какая сообразительность, Кеша? — тихим голосом произносит она, впервые называя меня по имени. — Какая, к черту, сообразительность? Я и так знаю, что ты тупой, как носок валенка. Мы живем с тобой уже полгода, я влюблена в тебя, как собака… как Лиза, которая просто сходит с ума, когда ты приходишь домой, когда гладишь ее у себя на коленях… Может, мне руку или ногу себе отрубить, чтобы ты меня заметил?

— Извини, — говорю я, — но тебя трудно не заметить.

— Что?! Что ты сказал, Иноземцев?! Да если я уйду от тебя насовсем, ты через неделю забудешь, как я выглядела. Ты помнишь, как выглядит твоя жена? Знаешь, как ты смотрел на Максима, когда он был здесь? Как на чужого подростка. Ты вообще никого не видишь в этой жизни, кроме себя самого. Ты — тупой, тупой, тупой дурак!

Поворачивается к стене и плачет.

— Ты подумала, что я голубой? — вдруг понимаю я. — Ты хотела меня проверить? Это... просто смешно!

— Смешно не это, а то, что я в тебя влюбилась, вот что по-настоящему смешно! Мне самой забраться к тебе ночью в постель? А если ты меня прогонишь? Ты когда-нибудь слышал о женской гордости? Короче, я ухожу от тебя, папик!

— С ключами или без?

Вика смотрит на меня с изумлением. Выражение ее лица такое же, как было тогда у Тамары. Бежит в гостиную, быстро возвращается и наотмашь бросает мне в лицо связку ключей.

— Подавись!

Ключей всего три, но один из них тяжелый, от сейфового замка. Он прилично рассекает мне бровь.

— Прости — я не хотела!

Опять бежит в гостиную и прибегает с пузырьком спирта и упаковкой ваты из нашей аптечки.

— Дай посмотрю, что у тебя там.

Через полчаса весь этот дурдом, слава богу, заканчивается. Вика налепила мне на бровь бактерицидный пластырь (аптечку в доме завела она, я бы не додумался) и сидит с виноватым лицом на диване. Лиза устроилась на полу возле ее ног и тоже глядит на меня вопросительно, забавно склонив голову набок.

Женщины, как я вас не люблю!

— Я знаю, зачем ты это сделала, — говорю я, пытаясь свернуть неприятный разговор на шутку. — Ты изуродовала мою внешность, чтобы я стеснялся общаться с другими журналистками. Но ты забыла, что шрамы украшают мужчин.

— Настоящих, — уточняет Вика.

— Кстати, — продолжаю я, — что за интервью ты дала обо мне в желтой прессе? Не помню, чтобы я тебе это разрешал.

— Это не мое интервью, а твое. И я что-то не припомню, чтобы журнал «Esquire» называли желтой прессой. Между прочим, твое лицо поместили на первой странице обложки. Неужели не в курсе?

— Никогда не читаю интервью...

— Но в этом интервью вопросы себе задаешь ты сам, хотя и под женским псевдонимом. Ты забыл, Кеша?

— Ах, да. У тебя этот номер есть?

— Он уже неделю лежит на журнальном столике.

Рассматриваю журнал.

— Вот видишь, — говорю я, — ты была не права. Я не интересуюсь самим собой. Вот даже собственной физиономии на столе не заметил.

— Я и не говорила, что ты интересуешься самим собой. Я говорила, что ты не видишь никого, кроме самого себя. Это разные вещи — видеть и интересоваться. По-моему, ты себя тоже не любишь. Ты вообще кого-нибудь любишь?!

Старая пластинка.

Раскрываю журнал.

— Так, посмотрим... Заголовок: «Память, гово-ри!» Плагиат из Набокова. Автор — Вика Забудь-ко. Не обижайся, но я придумал бы себе более изыс-канный женский псевдоним. Забудько. Хохляндия какая-то!

— Это девичья фамилия Даши, — тихо говорит Вика. — И если ты скажешь по этому поводу еще хоть слово, я запущу в тебя утюгом.

— Разве у нас в доме есть утюг?

— И еще тесак для рубки мяса.

— Молчу, молчу...

— Что ты там говорил о голубых в литературе? — спрашивает Вика. — Вообще-то это не Пингвиныча, а моя идея. Мне это кажется перспективным. Как ты думаешь, стоит предложить это Игумнову?

— Предложить стоит. Но не стоит это делать че-рез голову Варшавского. Это будет выглядеть так, что ты или ни в грош не ставишь прямого началь-ника, или хочешь занять его место. Кстати, послед-ний вариант вполне возможен. Я знаю одного босса, который сделал своим заместителем совсем юную девчонку. Он объяснял это тем, что она лучше пони-мает «запросы молодого поколения». На самом де-ле просто повелся на нее из-за своих сексуальных комплексов. Я открою тебе секрет: у Игумнова их навалом.

— И ты так спокойно говоришь мне об этом? Не понимаю тебя, Кеша! То ты устраиваешь погром в его кабинете из-за меня, то предлагаешь мне лечь с ним в постель ради новой должности. После всего, что я тебе сейчас сказала? Ты садист?

— Ты не сказала ничего нового, — говорю я. — Я знал это и без твоих откровений. Запиши себе в блокнот крупными буквами: Я НИКОГДА НЕ ЛЯГУ С ТОБОЙ В ПОСТЕЛЬ.

— Почему? Я же вижу, как ты смотришь на меня...

— Потому что это пошло, Вика! Потому что я не хочу наши с тобой отношения превращать в сексуальную пошлость!

— Тогда не все потеряно, — мурлычет Вика с довольным видом. — Будем взрослеть, Кеша! Будем работать над собой! Собственно, взрослеть нужно тебе, а не мне. Мне иногда кажется, что тебе не пятьдесят, а двадцать пять лет.

Вздрагиваю. Сказать? Что сказать? Что она живет с больным на голову мужчиной? Но это значит напроситься на жалость, сострадание. Нет, ни за что!

— Давай вернемся к нашим голубым баранам, — говорю я. — Если тебя и Пингвиныча интересует мое мнение, объясню, почему серия о голубых ковбоях в России не пойдет. Эта тема имеет смысл, когда герои ощущают себя изгоями общества, как в «Горбатой горе». Тогда в этом есть драматизм. Но если вы попытаетесь поставить этот драматизм на поток... И вообще — кто будет читателем этой голубой серии?

— А почему она популярна в Америке?

— Ковбойская тема — одна из матриц американской культуры, как тема Клондайка. Раз ты прочитала Джека Лондона, то должна понимать. И вот на эту традиционную матрицу накладывается история незаконной любви двух парней, изгоев-гомосексуалистов. Если помнишь, они еще и женаты. Происходит короткое замыкание, вспышка. Так и рождается настоящее искусство. Вспомни «Ромео и Джульетту». На матрицу средневековой вражды двух семейных

кланов Шекспир наложил историю любви юных
созданий. И получился шедевр, который затем пере-
писывает мировая литература, в том числе и в мас-
совых любовных романах.

— А у нас?

— У нас другие матрицы.

— Ой! — говорит Вика. — Что-то я заболталась!
У меня же через час электричка. Пока-пока!

— Какая еще электричка? — удивляюсь я. — Ты
ничего не говорила!

— Разве? Ну извини! Мы с Максимом едем к вам
на дачу отмечать католическое Рождество. Когда
вернусь, не знаю... Но обещаю, Новый год мы встретим вместе.

— Вместе с кем?

— С тобой, Кеша, с тобой.

Даже не знаю, что ей сказать.

— Не волнуйся, — говорит она. — Мы едем не
одни. Максим пригласил кучу друзей. Мы с ним все
решили. Мы с ним просто друзья. Кстати, из-за кого
ты больше переживаешь, из-за него или из-за меня? — И из прихожей кричит противным каприз-
ным голоском: — Можно попросить тебя помочь мне
надеть шубку!

Закрыв за ней дверь, звоню Максиму.

— Ты где?

— Я не должен перед тобой отчитываться.

— И все-таки?

— Мы с друзьями едем в деревню. Дедушка и бабушка сейчас гостят у нас, дом свободный. Не возражаешь?

Говорит это таким же противным голоском, как
Вика из прихожей.

— Макс, прошу тебя! Не как отец... Не прошу, а советую, как мужчина мужчине. Не связывайся с этой особой! Ни один черт не знает, что у нее в голове.

— Ты о ком?

— Ты знаешь.

— Но ты же с ней связался?

— А ты во всем пытаешься мне подражать?

Отбой. Обиделся... Какие они все нежные!

Два Б.

Иду на кухню доедать блинчики с творогом. После скандала в «Пушкине» Вика готовит мне исключительно блинчики с творогом. Словно нарочно напоминает о тех блинчиках с кремом. Издевается? Или наоборот — искупает вину? Знает, что я обожаю блинчики с творогом и со сгущенным молоком. Кстати, в начале записок я забыл сказать, что Иннокентий Иноземцев — господин весьма упитанный, с круглым животиком, небольшой седой бородой и в очках в толстой черной оправе. А по ходу повествования наверняка казалось, что я худой и гладко выбритый, какими обычно бывают желчно-ироничные мужчины. Впрочем, какое это имеет значение?

В гостиной замечаю на журнальном столе Викин ноутбук. Забыла? Или просто оставила? Странно. Вика всегда берет ноутбук с собой. Перед завтраком, пока я принимал душ, Вика что-то писала на нем. Возможно, письмо матери. Бросила писать, как только я вышел из ванной комнаты.

Ноутбук открыт и находится в спящем режиме. Я, разумеется, не буду ничего там смотреть, но надо бы его выключить, чтобы не сел аккумулятор. Если Вика что-то там не дописала, а батарея сядет, текст пропадет. Может, важный текст.

Я отлично понимаю, что уговариваю сам себя, чтобы оправдать неблагородный поступок. Тем не менее подушечкой указательного пальца слегка трогаю одну клавишу. Экран загорается.

Стараюсь не смотреть на текст и думаю, как сохранить его и выйти из системы. Но тотчас понимаю, что делать этого не нужно. Когда Вика вернется и увидит, что я выключил компьютер, это будет автоматически означать, что я прочитал текст. И это будет очень позорно. Так что делать этого нельзя. А экран все горит.

Какой странный логин у адресата письма, которое я, конечно же, читать не буду: *dasha_1991*. Очень похож на мой: *kesha_2005*. Но мой-то объясним. В 2005 году я издал свой первый роман и мою почту буквально обрушили журналисты, как и телефон, номер которого они добывали по каким-то своим тайным каналам. Мне пришлось поменять номер телефона и адрес электронной почты. Но в 1991 году электронной почты в России еще не было. Откуда же взялся такой странный адрес?

Проклятый экран все горит. Когда он погаснет, клянусь, я не прикоснусь ни к одной из его клавиш. Но пока экран горит, я просто не могу от него оторваться.

Какой странный логин у отправителя письма: *lubovnoe_chtivo*. Это значит, что Вика завела почтовый ящик не раньше, чем полгода назад, когда поселилась у меня и устроилась в издательство Игумнова. Кстати! Я никогда не задумывался над тем, почему эти два события буквально совпали.

Горит, проклятый!

Ну, значит, судьба.

Милая Даша, как же я соскучилась!

Нет, я не подлизываюсь, я действительно очень-очень соскучилась! И ты напрасно ругаешь меня и обзываешься разными нехорошими словами.

Пойми, Дашутка, жизнь в Москве дорогая. Я ведь живу с известным писателем, я не могу ходить в обносках. Да, я купила шубку! Да, она дорогая!

Да, это Пингвинчик дал мне деньги. Да, я вынуждена иногда бывать у него... спать с ним, когда его жена ложится в больницу, а он старается отправлять ее туда как можно чаще. Он противный! Он липучий, как жвачка! Но что делать? Брать деньги у Иноземцева я не могу. И объяснить тебе, почему не могу, тоже не могу.

Значит, все-таки Варшавский? Господи, как это просто! Вика устроилась на работу через постель. Зная это, Игумнов тоже захотел отломить себе сладкий кусочек. И наверняка отломил бы, но, видимо, Верунчик помешала, а потом еще и насплетничала Варшавскому. Тот устроил в кабинете Славы скандал, а я попал под раздачу. Потом мы с Игумновым сочинили театральный спектакль для Верочки...

Господи, каким же идиотом я выгляжу в их глазах! Девочка живет со мной, а развлекается с ними. Каким дураком я выгляжу в ее глазах. Самоуверенный индюк!

Да, шубка... Ну и кретин же я! Ведь в «Пушкине», когда Пингвиныч с Викой уходили и он помогал ей одеться, я обратил внимание, как смотрели на ее шубку две сидевшие недалеко от меня дамы — из тех, что ходят в дорогие рестораны выпить *чашечку кофе*, потому что на что-то серьезное денег не хватает, а посещать иногда дорогие рестораны нужно для повышения самооценки. Как у них вспыхнули глаза от одного вида этой шубки! Но я был уже настолько пьян, что не придал этому значения.

И вообще, Даша, называть свою дочь проституткой!.. Ну давай я назову тебя тряпкой! Потому что ты и есть тряпка. Ты была ей всегда, сколько тебя знаю. Давай напомню тебе, что ты никогда не любила Игоря...

Игорь — это кто?

...а уж как он любил тебя! Не знаю, Даша, что хуже, быть проституткой или женой и матерью, которая всю жизнь лгала в глаза мужу и дочери?

У меня такое чувство, что я читаю любовный роман.

Хотя Игорю ты не лгала. Лгали вы мне, оба. С ним ты поступила еще хуже, ты не скрывала от него правды. И это было жестоко, очень жестоко!

Конечно, роман!

Ты называешь паскудством, что я иногда обслуживаю старого мужика. А жить так, как мы живем после смерти Игоря, — это не паскудство? На твои пятнадцать тыщ корректорских?

Кажется, она говорила мне, что ее мать старший редактор.

Я тогда написала тебе, что женю на себе Иноземцева, и я это сделаю! Он уже разводится со своей женой.

Я ей об этом не говорил... Макс?! Болтун!

И ты перестанешь слепнуть над этими идиотскими текстами. Но мне трудно, очень трудно, Дашенька, милая... Он очень непростой человек. Иногда мне хочется его убить!

Взаимно, Вика, взаимно!

Вот взять молоток и треснуть по его надменной башке! Как часто я представляю себе это.

О господи, с кем я живу?

Дашечка, бесценная моя, прости меня! И поверь, я знаю, что делаю. Не знаю, почему так вышло, но я в сто раз умнее и практичнее тебя и Игоря.

Кто б сомневался!

Потерпи, дорогая, и не осуждай меня. В конце концов, я могла бы и не говорить тебе про Пингвинчика. Но мы с тобой подруги или кто? Нет, ты скажи мне, подруги или кто? Извини, считать тебя полноценной матерью я не могу. Конечно, не ты в этом виновата, а <u>он</u>, который жестоко поплатится за это! Но сперва нужно женить на себе Иноземцева.

Он выключил душ! Сейчас выйдет. Заканчиваю письмо. Сегодня мне ехать к Липучке.

Вот интересно: когда Варшавский при мне называл ее котенком, о чем думал этот старый кот? Я заметил, как при этом сузились каштановые глаза Вики. Как две щелочки. Ну да, он мечтает о том, чтобы я выгнал девочку. Он снимет ей квартиру... Но почему бы не сообщить мне об этом прямо? Хотя я его понимаю. Викин характер... Он знает или догадывается, что она играет двойную партию на двух досках. Играет рискованно, но она вообще такая. Он боится ее в этом случае потерять. Самое ужасное, что того же боюсь и я.

Сигнал домофона. Но я никого не ждал.

— Кеша, впусти, я забыла ноут и ключи!

Вика...

Сейчас она войдет и увидит включенный ноутбук. И конечно, поймет, что я прочитал письмо. Что ж, может, это и к лучшему. Рубить хвост надо в один прием.

Открываю входную дверь, сажусь перед ноутбуком и жду. Когда Вика, тяжело дыша, влетает в прихожую, экран тут же гаснет, и я быстро захлопываю крышку.

— Не стала ждать лифта, — задыхаясь, говорит Вика, — а дыхалка стала никакая. Это, наверное, от того, что курю.

— Бросай, — говорю, — пока еще не поздно.

— Обещаю, в новом году брошу. Без пяти двенадцать выкурю последнюю сигарету. После боя курантов с тобой будет жить уже некурящая девушка. Ты доволен мной, Кеша?

— Конечно, — говорю я. — Ты все еще едешь на дачу с Максимом? Ты же опоздала на электричку.

— А-а, ерунда! — смеется она. — Они подождут меня на вокзале до следующей. Приятель Максима, который должен был закупить выпивку, не приехал. Так что пока я сюда, они — в магазин. Так, ноут и ключи… Память стала ни к черту.

Бросает в рюкзачок ноут, ключи и бежит в прихожую.

— Ты забыла выключить.

Застывает, поворачивается ко мне.

— Что?

— Ноут.

Возвращается в гостиную, подходит и смотрит на меня в упор.

— Откуда ты знаешь? Ты в него что, смотрел?

Хочется крикнуть: «Смотрел! И читал твое письмо! Пошла вон, сука! И — никогда ко мне не возвращайся!»

Вместо этого почему-то вру.

— Нет! Просто заметил, как мигает сигнальная лампочка. Это раздражает.

— Ну извини, — говорит она, продолжая изучать меня подозрительным взглядом. — Ты правда не открывал?

— Мамой клянусь, — говорю. — Кстати, о слабой памяти. Память ухудшается от когнитивного диссонанса.

— Что это?

— Например, когда человек врет, он говорит одно, а думает другое. Его мозг посылает два противоречивых сигнала, один из которых подавляет другой. От этой борьбы с самим собой мозг теряет свои клеточки. Они отмирают миллионами за несколько секунд вранья. Если очень часто это делать, ухудшается память.

Смеется...

— Приму к сведению. Пока!

— Скажи, а сколько стоит твоя шубка?

Смеется...

— Тебе нравится? На самом деле недорогая. Искусственный мех. Но она мне идет, я знаю.

— Недорогая? В «Пушкине» я заметил, как на нее облизывались две дамочки.

Смеется...

— Они завидовали моей молодости и красоте, Кеша! И тому, что шубку мне подавал немолодой, но элегантный и богатый мужчина. Мечта любой женщины.

— Варшавский богатый?

— Да. Разве ты не знал? Все в издательстве знают, что у него контрольный пакет акций «ВЕ».

Смотрит на меня в упор.

— Не лги мне, Кешенька! Ты прочитал мое письмо. И это мелко с твоей стороны. Это у тебя этот... как его... диссонанс. Поэтому и проблемы с памятью. Я могла бы ничего тебе не объяснять, но объясню, чтобы ты не мучился. Мы с Дашей затеяли написать любовный роман в письмах. Будто бы девушка из провинции мечтает женить на себе известного столичного писателя, но при этом спит с богатым папиком, чтобы хорошо одеваться и пускать пыль в глаза писателю.

— Ты используешь меня в качестве персонажа?

— А ты думаешь, я хочу тебя на себе женить? Нет, Кеша, проехали. Ты опоздал со своим предложением. Но Новый год мы встретим с тобой. Надо же как-то отметить наш несостоявшийся любовный роман. И не смей возражать! Я потратила на тебя полгода.

Со мной происходит что-то странное. Я вдруг начинаю видеть себя со стороны. Вот я сижу, ссутулившись, на диване и улыбаюсь счастливой улыбкой идиота. Вика, так и не снявши шубку, стоит передо мной, как Герда перед Каем, у которого медленно оттаивает сердце. Внутри становится тепло, потом горячо, еще горячее...

— Ты мне веришь? — спрашивает она.

Господи! Верю ли я ей? В данный момент это не имеет никакого значения. Я даже не задаю себе этот вопрос. Значение имеет только то, что я ее пока не теряю.

Слышу, как хлопает дверь.

Подхожу к окну и открываю, чтобы глотнуть морозного воздуха. Идет снег. Высовываюсь наружу и ловлю затылком приятно-холодные снежинки. Примерно в тридцати метрах от моего подъезда стоит черный шестисотый «мерседес». Такой был у отца Нугзара. В машину садится Вика. Бритоголовый шофер-крепыш в костюме держит открытой переднюю дверь.

То, что это шофер, а не кто-то другой, ясно с первого взгляда. У всех водителей состоятельных людей есть определенная осанка и неторопливое достоинство в движениях, потому что они не только шоферы, но и профессиональные охранники. А то, что Вика садится на переднее сиденье, может означать только одно: больше в машине никого нет. И это все, что я успеваю понять. Затем мой мозг вырубается, словно кто-то щелкнул в моей голове невидимым тумблером, и я опять начинаю наблюдать себя со стороны...

Быстро обуваюсь в прихожей, хватаю кожаный пуховик, забываю про шапку, хлопаю дверью, не закрывая на ключ, бегу к лифту, жму на кнопку — а через секунду несусь вниз по лестнице, одеваясь на ходу. «Мерседес» уже прилично отъехал, но застрял перед маленькой снегоуборочной машиной и громко сигналит. У соседнего подъезда стоит пустое такси. Подбегаю и плюхаюсь на переднее сиденье.

— Едем за тем «мерседесом»!

Парень с простоватым лицом качает головой:

— Не могу. Заказ в аэропорт.

Кладу на торпеду пять пятитысячных купюр.

— Старайся, чтобы тебя не заметили.

— Заказ, — бормочет, жадно глядя на деньги.

— Позвонишь в диспетчерскую и скажешь, что сломался. Сделаешь все как надо, получишь еще столько же.

Парень явно тупит и что-то подсчитывает, шевеля губами.

— Пятьдесят тысяч, — подсказываю я. — Ты очень богатый?

Парень заводит двигатель, но все еще шевелит губами, продолжая подсчитывать.

— Пятьдесят тысяч, — повторяет за мной. — Это сколько же в долларах будет?

Тут я ничем помочь ему не могу. Я не помню, когда последний раз менял рубли на доллары и по какому курсу. Между тем снегоуборочная машина сдала задом на боковую дорожку и пропустила «мерседес». И сейчас она перекроет путь нам.

— Гони, придурок! — рявкаю я.

Парнишка с перепугу жмет на газ так, что я вдавливаюсь затылком в подголовник сиденья.

— Полегче, приятель!

На удивление, водителем он оказался неплохим. Такси ведет ровно, не дергая. Весь как-то расслабился, особенно после того, как положил двадцать пять тысяч в карман. От «мерседеса» отстает на два-три автомобиля. На мою удачу вдруг повалил густой снег и движение в Москве застопорилось. Мы все время тащимся в пробке. В пробке не заметишь преследования.

Проезжаем мимо станций метро «Пушкинская», «Маяковская», «Баррикадная», «Улица 1905 года», «Беговая», «Полежаевская». Выезжаем на проспект Маршала Жукова. Пересекаем МКАД. Сворачиваем на Мякининское шоссе.

Шоссе — одно название. Движение в один ряд. Машин мало, здесь нужно быть осторожным. Но мой водитель и сам неплохо соображает. Отстал от «мерседеса» на приличное расстояние, позволяет себя обгонять, но из виду объект не упускает. Почему-то шофер «мерседеса», вырвавшись из пробок, тоже не разгоняется. Едва ли в таком темпе он возит босса.

Похоже, Вика не слишком торопится к любовнику. Воображаю, как она капризничает в машине. «Нельзя ли помедленнее? Меня укачивает!» Интересно, кто это? Варшавский? Или отец Нугзара? Если Варшавский, просто выгоню ее из дому. Если отец Нугзара, я его убью. Не знаю, как я это сделаю, но одним авторитетом в Москве станет меньше. Я не потерплю еще одного вторжения в мою частную жизнь этой гордой семейки.

Кстати! Поведение Нугзара сильно изменилось в последнее время. Он стал как-то тише, скромнее. Девок продолжает к себе водить, но пьяных дебошей больше не устраивает. Недавно, когда мы возвращались с Викой из ресторана, Нугзар с теми же приятелями стоял возле своего «ягуара». Что-то они опять перетирали. Приятели посмотрели на меня злобно, а Нугзар отвел глаза, делая вид, что нас не заметил. К чему бы это?

Кстати! Визитную карточку отца Нугзара я тогда бросил на журнальный столик и потом к ней не прикасался. Ее, такую красивую, с золотым тиснением (ручаюсь, что натурально с золотым), наверняка заметила Вика. Может, она решила ввести в свой роман еще одного персонажа? Почему нет?

Я — убью ее.

Странно, но я помню эти места. Я здесь бывал. Я даже вспоминаю топографические названия: справа — Липовая роща, слева — Живописная бухта. Но все очень изменилось. Между старыми деревенскими домами выросли роскошные коттеджи. Некоторые еще только строятся, другие уже готовы и стоят за высоченными заборами с автоматическими воротами.

Когда «мерседес» сворачивает на боковую улицу, я понимаю, что необходимо поменять тактику.

— За ним не езжай. Припаркуйся у поворота.

Осторожно заглядываю за угол высокого металлического забора и тотчас отшатываюсь, потому что «мерседес» стоит примерно в пятидесяти метрах от меня. Из него уже вышла Вика с бледным и сердитым лицом. О чем она думала всю дорогу? Или ее действительно укачало? И это все, что я успеваю заметить и подумать.

Подбегаю к такси со стороны шофера.

— Меняемся куртками, быстро! Не бойся, приятель, если я сбегу, ты не в накладе, моя гораздо дороже. И шапку свою давай, только быстро, быстро!

Он подчиняется мне, как робот. Кажется, я порядком заморочил парню мозги. Нахлобучив шапку по самые очки и спрятав подбородок в воротник куртки, я, как заправский шпион, неторопливо бреду по улице, глядя под ноги. Поравнявшись с «мерседесом», поднимаю взгляд. Через открытую в высоком кирпичном заборе дверь вижу удаляющуюся спину Вики. С крыльца в псевдоампирном стиле сбегает Варшавский. Значит, зря я плохо подумал об отце Нугзара.

Варшавского я убивать не буду. Он не вторгался в мою частную жизнь. И он такая же жертва этой маленькой плутовки, как и я. Но! Вика ошибалась во мне! Она думала меня женить? Ха! Она думала, что ее фантазия круче моей? Ха! Она не представляет себе, до какой степени я не фантазер в жизни. До какой степени я рационален. Она никогда не имела дела с такими, как мы, Иноземцевыми. Я думаю, что и с Максимом она просчиталась. Просто мой мальчик еще не вырос. Возможно, он и женится на ней, но пожалеет об этом уже накануне свадьбы, когда они начнут покупать кольца, свадебный костюм и выбирать в прокате платье для невесты. На церемонии он будет смотреть на меня жалкими глазами. Возможно, он даже будет жить с ней, но для нее это будет не жизнь, а мучение. Она не знает, что мы, Иноземцевы, окружены минным полем, на котором подорвется всякий, кто посмеет близко подойти к нам и заглянуть в наши глаза. Всякий!

Обо всем этом я думаю уже в такси, сидя в своей куртке и без дурацкой вязаной шапки на голове. Шофер везет меня домой и светится от радости. Ведь у него в кармане большие деньги: пятьдесят тысяч!

— Женат?

— Угу. А мы за кем следили?

— А за женой и следили.

Он хмурится, что-то вспоминает.

Давай, приятель! Неси деньги милой женушке, погордись перед ней! Но не жди от нее благодарности.

Увидев Варшавского, Вика завизжала, как Лиза, когда я возвращаюсь домой. Прыгнула ему на живот, обхватила руками шею, а ногами бедра. Хотя и то и другое у Варшавского в строгом смысле нельзя назвать шеей и бедрами. У него их нет, как и у настоящего пингвина. Он весь треугольный — от широко расставленных даже при ходьбе ног до макушки с потной тонзурой.

— Пингвинчик! — громко мурлыкала Вика в это подобие шеи. — Как я по тебе соскучилась, милый!

Она была в издательстве три дня назад. Сама рассказывала мне, как они с Варшавским обсуждали новую серию романов о любви женщин и киборгов. Я объяснил ей, что это даже не вчерашний, а позавчерашний день. В 1967 году на экраны вышел советский фильм «Его звали Роберт» с Олегом Стриженовым в главной роли. «Неужели? — удивилась Вика. — Странно, что Пингвиныч этого не помнит». — «Сколько ему лет?» — спросил я. «Точно за шестьдесят». — «Значит, он мог видеть этот фильм подростком. Не говоря уже о том, что есть куча голливудских фильмов на эту тему. Но куда чаще роботом там является женщина, а не мужчина. Помнишь, я говорил тебе, почему популярны резиновые женщины, а не мужчины?»

— Кисонька, котеночек! — противным тенором пел Варшавский. — А уж как я по тебе соскучился!

Да! Я идиот! Понятно, *по чему* они соскучились! Вряд ли они занимаются *этим* в его кабинете. Как там говорил Игумнов? Территория бизнеса должна быть стерильной? А моя, по их мнению, нет? На моей территории можно гадить?!

— Баньку нам истопил, — курлыкал Варшавский. — Жарко — как ты любишь! И веничек замочил!

Как говорил Игумнов? В любовных романах не должно быть трех Б.? Бани, блядства и беременно-

сти? Баня и блядство уже налицо, вот беременность
пока не наблюдается...

Когда я прихожу домой, Лизка визжит и пытается
прыгнуть мне на грудь. Я едва успеваю подхватить
ее под хвост, чтобы она не шлепнулась больно на пол
в прихожей. Она — единственное существо, которое
по-настоящему любит меня.

ЛАВИНА

Сон... Опять как старая заезженная пластинка, когда игла застряла на одной канавке. Я рвусь на перевал. За мной пять человек: две девочки и три мальчика... Они идут в связке...

Вдруг я слышу за спиной хлопок, похожий на дальний выстрел из ружья. Просыпаюсь. Смотрю в потолок.

Игла сама трогается с места, но не скользит к центру пластинки с противным скрежетом, а уверенно играет знакомую мне мелодию. Мой сон продолжается, но я точно не сплю. И я твердо знаю: все это было на самом деле. В этом я уверен, в отличие от того, что происходило со мной в последнее время. С того дня, как в мою жизнь ворвалась Вика.

Оглядываюсь, но смотрю не на группу, а всматриваюсь в долину. Как будто я что-то могу разглядеть за пять с лишним километров. В горах все кажется преувеличенно близким, в этом их главный оптический обман. Вспомнив это, снимаю рюкзак, чтобы достать цейсовский бинокль, подаренный мне отцом, когда я поступил на геофак. Сам поступил, без протекции отца.

Протекция и отец... Даже смешно!

Отец был профессором на кафедре минералогии. Он не только читал лекции и вел практические занятия, но и каждое лето вывозил студентов в поле. Он был самым авторитетным геологом на факультете и, разумеется, сокрушителем сердец студенток, и не только нашего факультета. Он пользовался этим не стесняясь и не маскируясь. Не один раз его поведение обсуждали на парткоме в его присутствии, но с него все было как с гуся вода. В каждом поле он заводил новую любовницу, как на фронте командиры заводили ППЖ*. После окончания практики отец прекращал эти отношения в один день. Это был его принцип. Все девушки об этом знали, но все равно велись на его обаяние и на что-то надеялись.

Знала об этом и мама. Она тоже работала в университете, секретарем декана нашего факультета. Декан и мой отец были ровесниками и когда-то сокурсниками, как я с Игумновым. Оба были старше моей мамы на двадцать лет. Все на факультете знали, что декан был неравнодушен к маме, но не все знали, в том числе и я, что отец женился на ней, студентке нашего же факультета, только потому, что после поля она забеременела. Впрочем, не думаю, что это было единственным решающим аргументом. Что-то отец разглядел в этой девушке. Может быть, то, что называется словом «покорность». Он почувствовал, что она из тех женщин, которые способны простить все. Измены. Грубость. Равнодушие. Отсутствие интереса к их общему ребенку. Все.

Отец стал обращать на меня внимание только тогда, когда, как он выразился при мне, я стал немного похож на человека. Но лучше бы не обращал.

Мое поступление на геофак он превратил в безобразное шоу. Сначала меня отговаривал. Он говорил,

---

* Походно-полевая жена.

что я мямля и фантазер, что мне нужно идти не в геологи, а в литераторы (это слово он, кстати, произносил с презрением), что из меня, возможно, выйдет плохой писатель (слово «плохой» подчеркивал), но никогда не получится даже плохого геолога. Потом, когда я все-таки поступил, он сказал мне, что это было испытание на осознанность выбора своей судьбы. Потому что геология — это не профессия и даже не призвание. Это судьба. Но я уверен, что он лукавил. Он просто не хотел, чтобы на *его* факультете учился *его* сын. Он боялся — и справедливо, — что меня будут сравнивать с ним. Не в мою пользу, конечно. Он меня просто по-отцовски пожалел. Поэтому пришел на собеседование перед вступительными экзаменами, хотя коллеги убеждали его не делать этого, и при всех меня откровенно топил. Он смотрел на меня в упор, а я не мог поднять на него глаз, как Андрий на Тараса в повести Гоголя. Наконец не выдержал декан. «Платон Венедиктович, — сказал он, — вы задаете абитуриенту вопросы, на которые не знает ответы половина приемной комиссии, и я в том числе. То, что абитуриентом является ваш сын, не дает вам на это права. Пожалуйста, покиньте заседание и не мешайте нам работать».

Отец и ухом не повел. Остался сидеть. Молчал. Но молчал так, что лучше бы говорил.

Снимая рюкзак, вдруг чувствую, как же я смертельно устал. Ноги дрожат — это плохой признак.

Господи, но если я так устал, то что же ребята? Я вдруг понимаю, что гнал их вперед и вверх без единого привала. И если с кем-то случится сердечный приступ или полное бессилие от переутомления, это будет очень серьезной проблемой. И виноват в ней буду только я. Хальтер был прав. Мне не место в туризме.

Пытаюсь отыскать глазами группу — и не вижу. Что за черт, куда они могли подеваться?! И почему пейзаж вокруг так изменился? Снега подо мной стало как будто меньше, зато он лежит как огромный сугроб в ста метрах от меня у больших камней, которые туристы еще называют чемоданами.

Поворачиваю взгляд на скалу-жандарм*, которая перекрывала нам путь на перевал. На ней скопился опасный снежный карниз. Я обходил ее строго вертикально, стараясь не подрезать снежный наст, чтобы не вызвать лавину. Смотрю на скалу, но не вижу больше карниза. И понимаю, что это был за хлопок.

Когда сильно устаешь на подъеме, то смотришь только себе под ноги, но и под ногами порой ничего не видишь, потому что глаза заливает пот. Ребята сбились с моих следов и уперлись в скалу. Карниз обрушился и вызвал небольшой, на мое счастье, оползень из мокрого, этой ночью выпавшего снега. Если бы снег был сухой, лавина летела бы до самой долины. Но и того, что сошло, было достаточно, чтобы утрамбовать пятерых людей в снежной могиле. Забить рты и носы так, чтобы они не смогли дышать.

Все эти мысли проносятся в моей голове примерно с такой же скоростью, с какой я, так и не сняв рюкзак, не бегу, а лечу по вырубленным мной в снегу ступеням вниз. Слышу, как бешено стучит сердце

---

* Отдельно стоящая скала.

в такт непрерывно звучащей в голове фразе: «Ты убил пятерых детей. Ты убил пятерых детей. Ты убил пятерых».

Да, отец меня пожалел. Он понимал, что я пошел в геологи, подражая ему, и что ничего путного из этого не выйдет. Но в одном он ошибался. Из меня получился, смею думать, хороший писатель. Отец об этом узнать не успел. В девяностые годы, когда все сыпалось и профессора получали нищенские зарплаты, которые еще и задерживали месяцами, он без особых раздумий ушел в коммерцию, а потом в бизнес, то есть сделал то, на что не решился я под давлением Игумнова. Отец возглавил фирму по бурению скважин для дачников и зарабатывал очень приличные деньги. Стал ездить за границу, просто посмотреть мир. Маму никогда с собой не брал.

К тому времени я бросил геофак на пятом курсе, три года поработал простым рабочим на стройке, поступил в Литературный институт и переехал в Москву. У меня были свои проблемы, и в отношения родителей я особенно не вникал. Иногда, когда я приезжал на каникулы (я тоже из С., как и Вика, но из другого С.), мама тихо жаловалась мне на отца. Но чем я мог ей помочь? Все-таки однажды я попытался поговорить с ним по-мужски. Сказал, что нельзя обращаться так с женщиной, с которой прожил больше тридцати лет. Что он, в сущности, уже старик, а она еще сравнительно молода и по-своему привлекательна, и не боится ли он... Я нарочно говорил о маме только как о женщине, ни разу не напомнив, что она моя мать и мне больно за нее. Мне казалось, что такой чисто мужской разговор будет самым правильным в этой ситуации.

Он выслушал меня и засмеялся. «Никогда не жалей женщин, Кеша, — сказал он. — Никогда не вникай в их бабские проблемы. Поступай как нужно тебе, как хочется тебе».

На следующий день я улетел в Москву, а еще через день отца зарубили топором перед лифтом в нашем подъезде. Помню, меня это поразило: почему — топором, что за варварство?! Самое удивительное, что после того, как убийца раскроил ему череп и убежал, отец сумел встать, вызвать лифт, доехать до девятого этажа, нажать кнопку звонка и, когда мама открыла дверь, рухнул в прихожей, заливая пол кровью. Но «скорой» он уже не дождался.

После похорон на его счету в банке обнаружилась большая сумма. Значит, он не транжирил все деньги на поездки, для чего-то копил. Мама уверяла, что копил для нас. Не знаю. Но эти деньги помогли нам выжить в девяностые, помогли!

Мама после смерти отца стала ходить в церковь. Была абсолютной атеисткой и вдруг стала глубоко верующей. Однажды сказала мне: «Прости меня, Кешенька. Наверное, я была плохой матерью. Больше думала об отце, а не о тебе». Я улыбнулся: «Но это же хорошо, мам! Психологи говорят, если отец больше любит дочь, чем жену, а жена больше любит сына, чем мужа, это в будущем создает проблемы и для дочери, и для сына. Они начинают во всех мужчинах и женщинах искать подобие своих отцов и матерей. Они продолжают зависеть от них». Мама покачала головой, не соглашаясь со мной. И вдруг сказала: «В одном я могу перед тобой похвастаться, сыночек, — в том, что я родила тебя на Покров. Теперь Богородица хранит тебя». Я снова улыбнулся. «Вот и славно, — сказал я. — Не переживай!»

Не знаю, кто хранил меня и моих ребят в тот день, но когда я подбегаю к огромному сугробу возле камней, то сразу вижу часть рюкзака, торчащую из-под снега. От страха во мне просыпается исполинская сила. Выдергиваю первого участника группы, как пробку из бутылки. Я не понимаю, кто это, мальчик или девочка, потому что его или ее лицо облеплено снегом. Наотмашь бью его или ее по щекам, чтобы привести в чувство и заодно выбить изо рта и носа снег, мешающий нормально дышать. На мое счастье, это оказывается парень, и он быстро приходит в себя. В течение часа мы, двигаясь по альпинистской веревке, откапываем еще троих. Я успеваю подумать, что это была неплохая идея — заставить группу идти в связке. Впрочем, если бы я и сам пошел в связке с ними, они не попали бы под снежный карниз.

Я работаю саперной лопаткой, парень — котелком, который, опять же на счастье, оказался в его рюкзаке. Мне приходится копать осторожно, чтобы не нанести кому-нибудь рану, а парень орудует котелком, как стремительный экскаватор. Все трое живы и по очереди включаются в работу. Пятого мы не находим. Только обрывок веревки.

Пятого нет. Он — исчез. Испарился. Или его утрамбовало так глубоко, что нам до него не добраться. Когда начинает смеркаться, я понимаю, что дальнейшие поиски бессмысленны. Надо спасать от переохлаждения тех, кто остался в живых. Мы спускаемся в долину уже в темноте в гробовом молчании. Я понимаю, что, скорее всего, сяду в тюрьму. Еще вспоминаю родителей этого парнишки, который шел в связке последним. Они провожали его на вокзале. Он был единственным из группы, кого провожали родители. Его мать подошла ко мне и спросила, не опасен ли этот поход. «Ну что вы! — ответил я. — Это всего лишь "единичка". Первая категория сложности, самая легкая. Не волнуйтесь, мамаша, все с вашим сыном будет в порядке…»

Пятый сидит на рюкзаке перед входом в пастушью избушку, неподвижный, как статуя. Он в шоке и даже уже не дрожит, настолько замерз. Но, главное, он живой! Мертвые на рюкзаках не сидят.

Я готов его обнимать и целовать от радости, а вот другие участники группы думают иначе. Парень просто сбежал. Когда веревка обрезалась об камень или кусок льда, он сумел выбраться на поверхность самостоятельно. И — сбежал от страха. Но я этому рад, а парни хотят его бить.

— Стоять! — ору я. — Живо все в балаган!

Неохотно они все же выполняют приказ, а я достаю из рюкзака НЗ* — банку со сгущенным молоком. Мне немного стыдно перед ребятами, но я делаю это, как Винни Пух. Ножом протыкаю две дырки и высасываю все содержимое разом. Банка сгущенки — энергетическая бомба. А мне сейчас очень нужна сила.

Пока ребята сидят на нарах, тупо глядя перед собой, развожу огонь в буржуйке. В печке уже лежат

---

* Неприкосновенный запас.

сухие дрова и хворост для розжига. Запас дров сложен рядом. Конечно, это не дрова, а ветки можжевельника и других кустарников. Но буржуйка на то и буржуйка, что раскаляется почти мгновенно, нагревая небольшое помещение. Становится жарко, как в сауне.

— Группа моя, слушай меня! Встали! Мальчики отворачиваются от девочек, и все быстро раздеваются до трусов!

Мальчики ухмыляются, им это даже по кайфу. Через три минуты они стоят в одних семейных трусах, отвернувшись к стене. Девочки стесняются:

— Вы тоже отвернитесь!

— Ага, щас! — говорю я, доставая из рюкзака литровую фляжку со спиртом. — Может, мне вообще выйти?

— А лифчики можно не снимать?

— Нельзя!

Растираю всех пятерых спиртом сзади и спереди, как заправский массажист. Первыми растираю девочек. Они попискивают и закрывают груди ладонями.

— На хрена мне ваши сиськи, — говорю я. — Можно подумать, я этого добра никогда не видел.

Парни ржут. Один пытается оглянуться, и я даю ему коленом под зад.

Запах спирта наполняет тесную избушку, и, пока я растираю парней, девчонки, похоже, пьянеют и тоже начинают хихикать.

— Отставить смехуёчки! — говорю я. — Достать сухие свитера и переодеться!

— У меня нет сухого свитера, — говорит та, что меньше ростом, а вся спина в родинках. — Только тот, что был на мне...

— Ну, ептыть! — ворчу я, хотя это мой прокол: не проверил ее снаряжение. — Ты в горы на прогулку собралась?

Достаю из рюкзака свой свитер и швыряю ей. На секунду она отрывает ладони от груди, и я замечаю, что соски у нее совсем черные и торчат в разные стороны.

— Он же мне велик... — неуверенно говорит она.

— Да что ты! Разве? Может, мне тебе его ушить?

Надевает свитер.

— Группа моя, слушай меня! Достаем из рюкзаков общие спальники и ложимся в них на нары! Девочки — отдельно, мальчики — отдельно! Не перепутать тела!

Общие спальники — изобретение советской эпохи. Удивительное изобретение. Сейчас в специальных магазинах или по интернету можно купить любой спортивный инвентарь, в том числе и туристский. Прочный, удобный, легкий. А в то время одиночные спальники были ватными, занимали полрюкзака и весили не меньше пяти килограммов. Поэтому спортивные туристы сами шили общие спальники, набивая птичьим пухом. Не помню, откуда мы доставали пух, не сами же птичек ощипывали?

Общий спальник — отдельная песня. В них не было разделения на М и Ж. Напротив, считалось правильным, чтобы девочки, а они в группах обычно составляли меньшинство, ложились спать между мальчиками. И это было разумно. Девочкам не поддувало с боков, они не тыкались носом в ледяные стенки палатки. С другой стороны, сами оказывались чем-то вроде печек.

Возникали ли при этом... хм-м... посторонние мысли? Конечно, и не только мысли. Но до греха дело не доходило. Во всяком случае, в своих походах я такого не помню. Зато отлично помню туристские свадьбы. В лесу, у костра, с шипучим вином «Салют», которое стоило в два раза дешевле «Советского шампанского». С пением под гитару Окуджавы. «Мне надо на кого-нибудь молиться. Подумайте, простому муравью вдруг захотелось в ноженьки валиться, поверить в очарованность свою!..» С возрастом я понял, почему в туризм идут, как правило, некрасивые девчонки.

Когда дети укладываются в спальники, я исполняю роль Айболита. Достаю из походной аптечки аспирин, развожу в кружке спирт напополам с водой и заставляю всех проглотить по таблетке, запивая самопальной водкой. Меня этому не учили, я действую интуитивно. Но наутро никто из группы не чихает, не кашляет и не сопливит.

Я сижу у печки, подкладываю в нее ветки и допиваю спирт прямо из горлышка, не разбавляя водой. Но я не чувствую его крепости, спирт сам пьется как вода. Кто-то похрапывает, а кто-то стонет во сне. Что им снится? Я вспоминаю, что сам не переоделся в сухое. От ветровки и свитера идет густой пар. Вдруг я резко встаю и выхожу из балагана. Небо такое звездное, что дух захватывает! В горах звезды и ярче, и крупнее, чем внизу. Их значительно больше. На небе нет живого места от звезд, никаких созвездий нельзя различить. Звезды играют, подмигивают мне, а вот черные очертания гор суровы и равнодушны. Нет в этом мире ничего равнодушнее гор.

Смотрю на перевал. Вернее, на то место, где он должен находиться. Я видел его во сне, но он обманул меня. Очень жестоко. И я ему этого не прощу. Проглотив остатки спирта, принимаю решение, которое могло стоить мне жизни. Если бы не *она*...

УНИЖЕНИЕ

Утром, гуляя с Лизой в парке, пытаюсь осмыслить, что было вчера. Кретин! Как я мог быть таким доверчивым? Как я мог не видеть того, что было так очевидно? Ни один серьезный редактор не возьмет на такую ответственную работу девчонку без опыта и диплома. Ни один начальник не будет говорить о своей подчиненной, что у нее *запредельное IQ*. Если только не спит с ней.

Как ловко устроился Варшавский! Девочка живет со мной, а трахается с ним. Комар носу не подточит. Если она вдруг забеременеет, он разведет руками: голуба, вы, если я не ошибаюсь, с господином Иноземцевым живете? Какие ко мне претензии?

Странно, но я совсем не чувствую ревности к Варшавскому. Я просто не могу представить себе Вику в постели с ним, а ревность — это всегда возбужденная фантазия. Это — картинки.

Какое лицо у Варшавского, когда он с Викой занимается *этим*? Такое же, как у дедушек на порносайтах в категории «старые с молодыми»? Какое лицо у Вики, когда она лежит, расплющенная этой жирной тушей, изображая удовольствие и страсть? Не вижу... Какие звуки они издают при этом? Он сопит, хрюкает? Поет арии? Она кричит? Стонет? Глубоко дышит? Ничего не слышу.

Это настолько мерзко, что моя фантазия не работает. Ты чистоплюй, Иноземцев! Игумнов был прав, тебе не стоит возвращаться в реальный мир. Этот мир не для таких, как ты.

Нет, я не чувствую ревности. Единственное чувство, которое терзает меня, доставляя даже не душевную, а физическую боль, — унижение. Словно кто-то ковыряется в моем сердце тупым кончиком швейцарского ножа, вместо того чтобы полоснуть по нему и разом прекратить мои мучения. Кстати, Иноземцев, ты ведь знаешь, что после сорока с мужчинами часто случаются инфаркты?

Да, унижение! Пойми, наконец, Иноземцев, что все смеются над тобой. Тамара с Сергеем Петровичем. Игумнов с Ингой. Варшавский с Викой. Сто пудов Тамара отсудит у меня половину доходов от моих книг, еще и заявит претензию на мой дом на Кипре. В результате сделает меня бомжом с пропиской в ее квартире, которая мне уже не принадлежит. При этом скажет: ты сам виноват! Не надо было бросать меня и сына. Что мне было делать? Я должна была подумать о себе, о сыне и о новом ребенке. А Инга наверняка рассказала Игумнову, как соблазняла меня на ночные гонки с оральным сексом и как я задумался и не сразу отказал ей. А Игумнов рассказал Верочке, какой спектакль я придумал для нее. И с обеими у него был *незабываемый секс*. Не исключаю, что Вика с Варшавским сейчас говорят обо мне. «Что ты от него хочешь, котенок? Он же думает только о своих романах». — «Ничего подобного, папик! Я подсадила его на любовное чтиво. Ты бы видел его, когда он читает мне это вслух! По-моему, он кончает при этом».

Тварь! Я все-таки не откажу себе в маленьком удовольствии. Когда она вернется, ничего не подозревая, я в ту же минуту вышвырну ее из дому с маминым чемоданчиком, ноутбуком и всей этой перепиской с чокнутой мамашей, которая позволяет своей дочери спать с одним мужчиной, жить с другим, еще и на всякий случай соблазняя его сына. Интересно, что в голове у этой Даши? Если бы это была моя дочь, я бы ее убил! Или сам бы повесился. Неужели они все сегодня такие? Слава богу, что у меня нет дочери!

Я не откажу себе в удовольствии представить лицо Варшавского, когда эта шлюха появится с маминым чемоданчиком на дорожке, ведущей к его вилле в псевдоампирном стиле. Вот это я вижу! И ее лицо, и его. Как она будет размазывать сопли. «Папик, он просто выгнал меня! Я в шоке! Где мне жить?» — «Котенок, но ты же знаешь, я завтра забираю жену из больницы. Я не могу оставить ее там на Новый год». — «Что же мне делать?!» — «Не знаю, не знаю!»

Черт, я забыл о Максиме! Эта тварь подготовила себе запасной путь. Я должен предупредить сына!

Лиза тянет меня за поводок. Она проголодалась и просится домой. На обратном пути звоню Максу.

— Как ты?

— Нормально, — говорит он недовольным голосом.

— Как ребята?

— Отлично.

— Как Вика? — зачем-то спрашиваю я, понимая, какой будет ответ.

— С ней все в порядке, не волнуйся, — говорит.

На секунду я замираю на месте. Кажется, в Библии это называется «превратиться в соляной столп».

— Ты же не хочешь сказать, что Вика сейчас с вами?

— А с кем же еще? — говорит Макс, и я слышу, как голос его нервно дрожит.

— А ты не передашь ей трубочку?

— Зачем?

— Позвонили из редакции, ее срочно разыскивают, — вру я и чувствую, что мой голос тоже дрожит.

— Она сейчас в доме, — врет Максим.

— А ты?

— Я иду в магазин за продуктами. Позвони ей сам.

— Видишь ли, сынок, — вкрадчивым голосом говорю я, — у меня из контактов исчез номер ее телефона.

Это ложь, у меня никогда не было номера Вики. В этом не было необходимости. Если мы с ней утром договаривались где-нибудь встретиться, например сходить в ресторан, она приходила на встречу минута в минуту, как и в первый раз, когда явилась ко мне на интервью. Вика — такая же перфекционистка, как и я. Единственное, с чем она обращается небрежно, — это любовные романы, которые кучей лежат возле дивана, на диване, на журнальном столе и даже возле унитаза. Но не могу же я сказать, что, прожив с ней полгода, не знаю номера ее телефона?

Как мне надоело наше бесконечное вранье! С этим надо кончать раз и навсегда...

— Максим, зачем ты врешь? Зачем я вру? Я знаю и ты знаешь, что Вика сейчас не с тобой. Она у начальника. Она его любовница. Ты в курсе этого?

— Да, — отвечает. — В курсе. Она просила, чтобы я говорил тебе, что она здесь.

Слышу, как сын всхлипывает.

— Максим, дорогой! Нам нужно выбросить эту Вику из нашей жизни! Выбросить, вычеркнуть, забыть, как дурной сон! Мы оба запутались. Хочешь, я вернусь к вам с мамой?

Он продолжает всхлипывать.

— Куда, пап? Мы с мамой живем в квартире Сергея Петровича. Этот козел устроил в нашей квартире погром. Нанял каких-то тупых молдаван и целыми днями орет на них так, что соседи уже дважды вызывали участкового. Участковый приходит, он сует ему в нос инвалидное удостоверение и решает проблему. Я ненавижу его, и мама, по-моему, тоже.

— Я думал, она его любит.

— Она любит тебя! Но у них с этим козлом будет ребенок. Ты в этом виноват!

Опять — я.

— Запомни, Макс! Пока сын валит вину на отца, он сам еще ребенок. Взрослей уже наконец. Почему ты не стал поступать в вуз в этом году?

— Я же говорил тебе: весной пойду в армию. Я так решил.

— Ладно, пусть. Что потом?

— Потом буду поступать в Литературный институт.

— Максим! — ору я в трубку так, что на меня оборачиваются люди в парке. — Умоляю тебя, не делай этого! Не повторяй ошибок моей юности! Не подражай отцу!

Ко мне подходит мужчина с овчаркой.

— Уважаемый, не кричите так, пожалуйста! Вы пугаете собачек.

Овчарка тыкается мне мордой в пах и скалит зубы. К счастью — в наморднике. Лиза бросается на нее.

— Пошли вы к черту! — зло говорю я. — Пошли вы к черту вместе с вашими собачками!

— Вы тоже с собакой, — невозмутимо напоминает хозяин овчарки. — Смотрите, она дрожит от страха.

Лиза и правда вся дрожит. Она смотрит на меня, как мне кажется, с ужасом. Даже культя ее трясется.

Спокойно, Иноземцев, спокойно.

— Перезвоню, — буркаю я в трубку Максиму. — А ты подумай пока о том, что я тебе сказал.

— Уже подумал, — говорит Максим. — Не надо мне больше звонить. Я не изменю решения. Весной пойду в армию. Если Вика меня дождется, я женюсь на ней.

— И поступишь в Литинститут?

— И — поступлю в Литинститут.

— Тогда я слагаю с себя всякую ответственность за твою судьбу, — говорю я.

Слышу его смех сквозь слезы.

— Какая ответственность, пап? Ты за себя-то самого отвечаешь? Ты помнишь, когда в последний раз разговаривал со мной всерьез?

Сын бьет меня в самое больное место. Конечно, не помню. Кстати, почему мы с Тамарой не рассказали ему о моей амнезии? Кажется, не хотели его травмировать до совершеннолетия. Родители совершают большую глупость, не рассказывая детям о себе самого главного. Впрочем, не все можно рассказать. Можно ли, например, рассказать Максиму, что наш брак с Тамарой был не по любви? Тамара любила другого, и это был Игумнов. Половина студенток была в него влюблена. На последних курсах ему, как круглому отличнику, дали в общежитии отдельную комнату, и Слава пользовался этим на полную катушку. Тамара тоже побывала там, и я знал об этом. Но когда со мной произошел несчастный случай и я очнулся в больнице, возле моей кровати сидели две женщины — мама и Тамара. Тамару я узнал, маму — нет. Я попросил Тамару нагнуться ко мне и шепотом спросил: «Кто это?» У нее сделались круглыми глаза. «Это твоя мать!» — шепотом сказала она.

Жениться на Тамаре меня уговорила мама. «Хорошая девушка, — сказала она. — Мы с ней так подружились!»

Шафером и тамадой на нашей свадьбе был Игумнов. Я тогда напрочь забыл, что первым мужчиной моей жены был он. Но Тамара сама рассказала мне об этом в первую брачную ночь. Она считала, что так будет честно. Это было жестоко, но, возможно, Тамара была права. Лучше знать, чем выглядеть дураком в глазах людей. Проблема была в другом. Тамара сказала, что пришла в больницу по просьбе Игумнова. Он отправил ее ко мне в качестве сиделки. Это был как бы дружеский подарок с его стороны.

На похоронах отца был декан нашего факультета. Когда все бросили на гроб по горсти земли и могильщики стали широкими лопатами засыпать могилу, он подошел ко мне и положил руку мне на голову. Отец никогда не клал мне руку на голову, как и я Максиму. Странно, но для любого отца это почти невозможный жест — положить руку на голову взрослого сына. Декану это было сделать нетрудно. Он положил мне руку на голову и сказал: «Держись, сынок!» Так и сказал — «сынок». Потом я узнал, что одной из главных причин, по которой отец женился на маме, был вызов в деканат. Мама хотела сделать аборт, как делала это не одна студентка, но на этот раз декан сказал отцу, что если тот не женится на маме, то будет уволен из университета за аморальное поведение. Что он, декан, лично напишет на него донос в обком. Отец не был членом партии, но партия тогда решала все. И отец впервые дрогнул. В то время он еще не представлял себе жизни без кафедры, без поля. Так что своим рождением я больше обязан не отцу, а декану. Об этом мне рассказал сам отец, когда я разговаривал с ним по-мужски, уговаривая не обижать маму.

И еще он сказал: «Запомни на всю жизнь, Кеша! Женщины — это внеразумные существа. В глубинной сути они темные и жестокие твари. Они боготворят тех, кто их унижает, и унижают тех, кто их боготворит. Не дай тебе бог когда-нибудь всерьез полюбить женщину! Она просто посмеется над тобой».

На похороны отца пришли пять студенток. Мама пригласила их на поминки, хотя я был против. За столом они выпили водки и устроили безобразный скандал. Я впервые видел, как пять девушек ревновали мертвого мужчину друг к другу. Они чуть ли не подрались между собой.

Однажды я спросил маму, за что она любила отца. За что его вообще любили женщины? Она сказала: за то, что он любил себя. И улыбнулась. Я так ничего и не понял.

Вернувшись домой, кормлю Лизу и ложусь на диван, смахнув на пол несколько любовных романов, так что они разлетаются по всей гостиной. Во всем, что было вчера, есть одна хорошая новость: я больше никогда не буду читать эту гадость. Я соберусь с силами, напрягу свою память и напишу новый роман.

И это будет роман о горах... О перевале... Мне бы только вспомнить окончательно, что было тогда...

Встаю, иду в спальню, устраиваюсь поудобнее и пытаюсь заснуть. Я уже понял, что память моя пробуждается во время сна. И наоборот — все, что происходит со мной сейчас в реальности, — страшный сон. От него мне и нужно пробудиться.

Заснуть не получается. Жаль.

Беру с тумбочки телефон и звоню Тамаре.

— Здравствуй.

— Здравствуй.

— Как ты?

— Тебе того же желаю.

— Это в каком смысле?

— В смысле, что все отлично с тех пор, как ты ушел от нас.

— Я только что говорил с Максом. Наш сын думает иначе.

— У Максима переходный возраст. Влюбился в какую-то девушку. Ничего не говорит о ней, но я догадываюсь.

— Почему вы живете у Сергея Петровича?

— Потому что Сергей делает у нас ремонт.

— Он не слишком спешит? Мы с тобой даже не разведены.

— Сергей — настоящий мужчина. Он не может допустить, чтобы мы с малышкой жили в квартире без ремонта.

— Упрек принял. И все-таки — когда ты подашь на развод?

— В феврале Максиму исполнится восемнадцать, мы разведемся без суда. Так будет проще.

— Ты будешь претендовать на доходы от моих книг?

— Пошел в задницу со своими книгами, Иноземцев!

— Благодарю!

— А вот о твоей недвижимости на Кипре я подумаю.

— Откуда ты знаешь о ней?

— Инга мне все рассказала.

— Все?

— Да, все. И о том, как вы кувыркались с ней, тоже.

— Почему же ты мне не сказала? Ты железная женщина?

— Потому что я презираю тебя, Иноземцев! Со всеми твоими жалкими романами и гнусными секретами от меня.

— Тамара, за что ты меня так ненавидишь?

— За то, что ты испоганил мою молодость!

— Только не говори, что я погубил твою невинность.

— Очень смешно. Да, до тебя я переспала с Игумновым. И честно тебе об этом рассказала. Но я не сказала тебе другого. Все время, пока мы жили с тобой, я любила только Игумнова.

— Ты хотела быть одной из его четырех жен?

— Лучше быть одной из четырех жен Славы, чем твоей единственной женой, Кешенька.

— Хорошо, сдаюсь. Объясни мне только одну вещь. За что женщины так любят Игумнова?

— Боюсь, ты этого не поймешь. Но если коротко — за то, что он любит женщин. Он любит их, они любят его. Это так просто, но не для твоих сложных мозгов.

— Будем считать, я понял. Давай поступим так. Дом на Кипре перепишу на Макса. Надеюсь, мой сын не выгонит старого отца, если я надумаю переселиться туда. Квартира уже твоя и Сергея Петровича. Оставьте мне мои романы!

— Ладно, согласна.

Каждый раз после разговора с Тамарой мне становится плохо. Отец был прав: женщины — это темные и крайне жестокие существа. Отец их презирал, и за это они его любили. Игумнов их любит, и за это они его тоже любят. Мне они безразличны. И за это они меня ненавидят. Мне наплевать на них. Мне и с самим собой не скучно. Но я не позволю себя унижать!

...Дверь в заборе закрылась, а я все стоял в чужой куртке и шапке и не мог уйти. Потом дверь снова открылась. Лысый шофер-охранник подошел ко мне неторопливой походкой, которая всегда отличает уверенных в себе людей.

— Что потерял, командир? — спросил он.

— Заблудился, — ответил я, зачем-то понижая голос. — Это Барвиха?

— Ты что, пьяный? — удивился охранник. — Барвиха по Рублевке, а это Мякининское. Ты вообще на чем сюда приехал?

— На такси.

— Где оно?

— За углом.

— Ну, тогда пойдем я тебя провожу. А то часом опять заблудишься.

За забором послышался голос Варшавского.

— Георгий Константинович! Что случилось?

— Все в порядке, Лев Львович! Заблудились.

Водитель уже сидел в моей куртке. Примерял, скотина! С довольным видом оглаживал себя по бокам
и улыбался.

Охранник постучал в стекло — стекло опусти-
лось.

— Ты куда клиента вез? — спросил охранник водителя.

— Я ж тебе сказал: в Барвиху, — просипел я.

— Ну и где Барвиха? — продолжал охранник.

Парнишка все понял и прикинулся дурачком.

— Барвиха-то? На Рублевке. А мы сейчас где?

— На Мякининском шоссе. Слышал о таком?

— Я приезжий. Недавно на работу устроился.

— Ну, если недавно, то поворачивай обратно.
Вернешься на МКАД, повернешь направо и дуй до
Рублево-Успенского шоссе.

— Вот спасибочки! — сказал шофер. — Заблуди-
лися мы.

— Бывает.

Развернулся и пошел той же неторопливой походкой.

— Куртку снимай, — сказал я таксисту. — Размечтался!

Не прощу!

Виктория Игоревна

Сегодня 31 декабря 2010 года. Завтра закончатся нулевые годы и начнется что-то новое. Хотя — почему непременно новое? Мы придаем слишком большое значение числам. Девять лет назад началось новое тысячелетие. Что изменилось? Ровным счетом ничего.

Но сегодня я уверен, что завтра моя жизнь изменится.

Из нее уйдет Вика. Уйдет навсегда.

Десять часов вечера. Ее нет. Иду в супермаркет, покупаю кучу каких-то мясных и рыбных нарезок и зачем-то торт. Еще захожу в дорогой алкомаркет, беру бутылку французского шампанского и две бутылки водки «Пять озер» по ноль семь. Этой ночью я напьюсь в хлам. Но только после того, как вышвырну эту лживую гадину из своей квартиры. Все эти пять дней я не пил ни капли спиртного. Любой нормальный мужик в моем положении непременно бы нажрался, но я не нормальный мужик. Нажраться в моей ситуации означало бы проявить слабость. Пытаюсь представить на моем месте покойного отца. Отец бы точно не нажрался. Впрочем, он никогда не оказался бы на моем месте. Еще я думаю о том, что и сейчас продолжаю ему подражать, хотя оказался куда круче, чем он. Кем он был? Обычным профессором, а потом бизнесменом-неудачником, которого грохнули конкуренты. А я — знаменитый писатель, чей портрет помещает на обложке «Esquire».

Но где же Вика?

Красиво накрываю в гостиной журнальный стол, зажигаю две свечи. Понимаю, что это глупо и пошло, но мне нужно чем-то себя занять. Я волнуюсь, как мальчик перед первым сексом. У меня дрожат руки, как будто эти пять дней я не просыхал. Когда Вика увидит мои дрожащие руки, она так и подумает.

Но где она, черт побери?

Смотрю на настенные часы. Половина двенадцатого. Оказывается, пока ждал Вику, я заснул в кресле. Просыпаюсь от того, что кто-то гладит мое колено. Вика сидит передо мной на корточках и смотрит на меня влюбленными глазами. Почему-то могу поклясться, что это взгляд влюбленной женщины. Рядом с ней на полу сидит Лиза. Тоже уставилась на меня черными маслинами, в которых пляшет пламя свечей.

Вика одета простенько, в джинсы и свитер, но пахнет от нее дорогими духами.

Первой мое пробуждение замечает Лиза. Собачка начинает радостно повизгивать. Вика сразу встает и делает нахмуренное лицо.

— Так! Я не поняла, папик! Где елка? Где подарки под ней?

— Пошла вон... — тихо говорю я.

Морщит лоб.

— В каком смысле?

— В прямом. Пошла вон, шлюха.

С размаху бьет меня по щеке так, что очки летят до самой стены. Не знал, что от пощечины так больно!

Лиза отчаянно лает и пытается укусить Вику за ногу. Молодец, девочка! Вика отшвыривает ее ногой к моим очкам.

— Это тебе за шлюху, — спокойно говорит она. — А теперь рассказывай, что случилось, пока меня не было в доме.

— Как здоровье Георгия Константиновича?

— Какого еще... Георгия Константиновича?

— Жукова. Маршала Советского Союза.

— Откуда ты знаешь фамилию шофера?

— Ты издеваешься надо мной? Хочешь сказать, что у водителя Варшавского фамилия Жуков?

— Да. Что в этом странного?

В самом деле, что странного? Ничего. Обычный такой водитель. Георгий Константинович Жуков.

— Ну, хватит, — говорю я. — Хватит трепать мне нервы. Я все знаю. Я знаю, у кого ты была эти пять дней. Я знаю, что ты спишь с Варшавским. Собирай вещи и уходи.

— Вот оно что... — насмешливо произносит Вика. — Папик отличается умом и сообразительностью?

— Вика, уйди! Не доводи меня.

— Я знаю, что ты шпионил за мной, — продолжает она. — Видела тебя в камере видеонаблюдения.

— Варшавский тоже видел?

— Разумеется. Ты был такой жалкий. Где ты взял эту куртку и шапку? Приобрел в комиссионке?

— Что сказал Варшавский?

— Он сказал: «Ну, чего ты хочешь от него, Вика? Он же романист. Живет в придуманном мире».

— Уходи, — говорю я. — Или я убью тебя. Если ты не уйдешь до Нового года, я тебя убью. Это не нужно ни тебе, ни мне.

— Какой ты практичный, папик, — говорит Вика.

— Пошла вон, сука!

Еще пощечина.

Как больно!

Вика собирает чемоданчик. До Нового года осталось ровно пятнадцать минут.

— Поторопись, — говорю.

— Ты сильно ревнуешь меня к Варшавскому? — вдруг спрашивает она.

— Нисколько, — честно возражаю я. — Я выгоняю тебя исключительно из гигиенических соображений.

Вика подходит ко мне и снова поднимает руку.

— Хочешь еще раз получить по физиономии?

— Нет уж, достаточно.

— Тогда молчи и слушай внимательно. Лев Львович Варшавский — мой родной дядя. Старший брат моего отца. Ты прожил со мной полгода, Кеша, и даже не удосужился узнать мою фамилию. Что ты ни разу не заглянул в мой паспорт, положим, делает тебе честь. Но ты вообще не интересовался мной. У тебя даже нет номера моего телефона. Ты не знаешь ни моей фамилии, ни моего отчества. Все это время ты был спокоен как слон, пока я не стала разводить тебя с твоим сыночком и теперь со своим родным дядей. Я вела себя с тобой жестоко, согласна! А как еще можно пробиться к тебе?

— Я не верю тебе, Вика! За полгода ты нагородила столько лжи, что я не поверю ни одному твоему слову.

Вика вынимает из рюкзака паспорт.

— Смотри.

— Не буду.

— Нет, будешь! — кричит она и начинает плакать. — Ты будешь, гад! Ты немедленно посмотришь мой паспорт, или я разобью об твою тупую башку бутылку шампанского!

— Вот в это я верю, — говорю я и заглядываю в ее паспорт. Все верно. *Варшавская Виктория Игоревна...*

Вика сидит на диване, уронив голову на колени, и продолжает реветь. Господи, я не выношу женских слез! Сажусь к ней, глажу по голове.

— Ну, прости! — шепчу я. — Я дурак! Но зачем ты все это устроила? С этим подложным письмом маме. Со всем этим дико сложным враньем. Зачем ты втравила в эту историю моего сына? Мальчишка влюблен в тебя. Хотя бы его пожалела!

Вика поднимает зареванное лицо и машет перед моим носом указательным пальцем. У нее стучат зубы.

— Ты... не представляешь... на что... может пойти... влюбленная девушка... когда с ней... так... поступают.

Господи! Какой же я идиот! Я постоянно забываю о том, что Вика, в сущности, еще ребенок. Это происходит оттого, что мне с моей амнезией самому не пятьдесят, а тридцать лет. Но Вика-то этого не знает. Все это время она видела во мне опытного мужчину, который над ней смеялся, подтрунивал над ее чувствами, а она сопротивлялась как могла. Начиталась любовных романов и решила устроить страшную месть. С такой сложной многоходовочкой. Бедная девочка! А я, старый кретин, на все это повелся.

— Мне уходить? — спрашивает она.

— Нет, — говорю, — ты теперь никуда не уйдешь. Потому что мы договорились встретить этот Новый год вместе. И еще — потому что я люблю тебя, глупая.

— Правда?

— Правда.

Задирает рукав свитера, смотрит на часики. Отмечаю, что часики у нее золотые...

— До Нового года, Кеша, всего две минуты, — говорит она. — Ты успеешь открыть шампанское?

За окном неистово палят петарды и слышатся крики. Лиза лежит у моих ног и вздрагивает. Ей досталось сегодня. Вика в халатике сидит на диване, я расположился в кресле.

— Откуда халат? — спрашиваю я. — Ты же не любишь халаты.

— Даша сегодня подарила.

— Даша?

— Она прилетела в Москву.

— Это новость! — удивляюсь я. — Ты оставила маму встречать Новый год с дядей и поехала ко мне?

— Цени!

Морщит лоб.

— Можно задать тебе один простой вопрос, Кеша? И учти: варианта может быть только два — «да» или «нет». И еще учти: если ты задумаешься с ответом хотя бы на десять секунд, это будет автоматически означать «нет». Готов?

— Спрашивай!

— Ты женишься на мне?

— А тебе уже есть восемнадцать?

Вскакивает с дивана и прыгает ко мне на колени.

— Какой ты хитрый! Ответил вопросом на вопрос и дал себе время подумать, да?

— Но ты тоже не спешишь с ответом, не так ли?

— Папик, мы же отмечали с тобой мое восемнадцатилетие в августе. Ты забыл?!

— Тогда выходи за меня замуж.

— Ответ принят. Но я подумаю.

— Мерзавка! — смеюсь я. — Кто кому сейчас первым сделал предложение? Мне кажется, что ты мне.

— Ничего подобного, Кеша! Я просто спросила. На всякий случай. Чтобы твое предложение не застало меня врасплох.

— Не застало? Теперь я жду ответа. Но если ты задумаешься хотя бы на десять секунд…

— Я — согласна!

— Можно поинтересоваться? — спрашиваю я. — Если твой дядя такой богатый, то почему твой папа…

— Папа тоже был богатый. Он был самым богатым предпринимателем в С. Но незадолго до гибели влез в какую-то историю и разорился. После его смерти Дашу стали осаждать кредиторы. Дяде пришлось выплачивать его долги.

— Мама отца твоего очень любила?

— Даша всегда любила другого человека. Когда-то он был лучшим другом отца. Отец знал про это.

— Почему ты так странно на меня смотришь? — спрашиваю я.

— Нет, ничего. Пытаюсь понять, врешь ты мне или нет. Скажи честно, когда ты в меня влюбился?

— Ни за что не догадаешься!

— А вот и догадаюсь! Ты влюбился в меня, когда я первый раз пришла к тебе и сделала вид, что заснула на диване. Ты сидел возле меня на корточках, и у тебя было такое лицо...

— Ты притворялась! — возмущаюсь я.

— Ага! Ты не представляешь, чего мне стоило удержаться от смеха! Когда мы говорили с тобой в магазине и когда я пришла к тебе на интервью, ты строил из себя такого крутого писателя, читал мне нотации и все такое... Но когда увидел симпатичную девушку, спящую на твоем диване, ты превратился... Как это у тебя в кубинском рассказе?.. В кусок мокрого снега. Господи, какие же вы, мужчины, предсказуемые!

— Вот и ошибаешься, — говорю я. — Я влюбился в тебя еще раньше.

Морщит лоб.

— Стоп! Ты же не хочешь сказать, что влюбился в меня еще в книжном магазине?

— Именно так.

Вика хватает меня двумя руками за горло.

— Я сейчас задушу тебя! Мы с Дашкой за две недели до этого были на твоем выступлении, и ты не обратил на меня никакого внимания! Сказал только: «Как вы похожи, мать и дочь, вас просто не различить». Я же тебе уже об этом рассказывала! А ты в курсе, что сказать такое двум женщинам — это оскорбление? Мы с Дашей два часа наряжались на твое выступление! Мы пришли в наших лучших нарядах, а ты меня вообще не заметил! Влюбился, когда я оделась как проститутка?!

— Ну прости! А зачем вы так наряжались?

— Затем, что Даша просто бредит твоими романами. Я этого никогда не понимала. Но мне было интересно посмотреть на писателя, который так ее зацепил.

— Посмотрела?

— Ага! Когда мы с ней вышли из Дома журналиста, я сказала: «Твой кумир будет моим мужем». Даша засмеялась. «Дурочка! — сказала она. — У него таких, как ты, вагон и маленькая тележка». — «Спорим?» — предложила я.

Мы сидим в полутьме при двух зажженных свечах. Зрачки Вики расширились так, что ее глаза стали похожи на глаза Лизы. Они такие же черные, в них так же пляшет пламя свечей. В этом есть что-то дьявольское.

— Погоди, Вика! Ты же не хочешь сказать, что сегодня просто выиграла спор с Дашей?

— Это уже не имеет значения, папик. Ты же не возьмешь свои слова обратно? Это было бы неблагородно!

— Не смей называть меня папиком!

Тыкается мне мокрым носом в ухо.

— Если ты опять скажешь мне, что не спишь с детьми... — нежно произносит она, — то я возьму молоток...

— И треснешь по моей надменной башке?

— Верно.

Просовываю руку ей под коленки, беру на руки и отношу на диван. А она тяжеленькая! Сидит, выставив вперед нижнюю челюсть и закусив губу.

— Вика! Мы должны с этим подождать... Я не развелся с Тамарой... Я не говорил на эту тему со своим сыном... У меня шаткое положение в издательстве... Мои книги плохо расходятся... И я...

— Все, хватит! — говорит Вика. — Я тебя услышала.

— Пойми... Ведь это жизнь, а не любовный роман.

— Да, это жизнь, — соглашается она. — Та самая, которой ты боишься. Ты впустил меня в свою жизнь, запер в ней, как в клетке, и теперь всего боишься. Боишься выпустить меня обратно и боишься жить со мной как с живой женщиной, а не придуманной тобой героиней. Ты ловишь кайф от чтения мне вслух любовных романов, потому что чувствуешь, как я на это реагирую. Потому что знаешь, что в это время я думаю только о тебе. Ты просто извращенец, Иноземцев!

— Но это ты уговорила меня читать эти романы! — возмущаюсь я. — Не знаю, зачем это было нужно тебе и дяде, но, прости, я заглядывал в твой блокнот. Ты записывала все мои замечания...

— Да, записывала. И показывала их дяде. И знаешь, как мы поступали? Мы исполняли все твои пожелания, только наоборот. Все, над чем ты издевался, все, что тебе категорически не нравилось, мы отправляли в печать. Все, что ты хвалил, мы зарезали на корню.

— Почему?!

— Во-первых, потому, что ты слишком умный, Кеша. Женщины любят умных мужчин, но не такого типа, как ты. Во-вторых, потому что ты трус и боишься женщин. А женские романы — это...

— Да, помню. Это территория женского откровения.

— Вот именно. И сейчас, Иноземцев, ты узнаешь, что это такое. Выпей шампанского для храбрости. Я пошла чистить зубы.

— Зачем?

— Что за странный вопрос? Детям положено чистить зубы на ночь, ты не знал?

Слышу, как она включает душ. Нет, этого не будет. Во всяком случае, не сегодня. Я к этому не готов.

Возвращается в маминой ночнушке, отодвигает журнальный столик и встает передо мной на колени.

— Закрой глаза, — говорит она.

— Вика...

— Закрой глаза, трусишка. И слушай меня, пока я могу что-то говорить. Ты — лучший мужчина на земле. Я с ума сходила по тебе эти полгода. Когда ты прикасался ко мне. Когда ты просто смотрел мне в лицо. Я влюбилась в тебя еще маленькой девочкой, когда увидела твою фотографию. И я сказала: я вырасту, и он будет моим мужем. Я выросла, Кеша... И я давно не ребенок.

Где я это читал?

Она застонала, когда ее пальцы сомкнулись вокруг его члена... Он был большой, горячий и бархатистый... Подавшись вперед, она дюйм за дюймом забрала его в рот.

— Как странно, — говорит Вика в постели. — Я всегда думала, это будет больно, как операция. А это совсем-совсем не больно. Крови нет. Может, со мной что-то не так?

— Почему не сказала мне, что ты девушка?

— А нужно было предупреждать? Учту для следующего раза.

— Издеваешься надо мной?

— О-о! — шепчет она. — О-о!

— Что «о-о!»? Ты — ведьма!

Смеется мне в плечо.

— Нет, ну как я тебя сделала! Полгода занималась какой-то ерундой, а оказывается — против лома нет приема.

— Откуда у тебя этот опыт?

— Какой опыт? Я даже не целовалась ни с кем. Это все любовные романы. Ты думаешь, они сегодня закончились? А они только начинаются. Тебя ждет еще много сюрпризов. Готов?

— Ради вас, сударыня... Вика, иди ко мне!

Вика отбрасывает одеяло и с наигранным ужасом рассматривает меня.

— Ни фига себе! — говорит. — Да ты сексуальный маньяк, Иноземцев... Я тебя боюсь!

— Пошла ты к черту!

— К тебе или к черту? Пока не могу, Кешенька! — шепчет она мне в ухо. — Хочешь, принесу тебе шампанского?

— Шампанское в постель лучшему мужчине на земле? — спрашиваю я и чувствую, как глупо улыбаюсь.

— Кто сказал тебе, что ты лучший?

— Ты!

— Разве? Тебе послышалось, Иноземцев!

— Не смей называть меня Иноземцевым!

Мы с Викой смеемся и пьем шампанское.

И вдруг я мгновенно проваливаюсь в сон.

ЕЕ ЗВАЛИ...

Перевала нет. Он обозначен на карте, но его нет в природе. Во всяком случае — в этом месте понижения хребта. Я стою в каменном мешке. Справа и слева от меня и прямо передо мной почти отвесные скалы. Но я не чувствую злости. Мне становится даже смешно. Подозреваю, что Хальтер догадался об этом еще позавчера, когда мы первый раз шли на штурм этого несуществующего перевала. Потому и отдал приказ возвращаться.

Почему он ничего не сказал мне?

Я знаю, что Хальтер не хотел идти в поход со мною в паре. Его заставил наш тренер. Тренер — приятель моего отца. В молодости они учились на одном курсе факультета геологии и вместе начинали заниматься горным туризмом. Их было три друга — мой будущий отец, мой будущий тренер и будущий декан нашего факультета. Три неразлучных товарища. Потом жизнь развела, но иногда втроем они ходили в баню. Тогда-то мой отец и передал тренеру карту. Это была самодельная карта, и кое-что на ней не совпадало с туристической схемой этого района Кавказа, которую можно было купить в любом крупном книжном магазине в отделе «География». Среди туристов ходили слухи, что на этой схеме не все указано верно, чтобы сбить с толку потенциального врага на случай войны. Скорее всего, это были просто слухи, но ведь откуда-то взялась карта, отличная от официальной схемы? Отец нашел ее в своем архиве и отдал тренеру. Тот предложил Хальтеру во время «единички» сделать крюк и разведать, есть в этом месте перевал или нет.

Для Хальтера руководство «единичкой» было ниже его разряда кандидата в мастера спорта, он собирался пойти другим, более сложным маршрутом. Но предложение тренера его заинтересовало, и он согласился. А вот цеплять к своей группе «вагоном» еще и меня он сначала отказывался. Тренер настаивал, говоря, что у него нет другого руководителя для пятерки молодых, но отпускать меня одного весной, в межсезонье, не позволяют правила.

Я уже собирался в поход, когда отец спросил, в какой регион мы отправляемся. Я назвал район. «Понятно, — сказал отец. — Передай привет тренеру». Я правильно его понял. Это была его идея. Я должен был открыть перевал. *Перевал Иноземцева.*

Уже уходя со своей группой дальше, вверх по долине, по утвержденному маршруту, Хальтер мрачно сказал мне:

— Черт с тобой, Иноземцев! Почувствуй себя на пару дней большим начальником. — Он открыл передо мной обычную туристическую схему. — Вот здесь, — сказал Хальтер, — мы остановимся на дневной отдых и будем ждать тебя с группой. Кстати, что вы собираетесь делать во время своей дневки? Будете валять дурака?

— Старик, — сказал я, — ребятам не хватает горной романтики! Они же не видят гор, они видят только свои ноги. Никаких впечатлений, одна сплошная пахота. Ты обратил внимание на отару овец там, ниже по течению реки?

— Обратил, — ответил он, — ну и что?

— А то, что за пару пачек болгарских сигарет мы сегодня получим целого освежеванного барана. Не будь таким занудой, Хальтер! Выше по долине пастухов мы больше не встретим.

— Понятно, — сказал Хальтер. — Приятного вам аппетита. Но учти, если послезавтра ты меня не догонишь, нам придется возвращаться назад, и ты сорвешь поход.

— Не волнуйся... — сказал я. — Баранинки вам оставить?

— Пошел ты... со своей баранинкой, — ответил Хальтер.

Утром все в моей группе смотрели бодро. Как будто бы вчера ничего не случилось. Я проснулся рано, растопил печку и приготовил им рис с тушенкой. Это вообще-то не командирское дело, но я чувствовал перед ребятами какую-то вину. Они слопали кашу с аппетитом. Это означало, что никто из них не заболел. Но на всякий случай я еще потрогал их лбы.

Девочка, что была поменьше ростом, так и оставалась в моем хемингуэевском свитере. Свитер был ей велик, но почему-то к лицу.

— Я сейчас верну вам, — сказала она, — мой уже высох.

— Оставь себе, — сказал я. — Будешь подкладывать под себя в палатке на ночь, чтобы не замерзла попа.

Я сказал это таким странным голосом, что девочка покраснела, а остальные участники группы переглянулись. Мне самому вдруг стало как-то неловко.

Пока они завтракали, я собрал в рюкзак самое необходимое, взял ледоруб и жестом попросил своего заместителя выйти со мной наружу.

— Малыш... — сказал я («малыш» был выше меня ростом и куда более крепкого телосложения). — Малыш, тебе страшно повезло! Бери бразды правления в свои надежные руки. На два дня назначаю тебя командиром группы. Поведешь ее вверх по реке, никуда не сворачивая. Хальтер остановится на дневку вот здесь (я показал на схеме). По дороге вы заночуете здесь. Завтра днем вы догоните Хальтера. Вечером я догоню вас. Есть вопросы?

— Ты пойдешь на перевал?

— А ты догадливый, малыш!

— Я не малыш!

— Ну, извини...

— Я слышал ваш разговор с Хальтером, — сказал он.

— Про баранов?

— Про мудака...

— И что ты об этом думаешь?

— Я думаю, что Хальтер прав.

Я засмеялся.

— Знаешь, малыш, почему немцы проиграли нам войну? Потому что воевали по правилам, а мы как могли.

— Сейчас не война. Ты вчера чуть не угробил ребят.

— Вот поэтому сегодня я пойду на перевал один. А ты поведешь группу по утвержденному маршруту.

— Я оставлю кого-нибудь, чтобы он ждал тебя здесь. Если к вечеру не вернешься, он пойдет к пастухам и поднимет тревогу.

— Нет, — сказал я. — Это опасно. С непривычки люди в одиночестве в горах сходят с ума. Начинается паника и все такое.

— А за себя ты не опасаешься?

— Я не новичок. И вообще, отставить разговорчики!

— А что мы скажем Хальтеру?

— Тут я приказывать не могу.

— Мы не должны говорить о лавине?

— Думаю, вы обсудите это по дороге.

Парень смотрел на меня в упор, и в какой-то момент мне показалось, что он хочет меня ударить, что у него просто руки чешутся врезать мне в челюсть. Может, я ошибся и он не самбо занимается, а боксом? Но я не отводил взгляда. И улыбался.

Перевала нет. Он обманул меня в третий раз. И на этот раз уже окончательно. Он посмеялся надо мной...

Спускаюсь вниз по своим следам и вдруг чувствую, что больше не могу идти. Что это? Физическая усталость? Или того хуже — абсолютное равнодушие к самому себе, к тому, что будет со мной дальше? Сажусь на камень и закрываю глаза. Лицо горит — когда я шел вверх, то сорвал марлевую маску, потому что она мешала дышать. Я шел налегке и очень спешил. Этого нельзя было делать. Солнце в тот день бешено палило, словно подтверждая свое языческое имя Ярило. Отражаясь от снега, солнечные лучи сожгли мне лицо. Сейчас мне кажется, что оно увеличилось втрое и продолжает расти вширь. Оно полыхает, как заходящее солнце. Обтираю лицо снегом и вскрикиваю от боли. Снег обжигает кожу как огонь. Солнечное облучение.

Последним усилием воли заставляю себя встать. Бреду вниз без отдыха. Если я сяду, то больше не встану.

Возле речки падаю на живот, погружаю лицо в воду и опять кричу. Вода — как кипяток. Теряю сознание.

«Успокойся, успокойся, это всего лишь сон!»

Это не сон, а бред. Рядом со мной на нарах лежит голая девушка. Она всем телом прижалась ко мне. Маленькая грудь с твердыми сосками… Гладит меня по голове… Я тоже голый и мокрый.

— Ты кто? — спрашиваю я, едва шевеля пересохшими губами.

— Ты ничего не помнишь? Я помогла тебе добраться до избушки.

— А почему ты голая?

— Ой! — вскрикивает она, сбрасывает стеганое одеяло и надевает свитер. Он доходит ей почти до коленок. Садится спиной к стене, поджимает ноги, натягивает свитер на колени. Я узнаю его. Это мой свитер. А ее я не узнаю. Она не похожа на девчонку, которой я оставил свитер. Та была пигалица, а эта красавица!

— Ты мне снишься? Ущипни меня!

Она смеется и чмокает меня в ухо.

— Чувствуешь?

— Да, чувствую.

— Чувствуешь, значит, не спишь. Ты лежал в речке. Ты был мокрый. Мне пришлось тебя раздеть. Потом у тебя начался сильный озноб. Ты так дрожал, метался и кричал, что я испугалась. Разделась и стала тебя согревать. Я сделала что-то неправильно?

— Ты все правильно делала. Дай мне воды!

— Ой! — вскрикивает она. — Я про воду совсем забыла!

Спрыгивает с нар, хватает котелок, выбегает из избушки.

— Куда ты босиком? — пытаюсь крикнуть я, но только шевелю губами. — Там же камни.

Ее звали Даша.

Мы были как Адам и Ева. Она была моей первой женщиной, я ее первым мужчиной.

БУДЬ ПРОКЛЯТ, ПАПИК!

Ну что, папик… доброе утро! Или добрый день! Или добрый вечер… Не знаю, когда ты проснешься. Прости, лучший на земле мужчина, вчера (то есть уже сегодня) я подсыпала в твой бокал лошадиную дозу снотворного.

Господи, как болит голова! Смотрю на часы. Уже восемь вечера. За окном темно. В квартире никого нет. Вика не только ушла сама, но и забрала с собой Лизу. Сначала я решил, что Вика решила дать мне выспаться и отправилась гулять с собакой. «Как это мило с ее стороны!» — подумал я и вдруг заметил, что шкаф-купе открыт, а полки, на которых лежали вещи Вики, пусты.

На журнальном столике увидел открытый ноутбук. Рядом с ним лежала записка: «Читай!»

С Новым годом, папик! И с новым счастьем! Знаешь, что произошло этой ночью? Ты не просто переспал с влюбленной в тебя девочкой — ты переспал с собственной дочерью. Не слабо, да? Поверь, мне незачем врать о таких вещах — я твоя родная дочь. Я добивалась этого полгода. Полгода! Но ты был непробиваем. Полгода я мечтала о минутах, когда ты будешь читать мое письмо и чувствовать, как твой мир наполняется страхом и отвращением. Ты можешь спросить, зачем мне это было надо. И я даже отвечу тебе. Потому что я тебя ненавижу! Сейчас мне так же омерзительно на душе, как тебе. Хотя нет… Тебе должно быть гаже. Я объясню почему.

Господи! Что опять задумала эта девчонка?

Хотя какая уж теперь девчонка?

Почему я ее не убил?

Я знаю, ты опять решишь, что я что-то выдумываю, помешалась на этих любовных романах и пытаюсь написать свой. Возможно, это так. А если не так? Если это все чистая правда? Каково тебе с ней теперь жить, а, Иноземцев?

Что есть правда? За полгода я не слышал от тебя ни слова правды! Ты только лгала, лгала и лгала, Вика!

Я много тебе лгала, это правда, но сейчас тебе придется мне поверить. Ты помнишь декабрь 1991 года? Когда ты выгнал на мороз беременную Дашу? Как собаку…

Что она несет, дура? Как я мог выгнать на мороз беременную женщину? Какую Дашу? Ах да, Дашу…

Или ты забыл об этом? Почему-то я уверена, что забыл. Ты никогда не думал ни о ком, кроме себя. Ты живешь так, словно вокруг нет живых людей, которые умеют чувствовать, которым может быть больно от твоих поступков! Ты ничего не помнишь, кроме своих бредовых романов! Теперь остаток своей поганой жизни ты проживешь с памятью о той минуте, когда держал свой член во рту родной дочери. С памятью о том, как ты сопел и пыхтел на ней, козел! Какое у тебя было страдальческое выражение лица, когда ты кончал. Но если ты и это постараешься забыть — я тебе напомню! Ты не обратил внимания, что на тумбочке я оставила свой телефон в режиме видеозаписи?

Видео своего «триумфа» ты найдешь на рабочем столе. Конечно, ты можешь стереть этот файл, но я обещаю, что буду присылать его тебе на каждый свой день рождения.

Включаю ролик и тут же выключаю. Это и правда омерзительно! Если бы мужчины видели себя со стороны... Во время *этого*. Это даже хуже, чем в зоопарке.

И все-таки — ты помнишь про Дашу или нет? Будь ты проклят, если ты действительно об этом забыл! Будь проклят мной и Дашей, которая все двадцать лет любила тебя, даже после того, как ты так подло с ней поступил. Я узнала об этом в семнадцать лет. Представь — только в семнадцать лет девочка узнает, что ее отец вовсе не тот, кого она с рождения называла «папа». Да, Иноземцев, Игорь не мой отец, потому что мой отец — ты! Но я не солгала тебе. Я влюбилась в тебя совсем еще ребенком, глядя на твою фотографию. Эта фотография висела в рамочке над Дашиным рабочим столом... Игорь все знал. Понимаешь, он знал, что я не его дочь, что Даша всегда любила одного тебя. Он все прощал Даше, так он ее любил! Господи, почему мы любим не тех, кто любит нас? С семнадцати лет я презираю Дашу и ненавижу женщин! Но больше я ненавижу тебя! Как ты мог спокойно жить после того, что сделал? Как ты мог жениться на Тамаре, родить Максима? И как ты мог писать свои (абсолютно бездарные!) романы, над которыми Даша буквально рыдала, прячась от меня и Игоря? Как ты вообще мог что-то сочинять после того, как разрушил жизнь двух прекрасных людей, Даши и Игоря, а потом и мою жизнь? Будь ты проклят!

Если Вика и это придумала... Если она и сейчас мне нагло лжет... Клянусь, я найду и убью ее! Я устрою ей счастливый конец любовного романа — по всем законам жанра!

Интересно, о чем ты сейчас думаешь, папочка? Хочешь, я угадаю? Ты горько жалеешь о том, что впустил меня в свою жизнь. В свою спокойную, безветренную и защищенную от всех неинтересных тебе проблем жизнь. Когда мы с Дашей были на твоем выступлении в Доме журналиста и ты то ли не узнал Дашу, то ли сделал вид, что не узнал (оба варианта один хуже другого), и потом, когда ты рассуждал о литературе в книжном магазине, я смотрела на тебя и думала: «Какой счастливый человек! Как замечательно он устроился в этой жизни, превратив в руины жизнь других людей, которые ведь тоже имели право на счастье!» И когда ты читал мне, своей дочери, нотации, я думала: ну как же сделать тебе больно? Очень больно! Так больно, чтобы ты взвыл и, может быть, даже захотел меня убить... И я придумала...

Что ты придумала? Что ты — моя дочь? Или ты действительно моя дочь и придумала для меня такую месть? Да, ту девушку звали Даша. И кажется, она была чем-то похожа на тебя. Но то, что случилось в горах, было не в девяносто первом году, а раньше. В девяносто первом я уже учился в Литературном институте и никакой Даши там не было. А если была, то каким образом я мог выгнать ее беременную на мороз? Что за дикая фантазия! Впрочем, в Викином духе.

Да, это была моя фантазия! Сначала я просто хотела сообщить тебе, что я — твоя дочь. Напомнить о моем и Дашином существовании. И еще сказать, что в смерти Игоря виноваты мы с тобой — оба! Когда Даша рассказала мне о том, как ты выгнал ее на мороз, во мне поднялась такая ярость! Не только к тебе! Я наговорила гадостей Даше, а потом — Игорю. Я сказала Даше, что она тряпка. Подстилка, которая может ложиться под одного мужика, а при этом мечтать о другом. А Игорю — что он не мужик, если способен боготворить такую женщину, как Даша. Зная, что не он отец ее ребенка. Что она живет с ним, но не любит его.

На следующий день он погиб. Разбился насмерть в автокатастрофе. Он был опытный водитель со стажем, он бы так не сглупил — это было самоубийство. Вернее, убийство. Ты и я убили его. Но за что? За то, что он был добрый человек, в отличие от тебя, спас любимую женщину и вырастил чужого ребенка?

Будь мы оба прокляты!

Только не вздумай меня искать! И не вздумай разыскивать Дашу! Не добавляй новой боли в нашу жизнь! Надеюсь, что ты хотя бы на это способен, папаша...

Лизу я забираю с собой.

Это моя собака. Моя!

Сижу в кресле и вижу со стороны свое лицо. За полгода оно постарело на двадцать лет. Но не Вика главная тому причина. Главная причина — моя память. Она просыпается... Она почти полностью проснулась... И я старею вместе с ней.

НОЧНОЕ ШОССЕ

Звоню Игумнову.

Его голос включается сразу, будто Слава ждал моего звонка.

— С Новым годом, старичок! — орет он. — Рад тебя слышать! Веришь не веришь — только что сам хотел тебе позвонить! Веришь?

— Верю, — говорю. — Дай мне телефон Варшавского.

— Ну ты мудилка картонный! — обижается он. — А с Новым годом поздравить?

— С Новым годом, — говорю я, — и с новым счастьем.

— Эхе-хе! — вздыхает Слава. — Какое у нас, старых гамадрил, может быть новое счастье? Разве что новые девочки! Как там в песне поется? «Ты — любовь моя последняя...» Молчу! Инга сейчас меня убьет!

— Что-то ты больно веселый, — говорю я. — Успел нарезаться?

— А как же! — опять кричит он. — А ты почему такой трезвый?

— Дай мне телефон Варшавского.

— Не могу.

— Почему?

— Лев Львович строго-настрого запретил мне давать его номер посторонним лицам без его личного позволения.

— Я не постороннее лицо, — говорю. — Ты не представляешь, до какой степени мы с ним родные люди.

— Не волнует, — отвечает Слава. — А зачем он тебе?

— С Новым годом поздравить. И — с новым счастьем.

— Врешь, — говорит он. — Но если тебе срочно... Могу сам позвонить Варшавскому и передать твою просьбу.

— Звони!

Через минуту Игумнов снова на связи.

— «Телефон абонента выключен или находится вне зоны действия сети». Думаю, наш Пингвиныч греет тело жирное в песочке на Канарских островах. И все-таки — зачем он тебе?

Врать бесполезно. Нет смысла.

— Хочу выяснить: Вика у него?

— Вы что, с ней поругались? Она сбежала к дяде?

— Откуда ты знаешь, что Вика — его племянница?

— Вот еще новость! — фыркает Игумнов. — Об этом большом-большом секрете знает вся его редакция. А о том, что знает его редакция, знает мой Верунчик. (Инга, не мешай разговаривать, потом подеремся!) А ты разве этого не знал?

— Ты мне не говорил.

— Вот что, Иноземцев, — трезвым голосом говорит Слава. — Со своими отношениями с Викусей и ее дядюшкой ты, пожалуйста, разбирайся сам, без меня. У меня с Варшавским деловые отношения. Кстати, что у вас произошло с Викой?

Сказать ему? Нет — рано.

— Я тебя услышал, — говорю. — Зачем ты собирался мне звонить?

— Очень серьезная тема, Кеша! И это не телефонный разговор.

— Не сегодня, — говорю.

Черт возьми, они все водили меня за нос! И я был прав, они смеялись надо мной! Все, кроме Вики... Вика меня ненавидела. Ничего себе характер у моей дочери! Полгода носить за пазухой ядовитую змею и объясняться мне в любви!

Но Вика добилась своего. Моей спокойной жизни пришел конец. И мне плохо. Мне страшно!

Вызываю такси. Ждать приходится долго, первое января — многие разъезжают по гостям. Спускаюсь вниз, открываю переднюю дверцу и с удивлением вижу того же улыбчивого деревенского парня, что несколько дней назад возил меня к дому Варшавского.

— О! — радостно говорит он. — Как не расставались! С Новым годом!

— И тебя с новым счастьем, — говорю я. — Поехали!

— Адрес такой же? — смеется он. — Барвиха на Мякининском шоссе?

— Точно.

— Опять жена сбежала? А я своей шубу новую купил. Теперь от меня не сбежит.

— Сбежит, — говорю. — Не болтай, трогай!

Парень делает серьезное лицо.

— Надеюсь, тариф тот же?

— Слюни подбери! Пять тысяч за глаза хватит. Туда и обратно. Может, еще придется подождать.

— Поехали, — погрустнев, соглашается он.

На проселочной дороге, где находится усадьба Варшавского, совсем не новогодняя тишина. И темнота. Понятное дело: богатые люди, которые успели построить здесь особняки, улетели на теплые моря, а тем, кто живет здесь давно, в деревянных домишках, громко праздновать не на что. Скоро их всех вытеснят отсюда варшавские, понастроят тут вилл в ампирном стиле и закроют въезд для *посторонних* вроде меня. Закон джунглей...

Нажимаю на кнопку звонка. Дверь в заборе открывает бритоголовый шофер-охранник.

Впервые внимательно рассматриваю его лицо и фигуру. Пожилой, но крепкий мужик. Из простых, но с чувством собственного достоинства. Такие не лебезят перед боссами и не кидают понтов перед теми, кто от их хозяев зависит. Заметно, что этой ночью крепко выпил, но держится твердо. Молодец!

— А, привет! — равнодушно-похмельным голосом приветствует он меня. — Опять заблудились, командир?

— С Новым годом, маршал Жуков.

Жуков бросает на меня злой взгляд, подходит к машине и разглядывает лицо таксиста.

— И ты здесь, приятель? — нисколько не удивляясь, говорит он. — Что-то вы к нам зачастили. Хоть милицию вызывай.

— Не надо милицию, — говорю я. — Хозяин дома?

— Нет его... Сегодня улетели на Кипр. По делам.

— А племянница его, Вика, здесь?

— Вдвоем улетели, — откровенничает он.

— А ее мать? Даша... Дарья... Забыл ее отчество...

— Дарьи Семеновны тоже нет. Утром улетела в С.

— Что, никого дома нет?

— Почему никого? Супруга Льва Львовича здесь. Еще собачка, которую Вика с собой привезла.

Из дома раздается громкий лай. Даже отсюда слышу, как Лиза отчаянно скребется в стеклянную дверь.

— Похоже, знакомая тебе собачка, — задумчиво произносит Жуков. — Ты вообще кем им приходишься?

— Дальний родственник, — говорю. — Отлучили меня от семьи за плохое поведение. В дом не пригласишь?

— Ты не наглей, — отвечает маршал. — Если хозяин тебя сам в первый раз не пригласил, с какого хера я буду тебя приглашать? Наше дело солдатское. Опять же супруга Льва Львовича болеют. Ты вот собачку забери. Беспокойная... Все время куда-то рвется... Не к тебе? Забирай! У меня голова от нее раскалывается.

— Извини, маршал, — говорю я. — Не до собачки мне теперь. Пусть она пока с вами поживет. Ты гуляй с ней почаще и косточки ей купи, но не куриные. Куриные собачкам вредно.

— Понял, — грустно говорит он. — Спасибо за науку! Выпить не хочешь? Если честно, мне самому очень хочется. Но в одиночку я не пью. После шестидесяти одному пить не стоит. Тебе тоже не советую!

— А что, — спрашиваю, — я похож на шестидесятилетнего?

— Да нет. На пятьдесят от силы тянешь. Молодой еще парень! Завидую.

Мы мчимся по пустому шоссе и приближаемся к МКАД. За боковыми стеклами не видно ни зги, и только в лобовом стекле блестит просвет асфальта, освещаемого фарами. Еще впереди горит огнями столица. И как же неуютно в этом мире!

Парень думает о чем-то своем.

— Она тебе кто, — спрашивает, — жена или племянница?

— Она моя дочь.

— Да ну? Понял.

— У тебя дети есть? — спрашиваю я.

— Дочь, — говорит он. — Красавица!

— А скажи, приятель, — говорю я, — что бы ты чувствовал, если бы вдруг переспал с родной дочерью?

Парень явно тупит и продолжает улыбаться во весь рот.

— В каком смысле переспал?!

— В прямом. Что непонятного?

Машина резко тормозит... Парень съезжает на обочину.

— Выходи! — не поворачивая головы в мою сторону, приказывает он. — Пешком до МКАДа дойдешь.

— Не понял.

— А щас я монтировку из-под сиденья достану, и ты сразу поймешь. Вылезай, пока я добрый!

— Ты не дури! Я пошутил!

Он нагибается, вынимает монтировку.

— Шутишь, говоришь? Шутки я люблю. Да ты не ссы! Пешком тебе недолго топать. Птицы с кокардами за тобой прилетят.

— Птицы? Какие птицы?

— Говорю же, с кокардами. Они шутить любят. Тебе понравится...

В районном отделении милиции меня допрашивает пожилой усатый капитан с лицом трезвого, невыспавшегося мужчины.

— Итак, подведем неутешительные итоги, — говорит он. — Вы были задержаны нарядом на обочине шоссе, ведущем от поселка Спутник в направлении МКАД. Документы отсутствуют. На вас дорогая кожаная куртка. В вашем портмоне при задержании обнаружены сто пятьдесят тысяч рублей новыми купюрами. Как вы это объясните?

— Что именно? — спрашиваю. — То, что меня задержал ваш наряд? То, что я шел по обочине шоссе в направлении Москвы? Или то, что на мне кожаная куртка и сто пятьдесят тысяч наличными?

— Нет, про наряд не надо, — говорит капитан. — Наряд отправили мы, потому что вашу подозрительную личность заметил на шоссе молодой и бдительный таксист. Про дорогую куртку, допустим, готов поверить, что она ваша. Но что вы делали с такими деньгами ночью, в пустынном месте? Недалеко от поселка, где, кстати, проживают небедные люди. Которые сейчас наверняка находятся в отъезде.

— Намек понял, — говорю. — Но разве я похож на грабителя?

— А вы знаете, как выглядят настоящие грабители? Ох как интересно! Расскажите мне, пожалуйста!

— Вы издеваетесь надо мной?!

— Начнем сначала, уважаемый. Вас поздно ночью на пустом шоссе заметил молодой и бдительный таксист и сообщил нам. На вас дорогая куртка и солидная сумма в кармане, я подчеркиваю, вся новыми купюрами. Направлялись вы в сторону Москвы от поселка, где живут богатые люди. Знаете, сколько, по статистике, грабежей случается в Новый год в таких поселках?

— Что вам от меня нужно?!

— Например, услышать, откуда у вас такая наличность? Что вы делали на дороге в ночное время?

— А молодой бдительный таксист вам не рассказал, что это он высадил меня на шоссе?

— Почему?

— Не хочу говорить.

— Вот видите! Вы ставите нас в сложное положение. О деньгах тоже не скажете?

— Несколько дней назад я, кажется, снял их в банке и забыл выложить в домашний сейф.

— Кажется? Когда? В каком отделении какого банка?

— Не помню. У меня серьезные проблемы с памятью.

Капитан улыбается.

— Вы не поверите, уважаемый, как часто мы слышим эти слова. Все так и говорят: «Тут помню, а тут не помню». Надо помнить!

— Черт возьми! — вскипаю я. — Верните мне телефон! Я позвоню другу, он приедет и подтвердит мою личность и наличность!

— Не могу, — вздыхает капитан. — Если вы то, что я о вас думаю, то ваш звонок так называемому *другу* из отделения милиции может послужить сигналом, чтобы ваш друг залег на дно. Поэтому я не верну вам телефон и звонка от друга мы подождем вместе.

— Вы не имеете права меня задерживать! — кричу я. — Я не совершил никакого преступления!

— На двое суток — имеем.

— Дайте мне позвонить!!!

— Не кричите вы так, — говорит капитан и морщится. — Голова и без вас болит. А хотите выпить?

Его предложение настолько неожиданное, что я теряюсь. И вдруг понимаю: это именно то, чего я сейчас больше всего хочу.

— Пожалуй, не откажусь.

— Ваня! — кричит капитан. — Принеси из холодильника!

Молоденький лейтенант, участвовавший в моем задержании, приносит нам водку и закуску.

Капитан наливает два стакана до краев и один подвигает ко мне. Чокаемся.

— С Новым годом! — говорит капитан.

— Ага! — говорю я. — И с новым счастьем!

Понимаю, что делаю непростительную глупость, но мне все равно. Хуже уже не будет. Выпиваю стакан одним духом, как мы делали на спор в студенческой молодости, и занюхиваю кусочком бородинского хлеба. Ух, хорошо!

Глядя мне в лицо, капитан крякает от удовольствия, но сам выпивает только четверть стакана.

— Да ты слабак, капитан!

— А ты орел! — смеется он. — Как, говоришь, тебя зовут?

— Иннокентий Иноземцев. Известный писатель, кстати!

— Писатель, говоришь? Не слыхал о таком. Но если ты писатель, то не оставишь ли автограф?

Протягивает мне лист бумаги. Подмахиваю не глядя.

Усатое лицо капитана расплывается в дрожащей улыбке. Понимаю, как сильно я опьянел. Наплевать, на все наплевать!

— Наливай еще, капитан! — кричу я. — Мне терять нечего!

Капитан уже даже не смеется, а хохочет во все горло. Сейчас он похож на казака на известной картине Репина. И кажется, вокруг него много таких же казаков. Второй стакан водки, как ни странно, дается мне с большим трудом. Вдруг вспоминаю, что за весь день не съел ни крошки. Тем не менее, преодолевая спазмы, выпиваю не отрываясь и опять занюхиваю кусочком хлеба... Сквозь туман вижу, что капитан о чем-то шепчется с лейтенантом. Догадываюсь, что сейчас меня отвезут в безлюдное место и выбросят из машины без денег. Но теплую куртку мне, скорее всего, оставят. Не звери же они, чтобы позволить мне замерзнуть на морозе на хрен?!

Вдруг слышу голос Игумнова.

— Эй! Что здесь происходит?!

Славка, друг! Как я тебе рад!

СЕРДЦА ТРЕХ

Просыпаюсь вроде бы в своей квартире и в своей кровати, но не помню, что было вчера. Как я, однако, напился! Включаю ночник и смотрю в телефон. Второе января. Шесть вечера.

Дверь в спальную комнату закрыта не до конца. В гостиной горит свет. Наверное, вчера я забыл выключить. Черт, зачем же я так нажрался? И вдруг — или мне это чудится? — слышу: из глубины квартиры доносится тонкий детский храп. Вика?! Может, не было у нас с ней ничего? Может, мне все это приснилось? И она не моя дочь?

Надеваю халат и осторожно, словно боясь кого-то спугнуть, выхожу в гостиную. На неразложенном диване в позе эмбриона спит Славка Игумнов. Ах да, он хотел со мной о чем-то серьезно поговорить. Судя по пустой бутылке на журнальном столике, этот серьезный разговор у нас уже состоялся... Вспомнить бы еще, о чем...

Слышу откуда-то неприятный жужжащий звук. Так жужжит упавший на пол шмель, когда не может взлететь. Но это не шмель, а сотовый Игумнова — с отключенным звуком, но не выключенной вибрацией. Похоже, пока Игумнов спал, ему звонили не один раз, если телефон вынесло на середину комнаты. Поднимаю и вижу, что звонит его жена.

— Здравствуйте! — говорю я, почему-то обращаясь к Инге на «вы».

Сквозь рыдания раздается истерический крик:

— Вы кто?! Где он?!

— Ваш муж здесь, — говорю я, сразу понимая, что говорю глупость.

— Что значит *здесь*?! — кричит Инга. — Скажите правду! Он живой?

— Сейчас посмотрю.

Игумнов несомненно живой. Но выглядит неважно. Говорю Инге как есть... Опять плачет.

— Значит, он все-таки разбился, — тихо говорит она. — Я знала, что так будет. Вы доктор?

— Инга, — говорю я, — прости за неудачный розыгрыш. Я — Иноземцев. Слава у меня дома.

Некоторое время Инга молчит, потом произносит зловещим шепотом:

— Передай ему трубочку!

Толкаю Игумнова в бок. Он вскакивает на ноги и смотрит на меня изумленно.

— Что?! Какого хера?!

— Такого, — говорю я. — Твоя жена тебя уже похоронила.

Игумнов берет трубку и выслушивает Ингин длинный монолог.

— Да! — соглашается он. — Да, киска! Да, рыбка! Да, солнце!

И вдруг его лицо становится мрачнее тучи.

— Пошла ты в жопу!

Бросает телефон на диван и весело смотрит на меня.

— Ты понял? Вот так нужно с бабами разговаривать!

— Как? — уточняю я. — Как в начале или как в конце?

— Ты представляешь, — возмущается Игумнов, — Инга спрашивает, не сменил ли я ориентацию? То есть если бы она застукала меня с Верой или еще с кем-нибудь, не будем поминать всуе, она была бы спокойна. Она бы еще поболтала с ними по душам.

— Твоя жена ревнует тебя ко мне? Что-то новенькое.

— Ты не хуже меня знаешь, что у моей жены на месте головы совсем другое место.

— Тем не менее ты Ингу любишь.

— И с каждым днем — все больше.

— Да, — говорю я, — у вас все так сложно. Не то что у меня.

— Что у тебя?

— Так, ничего. Просто вчера я переспал с родной дочерью.

— Ты гонишь!

Прочитав прощальное письмо Вики, он захлопывает ноутбук и опускает глаза.

— Знал? — спрашиваю.

— Откуда?

— Но догадывался?

— Слушай, — говорит Слава, — это большой и неприятный разговор. Это не то, о чем я хотел с тобой поговорить. Но так даже лучше. То есть для тебя хуже, но лучше уж все сразу.

— Слушаю.

— Там в холодильнике, — жалобно говорит Слава, — вроде бы оставалась еще одна бутылка водки.

— Эту выпили мы с тобой?

— Нет, эту я один... Ты и без нее был хорош.

— Что вчера было?

— Ты не помнишь?

— Мефистофель сказал, что у меня алкогольный палимпсест.

— Мефистофель?! Ты с ума спятил?! У тебя не белая горячка?

Игумнов рассказывает мне, что вчера, после того как по телефону я дал отбой, он заподозрил что-то неладное и, невзирая на протесты Инги, пьяный сел за руль и поехал ко мне. Не застав меня дома, он помчался к Варшавскому и узнал от охранника, что я приезжал на такси и уехал в расстроенном состоянии.

— Я собрался обратно к тебе, — говорит Слава, — но тут у меня в голове что-то перещелкнуло. Бывают такие пьяные озарения. Позвонил знакомому из МВД и попросил пробить по своим каналам, не было ли каких-то происшествий на Мякининском. Ну и узнал, что тебя подобрал на обочине наряд милиции. Приезжаю я в отделение, а там... Слушай, где ты успел так нажраться? Капитан сказал, что тебя привезли в невменяемом состоянии. Ты требовал себе стакан водки, а без этого отказывался давать показания. Ты хотя бы помнишь, что у тебя в бумажнике было сто пятьдесят штук наличными? Короче, мне стоило большого труда уговорить (на этом слове он со значением понижает голос) капитана не составлять протокол и отпустить тебя со мной...

— А то, что ты был пьяным за рулем, это ничего?

— Старик! У нас широкие руки и длинные связи!

Приношу водку и разливаю по фужерам, из которых мы с Викой пили шампанское. В один из них она подмешала снотворное, но я стараюсь об этом не думать. Выпиваем не чокаясь, как на поминках.

Игумнов не спешит начинать разговор, а я его не тороплю...

Но почему я так спокоен? После того, что я узнал вчера (и еще услышу от Игумнова сегодня), по законам жанра я вроде бы должен места себе не находить. Биться головой об стену. Прыгать из окна. Резать вены в теплой воде, напевая: «Утомленное солнце нежно с морем прощалось...» Словом, делать что-то такое, что показывают в кино. Или что пишут в любовных романах. Хотя, как учил меня дядя моей дочери, не бывает любовных романов с несчастливым концом. Но я совершенно спокоен. Как говорит Вика, спокоен как слон.

Наверное, это потому, что я не представляю ее своей дочерью. Я ее не воспитывал. Ребенком она называла папой другого мужчину. Я не намыливал ей голову в ванночке детским шампунем и не слышал, как она капризничала при этом. Я никогда до вчерашнего не видел Вику голой, только в коротких маечках и маминой ночнушке, которой она, конечно, нарочно дразнила и провоцировала меня. И себя — тоже, накапливая в себе злость для мести. Но главное, она никогда не называла меня папой. Она называла меня *папиком*.

Нас было трое друзей. Я, Игумнов и Игорь Варшавский. Впрочем, как утверждает Слава, по-настоящему дружили только я и Игорь. И это с ним я жил в одной комнате. Игумнов, как ленинский стипендиат, жил в отдельных апартаментах, но частенько захаживал к нам в гости — поиграть со мной и Игорем в шахматы. Карты нами не признавались, а традицию играть в шахматы утвердил Игорь.

Игорь Варшавский был первым поэтом на всем нашем потоке. Нет, «первый» — не то слово. Первым был, пожалуй, Игумнов. Слава звездил на всех институтских поэтических вечерах. Игорь на такие вечера никогда не ходил. Но не потому, что был гордый, а потому, что при чтении стихов вслух начинал сильно заикаться, а потом его просто заклинивало на середине какого-нибудь слова и он мог упасть в обморок. Но все в институте знали, что он *гений*.

Полный, с ранними залысинами, большим носом, выпуклыми глазами… Таких девчонки не любят. Но он был гений.

— Понимаешь, — говорит Слава, — между мной и Игорем была такая же разница, как между исполнителем главной роли в каком-нибудь популярном сериале и, скажем, Смоктуновским.

— Понимаю, — говорю я. — Что-то такое я иногда слышу о себе на своих выступлениях. Когда мои поклонницы начинают сравнивать мою прозу с Акуниным и Пелевиным. Ненавижу такие сравнения!

— Да, бывает… — говорит Слава и отводит взгляд в сторону.

Игорь и Лев Варшавские — сводные братья. У них был общий отец, но разные матери. Отец, одесский еврей, развелся с матерью Льва уже в пожилом возрасте, за что его прокляла до седьмого колена родня и с ее, и с его стороны, и женился на молодой украинке. Игоря, как своего позднего ребенка, он обожал, души в нем не чаял, а Лев не мог простить отцу предательства. Поэтому отношения между братьями не складывались, хотя Игорь всегда тянулся к старшему. Тут сказалась еще и разница в возрасте — пятнадцать лет. Мать Игоря скончалась совсем молодой от порока сердца, и только тогда муж узнал, что доктора категорически запретили ей рожать.

Игорь рос болезненным ребенком — у него была проблема с кровообращением. В Литинституте с ним случались приступы, когда от сильного волнения он вдруг бледнел, лицо становилось мраморным и он терял сознание. Но ходить по врачам упорно отказывался. Игорь был не от мира сего.

— Ты так много рассказываешь мне про Игоря, — говорю я, — будто это не я, а ты с ним жил. Рассказывай лучше о Даше.

— Не гони... Это важно! Иначе ты ничего не поймешь...

Итак, Игорь был не от мира сего. В институте шутили, что он сочиняет стихи в голове непрерывно, даже когда мочится в туалете. Стоя в очереди в институтской столовой, он мог взять со стойки тарелку с салатом и поставить ее не на свой, а на соседний поднос. И так же рассеянно глядя в пространство, мог приступить к еде с чужой тарелки. Другому студенту за такое врезали бы по морде, но Игорю прощалось все. Получив стипендию, Игорь безропотно раздавал ее в долг, причем тем, кто уже должен был ему практически пожизненно. На что же он жил? Ну да, его выручал я. В том числе и вытрясая деньги из его должников, когда эти деньги у них заводились. Странно, что при такой рассеянности он учился на пятерки и получал повышенную стипендию. При этом, готовясь к зачетам и экзаменам, он мог легко перепутать предметы. Однажды молодой преподаватель решил его разыграть. Подменил билеты и выложил перед ним на стол вопросы по литературе не девятнадцатого, а двадцатого века, курс которой нам должны были читать только в следующем году. Игорь взял билет, посидел минут пятнадцать, размышляя о чем-то своем или сочиняя очередные стихи. Все в экзаменационной комнате следили за ним, едва сдерживаясь от смеха. Потом он вышел к преподавателю и блестяще ответил на вопросы по двадцатому веку. И теперь уже все откровенно хохотали над экзаменатором, который с пунцовым лицом выводил в его зачетке «отлично»... по литературе девятнадцатого века.

— Ваша дружба была для меня полной загадкой, — говорит Игумнов. — Трудно представить людей более непохожих. Ты был не скажу эгоистом, но абсолютным эгоцентриком. Ты думал только о себе. Все пять лет учебы ты писал какой-то, как ты говорил, гениальный роман о горах, который никому не показывал.

— А что же я обсуждал на семинаре?

— Да какую-то херню! Наспех написанные рассказики, за которые тебя стыдили, такая это была откровенная халтура. Тебя не отчислили за творческую несостоятельность только потому, что верили почему-то в этот твой гениальный роман. Дело в том, что ты и творческий конкурс прошел с одним-единственным рассказом, и тоже о горах. Но те, кто его читал, в один голос твердили, что рассказ гениальный.

— Ты читал этот рассказ? — настороженно спрашиваю я.

— Откуда? После поступления ты выкрал его из архива.

— А где же этот гениальный роман?

— Ты его сжег! Ты сжег несколько общих тетрадей в раковине в туалете! Дымище был такой, что пришлось вызвать пожарных.

— Когда это случилось?

— На последнем курсе. И случилось это, старик, как раз после того, как ты выгнал беременную Дашку.

— С этого места — поподробней!

Ни Игорь, ни Игумнов не знали о том, что у нас было с Дашей раньше. Даша приезжала ко мне три-четыре раза в год и останавливалась в нашей с Игорем комнате на несколько дней. Вернее — ночей. На ночь я выгонял Игоря к Игумнову, где Игорь даже завел себе раскладушку. Это Славке не нравилось, но к моим сексуальным похождениям он относился с не меньшим уважением, чем к своим.

Днем Даша поступала в распоряжение Игоря.

Игумнов так и говорит:

— Днем Даша поступала в его распоряжение.

— Что ты имеешь в виду? — спрашиваю я.

— Не то, что ты подумал! — смеется он. — Но представь себе девушку, которая на несколько дней приехала в Москву из провинции. Да, главным образом она приехала, чтобы провести с тобой незабываемые ночи. Но это же еще и Москва! Это театры, выставки, концерты! Таганка! «Юнона и Авось» в Ленкоме! Живое выступление какой-нибудь Пугачевой! И на все это с Дашей ходил Игорь, потому что ты, сукин сын, писал свой гениальный роман. Ты и на институт-то забивал болты, пропуская занятия. А тут какая-то Даша из С. Я думаю, тебе с ней было просто скучно. В постели не скучно, а днем скучно. И я тебя понимаю, старичок! Сам был такой. А вот Игорь Дашу любил по-настоящему.

Оказывается, Игорь влюбился в мою девушку с первого взгляда, как влюбляются поэты. Безответно и безнадежно. Он никому об этом не говорил, и уж тем более Даше, но это было понятно всем, кто видел его рядом с ней. Видел взгляд, которым он смотрел на нее. Его трепетный жест, когда он подавал ей курточку… Однажды он забыл на столе листок со стихотворением, посвященным Даше. Наверняка написал их штук сто, но тщательно прятал, а это случайно оставил на своем письменном столе. В общежитии Литературного института каждому студенту полагался свой письменный стол — немыслимая роскошь для обычных студенческих общежитий.

— Ты не представляешь, Иноземцев, что это были за стихи! — говорит Игумнов. — Какая-то козлина зашел в вашу комнату, когда вас там не было, и похитил листок ради хохмы. Но вскоре это стихотворение знали наизусть все студенты Лита. И не только студенты, но аспиранты, преподаватели! В это время у Игоря готовилась подборка в альманахе «День поэзии», но там, конечно, не было стихов о Даше. И вот составитель альманаха лично пришел к Игорю в общежитие и чуть ли не на коленях умолял отдать стихотворение в печать. Оно уже пошло гулять по Москве. Парни объяснялись им в любви своим девчонкам. Его исполняли под гитару на Грушинском фестивале…

— Ты помнишь его? — ревниво спрашиваю я.

— Помню до сих пор. Но тебе читать не буду.

Игорь выгнал составителя из комнаты едва ли не в шею. Он был в ярости. Он кричал, что есть вещи, которых не смеет касаться никто из непосвященных. Что он найдет и прибьет того, кто украл стихотворение.

— Разве он мог такое сделать? — удивленно спрашиваю я. — По твоему описанию Игорь был полным рохлей.

— Мог, старичок! Еще как мог! Однажды Даша по секрету рассказала мне (тебе она не рассказывала), как Игорек отметелил трех пьяных ублюдков, которые пристали к ним вечером на улице и оскорбили Дашу. Он просто вырубил всех троих!

— Кто его научил так драться?

— Никто. Он не умел драться.

— Разве так бывает?

— Иногда бывает. Кстати, когда я приставал к твоей дочери (прости, я же тогда ничего не знал!), Вика рассказала мне, что ты одной левой вырубил трех суровых кавказских джигитов, — это правда?

— Больше ее слушай, — бурчу я. — У нее язык как помело.

Если бы Игумнов только знал, как мне тошно все это слушать. Вика и здесь все устроила по законам жанра, заставив меня подраться с кавказцами, которые ее оскорбили. А если бы не приехал отец Нугзара? Что ж, тогда я оказался бы слабаком. В сравнении с Игорем. Может, Вика того и хотела?

— Почему ты так уверен, что Вика моя дочь?

— Когда она родилась?

— Разве ты не заглядывал в ее личное дело?

— Какое личное дело, я тебя умоляю! Кто бы официально взял Вику в штат? Она просто работала с Варшавским.

— Да, и просто оказалась его племянницей.

— Когда она родилась? — повторяет Слава.

— В августе мы отмечали ее совершеннолетие. Тебе это о чем-то говорит?

Игумнов закатывает глаза и несколько секунд молчит, шевеля губами и что-то подсчитывая.

— Ну да, — наконец выносит он приговор. — В декабре девяносто первого ты получил телеграмму. Мы с Игорем сидели в комнате и играли в шахматы. И вдруг ты сказал, что от Даши пришла телеграмма. Дашка забеременела и собирается приехать к тебе для серьезного разговора. Услышав это, Игорь вскочил, подошел к тебе и обнял за плечи. «Поздравляю!» — сказал он с сияющим лицом. «С чем ты меня поздравляешь, кретин? — неожиданно окрысился ты. — С тем, что дурочка от меня залетела?» И еще заявил: «Между прочим, ты проводил с ней не меньше времени, чем я». Игорь как-то странно удивился. Мне показалось, он даже задумался о чем-то. И я сам, грешным делом, тогда подумал: а черт его знает! Театры театрами, концерты концертами... Но дело-то молодое... А черт его знает...

— Ты считаешь, между ними что-то могло быть?

— Исключено! — сразу говорит Игумнов. — Если бы ты помнил, какими глазами Игорь посмотрел на тебя после этого... Нет, в них не было ни обиды, ни презрения. Он посмотрел на тебя с жалостью. Как будто ты только что сообщил, что безнадежно болен.

И тут я взрываюсь. Не могу!

— Хватит лирики! — кричу я. — Хватит наматывать мне нервы на кулак! Заканчивай свою историю!

— Это не моя история, старик, — грустно говорит Слава. — Это вообще-то твоя история.

Меня начинает трясти.

— Моя или твоя — без разницы! Хватит меня мучить! Кончай!

— Нет, — говорит Игумнов, — так не пойдет. Коротко рассказать тебе об этом не смогу. Как потом оказалось, это действительно не только твоя, но и моя история. Это то, о чем я хотел с тобой говорить. Но без твоей истории не получится и моей...

Наливаю себе полный фужер водки и опрокидываю залпом. Глядя на меня, Игумнов крякает от удовольствия и следует моему примеру. Кого-то он мне сейчас напоминает...

Итак, мой друг смотрел на меня с жалостью. Как будто ему только что сообщили, что я неизлечимо болен... Потом он вышел из комнаты и ночь провел у Игумнова. Просил, чтобы тот разрешил переселиться к нему. Тем более что до конца учебы оставалось полгода. Но Игумнов его, разумеется, выгнал обратно ко мне. И, похоже, мы с Игорем даже помирились. Но тут...

— Тридцать первого вечером, — рассказывает Слава, — приехала Даша. Не знаю, зачем она приехала. Вроде бы ты отбил ей телеграмму, чтобы она не приезжала, что ты улетаешь к матери на все новогодние праздники... В общем, не знаю, что ты ей соврал. Но она приехала. Мы сидели с тобой за столом и играли блиц-партию в шахматы. (Черт, опять эти шахматы!) Водка и закуска к встрече Нового года были закуплены, но начинать пьянствовать было еще рано. И вдруг заходит один из наших студентов и говорит, что внизу тебя ждет какая-то девушка. «Приезжая, с чемоданчиком», — уточнил он. «И с толстой попой?» — вяло спросил ты, не отрываясь от шахматной доски. Парень заржал: «Точно!» Игорь лежал на кровати, но, услышав о приезде Даши, тут же вскочил на ноги. А ты, даже не повернув головы, попросил его спуститься вниз и сказать Даше, что ты улетел к маме в С.

Тут нужно тебе кое-что напомнить. Просто так в общежитие гостей не пускали. Марьиванна та еще была энкавэдэшница. Принимающая гостя сторона должна была спуститься на вахту и оставить свой студенческий. Тогда гостю разрешали пробыть в общежитии до одиннадцати ноль-ноль. Когда гость уходил, билет возвращали принимающей стороне. Но для меня, тебя и еще некоторых своих любимчиков Марьиванна делала исключение. Гость оставался ночевать, и иногда не на одну ночь, а потом вахтерша возвращала билет, как бы этого не замечая. И вот тебе нужно было просто спуститься и провести Дашу к себе. Ну а Игорь, как обычно, отправился бы ко мне. Собственно, он и ждал от тебя этого, потому и встал с кровати. А ты попросил Игоря пойти и соврать Даше...

Как говорит Игумнов, Игорь сперва меня не понял. Он, наверное, решил, что это новогодняя шутка. Он даже засмеялся сначала. «Смешно», — сказал он.

Но я не шутил и повторил просьбу. Все так же не отрываясь от доски, потому что это была блиц-партия. И тогда у Игоря сделалось то самое мраморное лицо.

— Т-ты п-п-понимаешь, что ты г-г-говоришь? — сильно заикаясь, сказал он. — Т-ты х-хочешь, ч-ч-чтобы я ей с-с-соврал?

— Ладно, — ответил я. — Тогда пойти и скажи ей правду. Скажи ей, что я не желаю ее видеть. Так, по-твоему, будет лучше?

— Игорь стоял будто в ступоре, — продолжает Игумнов. — Молча стоял возле тебя и смотрел, как ты быстро передвигаешь фигуры на доске. И вдруг ты треснул кулаком по столу так, что все фигуры поле-

тели на пол, и заорал: «Ты не слышал меня?! Иди
и скажи этой дурочке, что меня нет! Или что я не
хочу ее видеть! Решай сам, как лучше! Ты же у нас,
плять, Дон Кихот!» В этот момент я был уверен, что
сейчас Игорь врежет тебе в челюсть. По правде говоря, у меня самого чесались руки, но я подумал, пусть
это лучше сделает Игорь.

— Врезал? — спрашиваю я.

— Нет. Он схватил куртку с шапкой и вышел. А ты
расставил фигуры в том же порядке, в каком они были
до этого, и предложил мне играть дальше. И я почему-
то согласился.

Игорь вернулся через полчаса. Он был абсолютно
спокоен, как человек, который принял важное решение. Ничего не говоря, он достал из-под кровати чемодан и стал собирать свои вещи.

— Что ты сказал Даше? — по словам Игумнова,
спросил я.

— Сказал, что ты улетел к маме, — ответил Игорь.

— И что она?

— Она? Заплакала. Я проводил ее до метро. Дальше она провожать запретила. Сказала, что через два
часа у нее поезд в С. Ты подонок, Иноземцев. И ты
сделал мерзавцем меня.

— Почему?

— Потому что, когда я вернулся, вахтерша сказала,
что Даша знает, что ты здесь. Узнала от вахтерши, пока
ждала тебя. Ты подонок, Иноземцев. Но мне тебя жаль.

— Дальше могу коротко, — говорит Игумнов, —
потому что обо всем, что было потом, я узнал гораздо позже от самого Игоря, а Игорь был немногосло-
вен. Он занял у старшего брата денег и уехал к Даше
в С. Она его к себе не звала, хотя он предложил ей

руку и сердце, еще когда провожал до метро. Он спустился с ней в метро и хотел ехать с ней на вокзал, но в последний момент она крикнула: «Пошел вон, дурак!» — и вытолкнула из вагона. Когда он все же приехал к ней в С., она не пустила его даже за порог.

— Погоди... — останавливаю его я. — Откуда он узнал ее адрес?

— Не знаю. Даша писала тебе письма. Мог видеть на конверте.

...Даша не пустила его к себе, и Игорь остановился в гостинице. Каждое утро он встречал ее возле подъезда, когда она уходила на работу (Даша устроилась в издательство редактором), и вечером, когда она возвращалась домой. Потом, по выходным, они стали встречаться и просто гулять по городу. В конце концов Даша, как сказал Игорь, «подарила нищему миллион». То есть согласилась выйти за него замуж.

— И при этом он знал, что Даша беременна от меня?

— Конечно. Ты же сам ему об этом сказал, когда пришла телеграмма от Дашки. Мы с ним это даже не обсуждали. Игорь сказал, что Даша родила дочь и он ее обожает, потому что она вылитая Даша. Институт Игорь, как ты понимаешь, бросил недоучившись, а в С. неожиданно занялся бизнесом и преуспел в этом гораздо больше, чем я. В это невозможно было поверить, но Игорь стал очень крутым предпринимателем — и только для того, чтобы его семья ни в чем не нуждалась. Поэзию он забросил к чертям собачьим. В тот год, когда вышел твой первый роман, мы встретились с Игорем Львовичем Варшавским в Москве по делам. Он сделал мне предложение, от которого я не мог отказаться.

— Какое предложение?

— Вот об этом, старик, я и собирался с тобой поговорить вчера, если бы ты так не натрескался.

Слава разливает остаток водки по фужерам.

— У тебя не застоялась еще бутылочка? — с лукавым видом спрашивает он.

— В баре. Виски.

— Это хорошо. Потому что после того, что я тебе сейчас скажу, тебе сто пудов нужно будет напиться.

Бездарность

— В принципе, — говорит Игумнов, откинувшись на спинку дивана и развалившись с комфортом, — мы можем отложить этот неприятный разговор на будущее. Тебе и так за эти два дня досталось. Но отложим его при одном условии: ты сейчас вернешь мне рукопись своего романа, которую забрал у редактора. Вообще, какого хрена ты сделал это, не согласовав со мной?! Тебе напомнить сумму аванса, которую я лично тебе перечислил?

— Ты еще скажи, что это твои личные деньги, — говорю я. — Ты, Слава, не борзей! Это мой роман! Что хочу, то с ним и делаю. Хочу — печатаю, хочу — нет. Но исключительно потому, что ты мой приятель и не раз меня выручал, признаюсь тебе: я решил пока выбыть из литературы. Мне нужно время кое-что обдумать.

— Новая книга? — интересуется он. — О чем, если не секрет?

— Ты будешь смеяться, но это будет книга о горах. Смешно?

— Ни чуточки. Почему-то я предполагал что-то в этом роде.

— Почему?

— У тебя случайно нет сигар?

— Водка не открывает чакры?

— Ба, помнишь? А помнишь, как мы с тобой говорили о писателе Ш.?

— Это который пишет, как Набоков, но не может написать «Лолиту»?

Игумнов смеется.

— Да, занятный тип... Но пока речь не о нем. Ты спрашиваешь, как я догадался, что ты напишешь что-то новое? Ты изменился с тех пор, как у тебя поселилась Вика. Даже внешне изменился. Не тот Иноземцев, которого я знал последние лет пять.

— Стал похож на того Иноземцева, который писал гениальный роман и выгонял на мороз беременных женщин?

— Отнюдь! Сегодня ты никого бы не выгнал. Вот скажи мне честно: ты будешь искать разговора с Дашей?

— Да, и ты мне поможешь ее найти.

— Ни за что! Это ваше семейное дело. Да и не знаю я адреса Даши. Вот вернется Варшавский, с ним и поговоришь. Кстати, за каким хером он полетел с Викой на Кипр? Не сезон.

— Не знаю. И не знаю, как я дождусь Варшавского с Викой. Славка, будь другом... Пробей по своим каналам адрес Даши!

— Я сказал — нет, и точка! И вообще, мы не о том говорим. Иноземцев, верни мне свой роман. Или я заберу у тебя его силой!

Ничего не понимаю. Всматриваюсь в лицо Игумнова, пытаясь понять, насколько он пьян. Но он кажется совершенно трезвым, и только в глазах пляшут бешеные огоньки.

— Что случилось, Слава? Я верну тебе аванс. Но печатать роман я не хочу. Это все-таки мой текст.

— Пора отлить, — лениво произносит Игумнов и уходит в туалет. Мочится нарочито громко, не закрывая дверь.

— Это не твой текст, — сообщает он, вернувшись и снова развалившись на диване. — Этот текст написал Ш.

— Какой еще Ш.?! — взрываюсь я. — Я что, уже не помню собственных текстов?!

— Не помнишь, — отвечает Игумнов.

— Но это же абсурд! — говорю я. — Я читал книги Ш.! Они мне не нравятся, но должен признать, что у него есть свой авторский стиль, ни на кого не похожий. На Набокова, кстати, тоже. И это не тот стиль, которым написан мой роман. Это подтвердит любая лингвистическая экспертиза.

— А ты будешь заказывать экспертизу? — таким же ленивым голосом спрашивает Слава. — Не советую это делать, дружок! Мы все трое окажемся в полном говне, если эта история выйдет наружу. Просто верни рукопись.

— Не хочу.

Игумнов тяжело вздыхает.

— Короткого разговора не получается. Ну, тогда — держись за кресло. Ты хорошо помнишь первый роман? Тот, который оказался самым успешным?

— Я не перечитываю свои книги, ты знаешь.

— Да, и в этом твое глупое счастье. Дело в том, что твой первый роман был абсолютно бездарен. Абсолютно! Когда ты принес его мне, я сначала хотел вернуть тебе рукопись с дружескими извинениями, потому что печатать это было невозможно. Это было даже не плохо, а, повторяю, оглушительно бездарно! Нужно было так и поступить, но меня жалость заела. Тиснул книжку мизерным тиражом, мой курьер развез ее по книжным магазинам... Думал, на том дело и кончится. Роман не пойдет, ты расстроишься, ну, что делать? Но на беду твоя книженция оказалась в руках Даши. Не знаю, как она к ней попала, потому что в С. я ни одного экземпляра не отправлял. Наверное, купила через интернет. Она прожужжала все уши Игорю о том, какой ты несчастный и талантливый. Она уверовала в тебя как в гениального писателя. И Даша очень хотела твоих новых книг.

Я чувствую, что у меня темнеет в глазах.

— И тогда Игорь прилетел в Москву и назначил мне встречу в ресторане «Пушкинъ», — продолжает Слава, изучая меня внимательным взглядом, словно ожидая момента, когда я упаду в обморок. — У меня дела шли архиневажно. Я ушел из своего холдинга, со всеми поругался, пытался самостоятельно встать на ноги, но ничего не получалось. Рынок массовой беллетристики был уже забит. У меня не было сети распространения. Инвесторы кидали меня один за другим. Я ушел от третьей жены и начал бухать, что для серьезного бизнеса последнее дело. И вот в ресторане «Пушкинъ» Игорь предложил мне дьявольскую сделку. Я должен был всего лишь издавать твои книги. Но не просто издавать, а раскручивать.

— Ерунда! — возражаю я. — Невозможно раскрутить книгу, если не сработало сарафанное радио. Если сами читатели на нее не подсели и не стали рекомендовать другим. Потом может включиться издательский пиар... Ты это прекрасно знаешь.

— Да-да, старик, то же самое я и сказал Игорю. Я сказал ему, что могу хоть все метро обклеить твоей рекламой, но это ничего не даст. Будет еще и обратный эффект. Игорь жестко ответил: «Это меня не волнует. Это твои проблемы». Он подарил мне своего старшего брата в качестве кризисного менеджера и такую сумму кредита под смешные проценты, что у меня аж глаза на лоб полезли! Пингвиныч, конечно, не очень-то мечтал на меня работать, но у него самого тогда случился серьезный финансовый облом и он зависел от младшего брата. И вот я сочинил проект под названием...

— «Великий писатель Иноземцев»?

— В точку! Для начала мне пришлось поработать с тобой. Нужно было как-то стимулировать тебя для написания новых вещей. А какого они будут качества, это уже была следующая проблема, о которой я еще не думал. Догадайся с трех раз, почему журналисты стали обрывать твой телефон и обрушивать твою почту? Почему режиссеры и продюсеры стали обращаться к тебе с нижайшей просьбой позволить им экранизировать твою книгу?

— Ты их всех покупал?

— Примерно — да. Механизм был более сложный, и я не хочу тебе о нем рассказывать, но все, конечно, решали деньги. Тебя не удивляет, что при шквале лестных предложений твой первый роман так никто и не экранизировал? Режиссеры снимали *свои* фильмы, а одним из анонимных продюсеров был я, а точнее Игорь.

— Ты мне врешь! — говорю я. — Не знаю зачем, но ты это все сейчас придумал. Такая махинация обязательно всплыла бы наружу. Шила в мешке не утаишь.

— Никто и не собирался его утаивать, — возражает мне Игумнов. — Да, поползи слухи. Заговорили о том, что я раскручиваю своего бездарного дружка. Ну и что? О любом знаменитом писателе это говорят. Все уверены, что их книги за них кто-то пишет, какие-то литературные негры. Только ленивый не утверждал, что «Гарри Поттер» — это не литература, а пиар-проект. Мы живем во времена новой правды. То есть отсутствия всякой правды. Все — правда, и все — неправда. И чем больше о чем-то трындят, тем больше это становится реальностью, даже если это полная фикция. Да, я придумал фиктивного писателя Иноземцева. Но, заметь, первый, кто в него поверил, был ты. Чего же ты хочешь от других?

Я встаю и достаю из бара бутылку виски.

— Это дело, — соглашается Игумнов. — Немного наркоза нам обоим сейчас не повредит.

Я медлю и боюсь задать ему главный вопрос. Но задать его все-таки придется.

— Скажи честно, — говорю, — мой второй роман был так же бездарен?

— Да, — не задерживается с ответом Слава. — Он был так же бездарен, как и первый. Ладно, чего уж! Рано или поздно мне пришлось бы тебе это сообщить. Ты — бездарность, Иноземцев. То есть ты, возможно, талантлив в другом, но в литературе ты совершенно бездарен. Пишешь, как слышишь. Не способен читать себя со стороны. У тебя нет чувства слова. Ты просто умеешь писать по-русски, как миллионы людей. Но беда в том, что миллион из этих миллионов еще и пытаются стать писателями.

— И тогда ты пригласил к работе над своим проектом Ш.? — уже догадываюсь я.

— Увы! Я не понимал, как далеко это может зайти. Я всего лишь пригласил Ш. в ресторан «Пушкинъ»...

— Намоленное место, — усмехаюсь я.

— Да, там неплохая кухня... Я пригласил Ш. в «Пушкинъ» и сделал ему предложение, от которого сначала он гневно отказался. Он кричал, что он не литературный негр. Он кричал на меня так, что его слышал весь зал. Тогда я напомнил ему, как он приходил ко мне в девяностые годы сдаваться и как не получилось у него работать в массовом жанре. Я сказал ему, что нанимаю его в качестве не обычного негра, а эксклюзивного негра, так сказать, негра-альбиноса.

— И он согласился?

— Не сразу... Но пока Ш. что-то кричал, я нарисовал ручкой на салфетке одно число с шестью нулями. Тут-то он и перестал кричать и крепко задумался... Надо признать к его чести, что думал он довольно долго. Так долго, что я в конце концов намекнул ему, что за время, пока он думает, я нашел бы за такой гонорар сто пятьдесят обычных негров. И тогда он вдруг весь словно просиял. Он сказал мне, что это гениальный проект и что у него есть на этот счет свои мысли.

Тут я, по правде говоря, немного испугался. «Мне не нужны твои мысли, — возразил я. — Мне нужно, чтобы ты просто сделал из рукописи Иноземцева художественный текст. Все остальное — моя забота». Но Ш. уже понесло. Он сказал мне, что я, конечно, крутой издатель, но ни хрена не понимаю в литературных тонкостях. Ему нравится моя идея, но он хочет внести в нее одно существенное дополнение. Он сделает из твоего *ничего* (так он выразился) великое художественное произведение. Да, великое, не меньше! Я сказал ему, что так не пойдет. Мне не нужно, чтобы он написал другой роман под твоим именем. Мне нужно, чтобы он сделал конфетку из твоего личного, прости, Кеша, дерьма. В этом-то и вся сложность. Понимаешь, если бы твой роман нуждался в обычной редактуре, я бы не стал связываться с Ш. Но тут требовалось писательское искусство.

— Скажи, а по-твоему, Ш. талантлив? — перебиваю его я.

— Да, Кеша, он талантлив. Чертовски талантлив. Он неприятный тип. Он сноб, нарцисс. Но дьявольски талантливый писатель.

— В чем была мысль Ш.?

— Да, это была мысль на миллион! На тот самый, кстати, миллион, что я ему предложил. Ш. сказал, что он давно размышляет над этим. В графоманских текстах есть невероятная внутренняя энергия, но сами графоманы не могут выпустить ее наружу, потому что не способны видеть свои тексты со стороны. Это внутренняя энергия чистой, наивной и трогательной влюбленности в свои слова, которые они расставляют, как им кажется, в прекрасном порядке. И вот если мастер попытается с этим что-то сделать, не трогая сути, не трогая даже стиля, но внося в это суровый дух мастерства... В общем, он долго мне что-то объяснял. Я половины не понял. Но понял одно: Ш. загорелся проектом. И это была катастрофа.

— Катастрофа? Почему?

— Да потому что Ш. забрал твою рукопись, а через два месяца принес мне шедевр. Понимаешь, *шедевр*!

Это было гораздо круче даже того, что он пишет сам. Это был невероятный прорыв, совершенно новое явление в литературе!

— Сам Ш. это понимал?

— Понимал. И еще и он, и я понимали, что третьим за нашим столом в «Пушкине» сидел дьявол. Мне кажется, он даже не уходил из ресторана с тех пор, как мы встречались там с Игорем.

— И что было дальше?

— Дальше? Дальше, старик, началось именно то, что я предчувствовал, когда Ш. напугал меня слишком ретивым отношением к своей задаче. Дальше не пришлось никого нанимать, подкупать. Твои книги пошли на ура. Их стали переводить, экранизировать....

— Ты опять мне врешь! — говорю я. — Ты присылал мне отчет о продажах моих книг. Лучше всего расходилась первая.

— Ни хрена она не расходилась, — с грустным видом возражает Слава. — Из пятисот экземпляров триста до сих пор лежат на складе. Хочешь, подарю на память? Это липовый отчет. И все твои роялти за первый роман липовые. Это деньги не читателей, а Игоря.

— Зачем Игорю это было надо?

— Чтобы обеспечить душевный комфорт единственного и самого дорогого для него твоего читателя.

— А он не понимал, что это подло по отношению ко мне?! — кричу я. — А ты этого не понимал?! Друзья!

— Прости, Кешенька! — с искренним сожалением в голосе говорит Игумнов. — Игорь любил Дашку больше всего на свете. Ради нее он был готов на все. Бросить поэзию. Заниматься бизнесом. Оплачивать твою славу. Только бы ей было хорошо. А я? Я в какой-то момент понял, что запутался. Но выбраться из этой ситуации уже нельзя...

— Черта с два! — кричу я. — Я очень легко выберусь из этой ситуации! И вас с Ш. выведу на чистую воду!

— О, милый! — совсем грустно говорит Игумнов. — Неужели ты думаешь, Ш. не мечтает объявить, что книги Иноземцева написал он? Но кто ему поверит? Ну, допустим, кто-то поверит. И что? Да, будет сенсация, будет скандал... Будет, как ты говоришь, лингвистическая экспертиза. И что? Она докажет, что книги Иноземцева написал Ш.? А может, книги Ш. написал Иноземцев? Или вообще все книги за них написал кто-то третий? Например, я? Допустим, ты тоже выступишь с саморазоблачением. И что? Вообрази, сколько версий появится в СМИ на эту тему. Напишут, что это пиар, что вы с Ш. сговорились, чтобы поднять тиражи. Они, кстати, реально поднимутся. Только ни Ш., ни ты не сделаете заявления. Ш. для этого слишком гордый. А ты... Ты же не станешь добивать бедную Дашу после гибели Игоря и после того, что у тебя случилось с вашей общей дочерью?

— Скажи, — вдруг спрашиваю я, — но если мои... то есть Ш. книги и так отлично расходились, потому что такие гениальные, тогда на что ты тратил деньги Игоря?

Слава опять вздыхает.

— Старичок, — жалобно произносит он, — пойми, у меня четыре жены и столько же, плять, дочерей. Восемь баб на моей шее, представляешь! И все они, сучки, хотят жить не просто хорошо, но шикарно! Даже маленькая уже требует покупать ей вещи только в «Chicco» и «Benetton». Начала требовать раньше, чем говорить.

— Что-то здесь душно, — говорю я. — Не хочешь прогуляться? В парке сейчас хорошо, нет, наверное, никого....

Слава смеется.

— Фигушки! — говорит он. — Ты меня в парке задушишь и закопаешь в снегу. Убивай прямо здесь.

— Не хочу пачкать студию твоей кровью.

— Не валяй дурака! У меня долг перед Игорем, у тебя — перед Дашей. Верни мне рукопись, и покончим с этим.

Поднимаюсь на антресоль и возвращаюсь с папкой.

— Держи! Это мой последний роман. В буквальном смысле.

— Конечно, — говорит он. — Ведь и транш от Игоря был последний.

Между волком
и собакой

Даша не должна была идти с нами в поход. Это была чистая случайность. Или, если угодно, судьба, что, в общем-то, одно и то же. За два дня до похода одна из участниц соскочила. Она позвонила мне и, истерически рыдая, сообщила, что мама, видите ли, не пускает ее в горы. «Какая мама? — орал я в трубку. — Вы охренели со своей мамой! У тебя рюкзак со снаряжением! Продукты закуплены на шестерых! Билеты на шестерых!»

Проблема была, конечно, не в билетах. Проблема была в том, что две палатки и два трехместных спальника на пятерых — ни то ни се. И вес снаряжения рассчитан на шестерых. И группа утверждена в составе шестерых. Она была подготовлена мной и проверена тренером. Что было делать?

И вот тогда подвернулась Даша. Я увидел ее в парке, где сидел на скамейке, пил вино прямо из горлышка и, к своему стыду, плакал от бессилия и ярости. Даша присела на другой край скамейки и тоже зарыдала в голос.

Это меня удивило. Издевается?!

— Ты откуда, чадо? — спросил я.

— От верблюда! — плаксиво ответила она.

Я встал, подошел к ней и указательным пальцем слегка приподнял за подбородок заплаканное лицо.

Это было лицо, которое я видел каждый день последние полгода. Лицо Вики.

Мы разговорились. Даша приехала в наш С. из другого С. к подруге на майские праздники. Поругались, что часто бывает между девчонками. И так далее.

— Пойдешь со мной в поход? — неожиданно для самого себя спросил я.

— Пойду, — ответила она. — А куда?

— В горы, — сказал я. — Они — прекрасны!

Я попросил Дашу встать и осмотрел ее фигуру. В глаза сразу бросились слишком полные ноги и слишком худые плечи. Типичная груша.

— М-да! — пробурчал я. — А как у тебя со здоровьем?

— Не жалуюсь, — сказала она. — Только сплю плохо.

— Это ничего! — засмеялся я. — Обещаю тебе, что в походе ты будешь дрыхнуть без задних ног.

— А разве бывают передние ноги? — засмеялась она.

Конечно, я понимал, что это авантюра. Брать в горный поход в межсезонье неизвестно кого и без всякой подготовки всегда авантюра. Но я надеялся, что Хальтер ничего не заподозрит. Он не видел моей группы в полном составе. Хальтер вообще согласился идти со мной в паре только в последний момент. Словом, это могло проскочить.

Участники моей группы, само собой, удивились, но я сказал им, что наша боевая подруга внезапно заболела и ее замещает другая, не менее боевая подруга. Я говорил это с иронией, чтобы не выдать своего страха. Но страх оказался напрасным. Даша быстро вписалась в состав группы и всем понравилась. Уже в поезде мои ребята раскусили, что никакой она не турист, но им было даже весело.

Мы с Дашей нагнали группу Хальтера и моих ребят, когда они уже собирали вещи, чтобы повернуть назад. До конца похода Хальтер со мной почти не разговаривал, лишь по крайней необходимости, а я смиренно вел свою группу за ним по пятам. Только один раз на привале он спросил меня:

— Нашел перевал?

— Его там нет, — сказал я. — Карта оказалась неправильной.

— Ну ты же любишь, чтобы все было не по правилам, — усмехнулся он.

— Что сообщим тренеру? — спросил я.

— Сам ему сообщишь, — ответил Хальтер. — Скажешь, что перевала Иноземцева в природе не существует. Как и туриста Иноземцева. Ты меня понял?

Вернувшись в С., мы с моей группой провели разбор полетов у меня на квартире. Даша тоже была с нами. Разбор вел мой заместитель.

В походе ребята слушались меня беспрекословно, но теперь они сложили с меня полномочия руководителя. Меня удивило, как мастерски мой преемник провел обсуждение. Он был прирожденным командиром.

Обо мне не говорили ни слова. В конце я спросил:

— Вы расскажете тренеру о лавине?

— Нет, — ответил за всех этот парень. — И Хальтер ничего не расскажет. Но при одном условии: ты никогда не появишься в нашей секции.

— Ок! — сказал я.

— А ты, Дашка, — продолжал парень, — когда приедешь домой, сразу беги и записывайся в горные туристы. Ты настоящий мужик!

Когда они ушли, мне стало, не скрою, тоскливо. Но Даша вернулась. Ей хватило десяти минут, чтобы отстать от ребят и вернуться ко мне.

Я спросил ее:

— Они ничего не заподозрили?

— Никак нет, командир! — весело сказала она.

Мои родители были на даче. Я набросился на нее с такой голодной страстью, что она, по-моему, даже испугалась…

Нужно ли говорить, что в походе мы тщательно скрывали от всех, что произошло в пастушьем балагане? И только сейчас я, старый кретин, понимаю, что гораздо труднее было ей, а не мне. Ну, даже просто в физическом смысле. Мне-то казалось, что больше страдаю я, а она немного посмеивается надо мной и моей трусостью.

Первая холодная ночевка в палатках была уже после нашей стоянки в балагане. Распределять места в палатках пришлось мне. Конечно, я отправил ее спать в другую палатку. «Слушаюсь, командир!» — улыбнувшись, отрапортовала она. Я чуть не треснул ее по голове. Потом я дико страдал и ревновал в палаточной темноте, воображая, как моя женщина лежит в моем свитере, стиснутая меж двумя молодыми парнями…

— Скажи, они приставали к тебе? — спросил я, когда мы, голые и потные, лежали на двуспальной родительской кровати. — Скажи честно, они к тебе приставали?

— О-о! — ответила она. — О-о!

— Что «о-о»?! — взбеленился я. — Скажи мне!

Даша ничего не ответила.

На следующий день возвращались родители, а я провожал Дашу на вокзал.

— Ты будешь мне писать? — спросила она, когда мы уже стояли возле ее вагона.

— А сама ты как думаешь? — ответил я вопросом на вопрос.

— Ты любишь меня? — шепотом спросила она.

— Что за странный допрос? — сказал я. — Конечно, я тебя люблю.

— Но до сих пор ни разу мне не говорил.

Когда я сообщил родителям, что еду в Москву и поступаю в Литературный институт, отец посмотрел на меня удивленно.

— Ты уверен, что у тебя есть литературный талант? — спросил он и попросил показать рассказ, который я отправил на конкурс. — Ты ведь сделал копию, печатая его на машинке?

— Нет, — покраснев, соврал я, — копирки не нашел.

Они с мамой провожали меня на вокзале, и отец вдруг сказал:

— Никогда никому не завидовал. Но тебе завидую. Это — Москва! Дай слово, что не вернешься в нашу деревню!

Впервые в жизни я почувствовал в его словах гордость за меня. И я выполнил просьбу отца. Я остался в Москве. Даша из С. с намечавшимся животом мне в девяносто первом была совсем не нужна. Мне нужна была московская прописка. Я уже сделал предложение Тамаре, хотя знал, что у нее роман с Игумновым. Сначала она мне отказала, потом заявила, что еще подумает. Она не любила меня, я не любил ее. Но так вышло.

Между волком и собакой... Так в народе говорили о предрассветных сумерках. Волки уже не воют, а собаки еще не лают. Это примерно и есть то зыбкое состояние души, которое я испытываю сейчас. Я второй раз в жизни потерял любящую меня женщину. Обрел ненавидящую меня дочь. За один вечер, проведенный с Игумновым, из знаменитого писателя превратился в полное ничтожество. Да, я все вспомнил... Только... нужно ли мне это?

Дарья Семеновна

Я никогда не был в С. Я был в Берлине, Лондоне, Мадриде, Нью-Йорке... Однажды зимой я отдыхал на юге Индии в штате с труднопроизносимым названием Тируванантапурам. Но я никогда не был в С. Тем не менее я быстро нашел коттеджный поселок, где живет Даша. Когда-то здесь жили еще Игорь и Вика.

Я не стал брать такси и на двух трамваях с пересадкой выехал за город. Спросил у вышедших со мной пассажиров короткий путь в поселок Спутник и отправился к нему через лес. Вскоре тропинка стала петлять, и я пошел наугад, хотя это было рискованно.

Мой травмированный мозг обладает одной неприятной особенностью. Если из двух заданных вариантов мне нужно выбрать правильный, я обязательно ошибусь. Если в моих руках связка ключей, где есть два похожих, но только один подходит к нужному замку, первый же выбранный мною ключ застрянет в личинке замка. Если я ищу в городе какое-то здание и, выйдя из метро, наобум решаю, повернуть мне по улице налево или направо, я непременно сверну не туда, и придется возвращаться. Если подброшу монетку и попытаюсь угадать, орел или решка... В общем, понятно.

Когда я рассказал об этой странной особенности моего мозга своему врачу, Мефистофель засмеялся.

— Исключено! — сказал он. — Теорию вероятности никто не отменял. Я имею в виду не Эйнштейна, а банальный принцип вероятности, если вопрос касается «один к двум». Просто, когда вы делаете случайный, но правильный выбор, например с ключом, вы о нем забываете, потому что это не доставляет вам неудобства. А когда вставляете в замок неверный ключ, то вспоминаете о какой-то якобы особенности вашего мозга и это застревает в памяти.

Я предложил испытать меня.

Он снова засмеялся и достал из кармана серебристую монету.

— Это доллар, — сказал он. — Мой счастливый доллар. Мой талисман. Когда-то мне подарил его в Вашингтоне чудаковатый бомж, которому я, пожадничав, бросил в картонную коробку три одноцентовые монеты, завалявшиеся в моем кошельке. Бомж догнал меня и, глумливо ухмыляясь, торжественно вручил мне доллар. «For good luck!»* — сказал бомж. И этот доллар действительно всегда приносил мне удачу. Не скажу счастье, но удачу, а это не шутка.

— Ок, — сказал я. — Давайте испытаем мою и вашу судьбу! Если с пяти попыток я неправильно угадаю, орел или решка, вы отдадите мне ваш доллар. Если я ошибусь и назову правильный ответ, вы получите сто баксов прямо здесь и сейчас.

Мефистофель задумался.

— Риск, конечно, есть, — сказал он, — но такой маловероятный, что я согласен...

---

* На удачу! *(англ.)*.

Через пару минут врач с удивленным видом протягивал мне доллар.

— Оставьте его себе, — возразил я.

— Нет уж, — Мефистофель нахмурился. — Вы сглазили мой талисман. А не хотите поиграть со мной на пару в рулетку? Рулетка хотя и запрещена законом, но не для таких людей, как мы. Вы будете подсказывать, ставить мне на черное или на красное, — а я буду ставить наоборот. Вдруг мы озолотимся?

— Исключено, — отказался я. — Как только вы свяжетесь со мной, моя судьба станет и вашей судьбой. Окажется, что я даю вам правильные советы, а вы будете принимать неправильные решения. В результате вам все же придется обманывать мой выбор и соглашаться с ним, но тогда он окажется неправильным.

— О-о, вы меня совсем запутали! — засмеялся Мефистофель и вернул счастливый доллар в свой карман…

Выбирая тропинки наугад, я тем не менее не просто правильно вышел из леса к поселку Спутник, но и оказался прямо напротив дома Даши, только на другой стороне шоссе. В том, что это был дом именно Даши, я убедился мгновенно, потому что из двери в высоком заборе вышла некрасивая усатая женщина, очень похожая на мою домработницу, которую когда-то выгнала Вика. На поводке перед ней скакала трехногая собачка.

Лиза!

Увидев меня, Лиза завизжала и, вырвав поводок из рук домработницы, бросилась ко мне через дорогу, чудом не угодив под мчавшийся прямо на нее черный «мерседес». Она выскочила на обочину букваль-

но из-под передних колес. И так же, как Лиза, завиз-
жали тормоза. Машина остановилась в ста метрах от
нас. Я вдруг подумал, что сейчас из нее выйдет отец
Нугзара, уж очень все складывалось одно к одному.
Но из «мерседеса» вышла молодая, стройная женщина в дорогой короткой шубке, с бледным, испуган-
ным лицом. Она осторожно приблизилась к нам,
с ужасом глядя на трехногую Лизу, — видимо, решила, что это ее рук, вернее колес, дело.

— Не волнуйтесь! — поспешил я успокоить ее. —
Это не вы оторвали собачке лапку.

Женщина задумалась, словно долго не могла найти слов. Потом пробормотала:

— Нет, ну живут же на свете такие уроды! — и вернулась в машину. Я так и не понял, кого из нас двоих
она имела в виду.

Лиза скакала возле моих ног на задних лапках,
как цирковая собачка, которая ждет от дрессиров-
щика премиального кусочка мяса, и даже описалась
от волнения.

Ко мне подошла домработница Даши (почему-то
я был уверен, что это именно домработница) и посмотрела на меня сурово.

— Дарья Семеновна у себя? — спросил я.

— У себя.

— Извольте доложить, что ее просит принять Иннокентий Иноземцев.

— Зачем так церемонно? — сказала она. — Я здесь
только второй день работаю, а вы, судя по реакции
Лизы, здесь нередкий гость.

— Ошибаетесь, уважаемая, — возразил я. — Я ни
разу не был в этом доме, и даже в вашем городе впервые. Извольте все-таки доложить.

Женщина пожала плечами и, выждав очередное окно между машинами, вернулась обратно.

Через пять минут она снова стояла рядом с нами.

— Дарья Семеновна вас ожидают, — церемонно сказала она, приняв мои правила игры. — Просят вас.

— Нет-нет, — сказал я. — Вы собирались прогуляться с Лизой? Это сделаю я, если не возражаете. Почему-то мне кажется, Дарье Семеновне нужно некоторое время, чтобы подготовиться к встрече со мной.

На самом деле некоторое время нужно было мне. Странно, но ни в поезде по дороге в С., ни в трамваях, ни в лесу, блуждая по тропинкам, я не испытывал ни малейшего волнения. Но сейчас чувствовал, что у меня подкашиваются ноги и я просто не в состоянии проделать путь через шоссе к дому Даши.

Я побоялся задать домработнице страшный вопрос: если здесь Лиза, то не здесь ли Вика?

Два дня назад я пришел в издательство к Варшавскому без звонка. Перед этим мне позвонил Игумнов и сообщил, что Варшавский с племянницей (он так и сказал: «с племянницей») вернулись с Кипра, но Вика на работу не вышла и, по словам дяди, уволилась.

— Где она сейчас? — спросил я.

— Это ты спрашивай у Варшавского, — ответил Слава. — Я же просил тебя не вмешивать меня в ваши семейные дела.

— Ты редкая сволота, Игумнов! — сказал я. — Ты втравил меня в такие дела, за которые нормальные мужчины даже не в морду бьют, а убивают!

— Ну ты же не нормальный мужчина! — засмеялся Игумнов. — Ты — Иноземцев, такой же редкий тип, как и я.

Варшавский встретил меня не так, как в первый раз. Смотрел холодно и коньяку не предлагал.

— Здравствуйте, Иннокентий Платонович, — сказал он. — Чем обязан?

— Ничем вы мне не обязаны, — ответил я. — Я даже не буду спрашивать у вас, где сейчас находится Вика. Я прошу только об одном: дайте мне телефон Даши.

Варшавский задумался. Мне показалось, просьба моя его удивила. Он, видимо, ожидал, что я буду искать дочь, а не мать.

— Нет, не дам, — наконец сказал он. — Вообще, мне кажется, вам нужно исчезнуть из нашей жизни...

— Ах, вам так кажется?! — закричал я. — А о чем вы, ее дядя, думали, когда позволяли племяннице жить со мной, зная, что она моя дочь?

Рысьи брови Варшавского взлетели под потолок.

— Вика — ваша дочь? — растерянно спросил он. — Почему вы так решили? Но как же Дарья? Как она могла позволить?

— Вот это я и хотел бы у нее выяснить. Дайте мне ее телефон!

— Не кричите вы так, — попросил Варшавский. — Сейчас все мои бабы у дверей соберутся.

— Мне плевать на ваших баб, — ответил я. — Ваша семейка изувечила мою жизнь. Сперва Игорь, потом Вика. За что?! За то, что я тогда не спустился к Даше?

Варшавский снова задумался.

— Да, — сказал он, — Вика рассказала мне на Кипре эту историю. Призналась, что нарочно влюбила вас в себя и бросила в Новый год, чтобы отомстить за унижение матери. Я, конечно, всыпал ей по первое число, но такие кульбиты вообще в ее характере. Она вечно что-то сочиняет, всегда жила придуманной жизнью. Вика не спрашивала у меня разрешения жить с вами. Она никогда ни у кого не спрашивает разрешения. Думаю, вы и сами это поняли, пока жили с ней. Но я не знал, что дело обстоит так серьезно. Боже мой! Теперь я понимаю, почему так страдал Игорь. Он никогда мне этого не говорил, но я же видел, я все-таки его брат. И она молчала все то время, пока жила с вами? Боже мой!

— Послушайте, хватит уже причитать, — возмутился я. — Ладно, вы не знали. Но Даша-то не могла не знать!

— И это для меня полнейшая загадка.

Я смотрел на лицо Варшавского и пытался понять, врет он или нет? Я уже никому не верил. Но у него были такие несчастные глаза, словно у пингвина, которого вместо Антарктиды привезли в Африку.

— Когда вы последний раз встречались с Дарьей? — вдруг спросил он.

— То есть в каком это смысле — когда? — удивился я. — Вам что, месяц назвать?

— Простите за любопытство, но хотелось бы...

— Да как вам не стыдно? — возмутился я. — Я не желаю обсуждать с вами эти подробности! Дайте телефон Даши!

— Нет, не дам! — решительно возразил Варшавский. — Уходите, Иноземцев. Исчезните навсегда. Вика, конечно, совершила большую глупость. Но вы мужчина, а она, в сущности, ребенок. И за то, что случилось, несете ответственность вы!

— Послушайте, Лев Львович, — как можно более спокойным тоном произнес я. — Я знаю, что однажды в жизни сделал огромную подлость. Но вы не знаете всего, что было со мной потом. А после того, что я знаю теперь, я просто не смогу жить, не встретившись с Дашей. Ладно, черт вас побери! Я собираюсь на коленях просить у нее прощения. Это мое объяснение вас устроит?

— Телефона не дам, — так же решительно ответил Варшавский. — А вот адрес — дам. Поезжайте! Желаю вам, чтобы Дарья так же не пустила вас в дом, как вы ее когда-то. Только одно условие. Вы поклянетесь, что никогда не будете искать Вику. Оставьте бедную девочку в покое. Воображаю, что она сейчас чувствует.

Прогулка с Лизой по зимнему лесу постепенно привела мои нервы в порядок. «Как все-таки важно, — думал я, — чтобы в твоей жизни было хотя бы одно живое существо, которое тебя любит! И неважно за что. Я не знаю, что у этой собачки в голове, и никогда не узнаю. Может быть, Лиза видит во мне только безотказного поставщика разных собачьих вкусностей. Но иногда мне кажется, она чувствует во мне родную душу. В сущности, мы с ней оба инвалиды».

Лиза вела себя в лесу по-хозяйски. Она как будто проводила со мной экскурсию, постоянно натягивала поводок и приводила меня к знакомым ей пням, деревьям и кустарникам, которые она, видимо, уже успела пометить. Приседала возле них, оставляя на снегу желтый кружок, и тащила меня дальше. Вдруг с хрустом слопала какой-то замёрзший гриб, оставшийся на поваленной берёзе с осени. Я сперва испугался, но тут же подумал, что собаки ядовитый гриб есть не будут. Наверное, у собак просто не бывает правильного или неправильного выбора. Не они выбирают хозяина, а хозяин их. Возможно, их жизнь вообще представляет из себя метафизический ужас. Вот миска, и она пуста. А теперь она полная. Но не тебе решать, будет она полной или пустой. Вот кто-то погладил тебя по шёрстке, это приятно. А в другой раз дадут сапогом под хвост, это больно...

Когда в декабре девяносто первого года приехала Даша, у меня была возможность выбирать. Я мог сделать правильный выбор. И сегодня Даша была бы моей женой, Вика — любящей дочерью, а Игорь — гениальным признанным поэтом, а не бизнесменом-неудачником, который, как считают, покончил с собой.

Но тогда мы с Игумновым играли в шахматы блиц-партию, а такая партия не позволяет долго обдумывать каждый ход. Выбор нужно делать мгновенно, интуитивно. Может быть, это и сыграло какую-то роль в моём выборе с Дашей. Роковую роль.

— Почему мой зам оставил именно тебя дожидаться моего возвращения? — спросил я Дашу тогда, в горах.

Она хитренько ухмыльнулась.

— Я сказала ему, что у меня... — она шепнула мне на ухо слово. — Он так испугался! Вы, мужчины, такие трусы, когда дело касается каких-то женских проблем!

— Ты соврала ему? — удивился я. — Но зачем?

— Понимаешь, — ответила Даша, — тогда, в парке, когда я поругалась с подругой, шла и ревела, и увидела тебя, и ты тоже плакал, я вдруг подумала: «Этот парень будет моим мужем!» Не знаю, почему я так решила, но это было решение на всю жизнь. Ты попал, Кешенька, ты крепко попал! Все женщины в моей родне по материнской линии — неисправимые однолюбки. И такие, знаешь, декабристки. Я сказала себе, что ты будешь моим мужем, и села рядом с тобой. И все, что происходило потом, решал уже не ты. Я обо всем знала заранее. Я все это увидела в своей голове еще в парке.

— Что ты увидела? — насторожился я.

— Например, как у нас родится сын и мы будем провожать его в армию. Или выдавать замуж нашу дочь. Но почему-то я была уверена, что это будет сын. Это зависит от того, кто кого сильнее любит. Я тебя или ты — меня...

— Какая чушь! Предрассудок, не подтвержденный статистикой. Ты еще о курице и огурце во сне расскажи.

— Да ладно тебе...

Подхожу к двери в заборе и нажимаю кнопку домофона. В следующую секунду у меня останавливается сердце, потому что я отчетливо слышу голос Вики: «Заходи, Кешенька, не стесняйся!» Но на крыльце стоит не Вика, а Даша. Вернее, постаревшая Вика. Вика, вдруг ставшая моей ровесницей.

Она приглашает меня в дом, помогает раздеться и усаживает за стол в светлой столовой, похожей на сказочную горницу. Зимнее солнце бьет в цветные занавески на окнах и бросает резные узоры на отчищенные до снежной белизны бревна стен. Мне сразу становится хорошо. Как будто я всегда жил в этом доме.

Даша о чем-то спрашивает меня, но я не понимаю ее слов и со всем соглашаюсь. Она уходит ненадолго и возвращается с тарелкой какой-то еды. Мотаю головой:

— Я не голоден.

— А под рюмочку? — спрашивает она.

— Под рюмочку — это можно!

— Виски, коньяк?

— А водки нет?

— Есть, — говорит она. — Водки и я с тобой, пожалуй, выпью. Терпеть не могу цветные напитки! Если только вино. Знаешь, после смерти Игоря я стала часто по вечерам пить вино. Как ты думаешь, я не сопьюсь?

— Исключено, — говорю я. — Ты слишком сильная для этого.

— Откуда ты знаешь?

— Я помню тебя в горах.

Даша приносит запотевший графин с водкой и две фарфоровые миски. В одной — соленые огурцы, которые, кажется, хрустят одним своим видом, в другой — матовые, с желтизной посередине шляпок грузди.

— Какая роскошь! — восхищаюсь я. — Откуда?

— Да ведь я практически в деревне живу, — смеется Даша. — Игорь сам выбирал это место для дома. И не показывал нам с Викой, пока не построил под ключ. Мы переехали сразу на все готовое. Убраны комнаты для меня и для Вики, в столовой накрыт стол, а на окнах цветные занавески. Горел камин…

Мы с Викой просто ахнули! У нас было такое чувство, что мы всегда тут жили.

— У меня точно такое же чувство.

Мы чокаемся с Дашей за встречу, выпиваем по стопочке, и наступает неизбежная в этой ситуации минута, когда не знаешь, что говорить, с чего начать разговор.

— Ты была счастлива с Игорем? — спрашиваю я и понимаю, что это очень глупый вопрос.

И она тоже это понимает и поэтому ничего не отвечает, а только улыбается в ответ. Конечно, Даша была с ним счастлива. Любила меня, а счастлива была с ним.

И глубоко ошибаются те, кто думает, что так не бывает.

— Игорь был настоящий мужчина, — вдруг говорит Даша. — Сегодня я думаю, что это единственный настоящий мужчина, которого я встретила в своей жизни...

«Я не в счет?» — хочу сказать я, но, конечно, не говорю.

— Ты — совсем другое дело, — отвечает Даша на мои мысли. — Ты был моим героем. Ты — большой писатель. У Игоря был другой талант. Он умел меня любить. Я понимаю, что рассуждаю эгоистично, но именно в этом был его талант. Игорь талантливо любил.

Мне вдруг становится обидно за моего товарища.

— Помилуй, Даша, — возражаю я. — Игорь был лучшим поэтом в Лите. Он писал гениальные стихи.

— Мне не нравились его стихи, — морщится Даша. — Игорь читал некоторые, посвященные мне. По-моему, плохо.

Теперь я понимаю, почему Игорь бросил поэзию.

— А мои романы тебе, значит, нравятся? — ядовито спрашиваю я.

— Они прекрасны, Кеша! Все, кроме первого. Но и в первом было что-то такое... Что-то такое, что обещало в тебе серьезного писателя.

Сказать ей? Нет!

Даша замечает, что во время разговора я смотрю не на нее, а на фотографию, которая висит в рамке между окон. Бьющий сквозь занавески солнечный свет не дает мне рассмотреть снимок, но я чувствую, что это какая-то очень важная фотография и что в ней находится разгадка многого, о чем мы еще не поговорили, но должны будем поговорить.

Даша встает из-за стола, снимает со стены фотографию и кладет передо мной.

— Я повесила это фото на стену, когда мы сюда переехали.

На черно-белом снимке стоят трое. Они стоят на Каменном мосту с видом на Кремль и Москва-реку. В центре стою я, Игорь и Даша — по бокам. Они положили мне руки на плечи. Даша смотрит на меня. Игорь смотрит на Дашу. Я смотрю в пространство.

— Кто это снимал? — спрашиваю я.

— Слава Игумнов, — отвечает Даша. — Фотоаппарат был мой, старенький «ФЭД», доставшийся мне от отца. Я хотела снять вас втроем, трех мушкетеров, но кадр на пленке остался последний. Слава отобрал у меня аппарат и заставил нас встать рядом. Мы стояли и ждали, когда он щелкнет, а Игумнов почему-то медлил. И тогда я вдруг посмотрела на тебя и удивилась. У тебя было такое отсутствующее выражение лица! И — такое вдохновенное! Такое же лицо у тебя было, когда мы собирали рюкзаки, а ты смотрел туда, где должен был находиться твой перевал. Кстати, я так и не спросила тебя, ты его нашел?

— Нет. А почему не спросила?

Она смеется.

— Я думала тогда о другом — извини!

— Даша, — серьезно говорю ей я. — Как же ты могла повесить этот снимок в вашем с Игорем доме? Ведь одного взгляда на него достаточно, чтобы понять, что ты влюблена в меня, и влюблена по уши. А ты не думала, что это жестоко по отношению к Игорю?

— Давай выпьем... — предлагает Даша. — За Игоря!

Выпиваем не чокаясь.

— Ух! — Даша морщится и смеется. — Вторая рюмка без закуски. Игорь бы меня за это убил!

— Вряд ли. Он слишком сильно тебя любил, — грустно говорю я.

— Да-да... Между мной и Игорем не было никаких секретов. Мы сразу обо всем договорились. Я сказала, что продолжаю любить тебя и не разлюблю никогда, так уж я устроена, а он сказал, что все понимает и уважает мой выбор. Но ты прав! Не стоило вешать это фото в нашем доме. Просто к тому времени, когда мы сюда переехали, я думала, что все уже позади, вся эта наша история. Каждый оказался на своем месте. Мы уже десять лет воспитывали нашу дочь. Игорь ее любил, мне казалось, даже больше, чем меня. Ты не поверишь, я иногда даже ревновала его к Вике.

— Да, это удивительно, — мрачно говорю я, но Даша меня, по-моему, не слышит.

— Игорь души в ней не чаял. Господи, сколько денег он потратил на ее увлечения, на ее образование!

— Прости, но мне она не показалась такой уж образованной. И со вкусом у Вики не все в порядке. Обожает любовные романы...

— Какая ерунда! — возражает Даша. — Вика и любовные романы — вещи несовместные. Моя дочь вундеркинд! Она окончила гимназию в пятнадцать лет и два года доучивалась в частной школе в Лондоне. Я никогда не видела у нее в руках любовных романов.

— Значит, мы жили с разными Виками, — замечаю я.

— Я никогда не понимала, — продолжает Даша, — что происходит в голове моей дочери. Иногда мне кажется, мы с ней очень похожи. Она такая же однолюбка, как и я. При этом Вика гораздо умнее не только меня, но и Игоря. Брат Игоря считает, что она финансовый гений и напрасно пошла по гуманитарной части.

— Этого я тоже как-то не замечал.

— Вот видишь! Не могу понять, в кого она такая? Ни в мать, ни в отца, а в заезжего молодца. Между тем моя дочь еще девочкой иногда давала Игорю такие дельные советы по его бизнесу, что он только руками разводил. Не могу понять, в кого она пошла?

И вот тут у меня лопается терпение!

— Послушай, Даша, — едва сдерживаясь от ярости, говорю я, — я ведь приехал к тебе не водочку с огурчиками вкушать. Я приехал, чтобы просить у тебя прощения за тот мой отвратительный поступок. И еще для того, чтобы спросить: как ты могла?!

Как могла, зная, что она моя дочь, позволить ей жить со мной?!

Каштановые глаза Даши становятся круглыми, как тарелки.

— Ты о чем? — изумленно восклицает она. — Ты с ума сошел?

О господи...

— Перестаньте мне врать! — кричу я так громко, что в дверь горницы заглядывает испуганная домработница. — Прекратите мне все врать! Вика! Ты! Варшавский! Игорь, пусть земля ему будет пухом! Пошли вы к дьяволу, вся ваша милая семейка! Я вас всех ненавижу!

— Что с тобой?

— Что со мной?! Что с тобой, Даша, милая?! Ведь ты чудовище, а не мать! Ты не могла не знать, что Вика живет со мной и скрывает, что она моя дочь!

— Вика не твоя дочь, Кешенька! — растерянно говорит Даша.

— А чья? Чья?!

— Игоря! Мы расписались с ним в марте девяносто второго года, первого января родилась Вика. Как она может быть твоей дочерью?

— Врешь! Врешь! Мы отмечали ее совершеннолетие в августе...

Даша хватается за голову.

— Я ей задницу надеру! Нет, ну какая мерзавка! Но ты тоже хорош! Ты в паспорт ее заглядывал?

Все, что потом говорит мне Даша, уже не имеет никакого значения. Я понимаю, что я круглый идиот. Я понимаю, что виноват во всем, что случилось. Варшавский прав. И Игумнов прав. Я — не нормальный мужчина. Нормальный мужчина, глядя в раскрытый паспорт своей девушки, непременно поинтересовался бы, что за цифры такие стоят, ну, буквально в следующей строке под ее отчеством. Я же увидел только отчество и еще фамилию. Но Вика! Каким хладнокровием нужно обладать, чтобы открыть перед моими глазами паспорт и при этом быть уверенной, что я не замечу даты ее рождения! И какой психологической проницательностью, чтобы сыграть со мной в эту дьявольскую игру! Как глубоко понимала меня эта девочка, это маленькое чудовище с толстой попой и веснушками возле носа! Она ни разу не ошиблась! Она вела свою партию, как гроссмейстер, играющий с любителем. И это был — да! да! — потрясающий блиц! Невероятный блиц!

Все, что рассказывает мне Даша, я знаю и без нее. А если и не знаю, то догадываюсь. Вика влюбилась в меня девочкой, глядя на эту фотографию. Да, наверное, Игумнов, снимая нас, случайно поймал то выражение мужского лица, которое особенно нравится девочкам. Я здесь такой загадочный, такой *нездешний*. Настоящий *Иноземцев*. Ну, просто сказочный принц!

Даша никогда не рассказывала Вике о том, что произошло в декабре девяносто первого года. Но в пятнадцать лет Вика уехала учиться в Англию, а когда вернулась и они втроем отмечали ее семнадцатилетие... У Игоря тогда уже дела шли неважно. Не пошел на уступки «серым полковникам», не захотел делить с ними бизнес, закусил удила... Может быть, вспомнил, что он, черт возьми, еще и поэт... И вдруг за столом Вика ляпнула при отце и матери как бы в шутку: «Знаешь, Даша, Игорь, конечно, прекрасный, он лучше всех! Но если бы я была на твоем месте, то влюбилась бы не в него, а в Иноземцева. Ты уж прости нас, Игорь! Это между нами, девочками, разговор».

Игорь засмеялся, но при этом сильно покраснел и тоже неловко пошутил: «Да, дочка, я всегда подозревал, что у нашей мамы нелады со вкусом на мужчин. Так что неудивительно, что она выбрала меня».

Потом встал, извинился, сказал, что нехорошо себя чувствует, и поднялся к себе в кабинет. А вот Даша пришла в ярость. Она влепила Вике пощечину, а когда та заревела, звенящим шепотом пересказала ей эту историю.

Даша не была беременной. И телеграммы о своей беременности она мне прислать не могла. Тут меня все еще подводит память. Такую телеграмму не приняли бы на телеграфе без справки от врача, как не приняли бы, например, не подтвержденное документом извещение о смерти, чтобы избежать возможного розыгрыша. Даша дала телеграмму, что нам нужно встретиться и серьезно поговорить. Она заканчивала вуз, и Лев Львович Варшавский предложил ей место в московском издательстве, где работал главным редактором. Конечно, он сделал это по просьбе Игоря. И я понимаю, зачем Игорь просил брата об этом. Игорь знал, что я мечтаю остаться в Москве и что это единственная помеха моей женитьбе на Даше, девушке без московской прописки и жилплощади. И он решил сделать нам подарок. Тайный! Чтобы мы с Дашей, не дай бог, не считали себя чем-то ему обязанными. Ну вот что у этих поэтов в голове? Варшавский еще до окончания Дашей вуза послал в С. на нее запрос. Дескать, нуждается в ценной сотруднице, готов предоставить ей должность редактора в своем издательстве и хлопотать о московской прописке. Когда Даше на факультете сказали об этом и все дружно стали ее поздравлять, она заподозрила, что без участия Игоря дело не обошлось, и решила встретиться с нами обоими и все серьезно обсудить. А я, прочитав телеграмму, решил, что серьезный разговор — это... Ну а Игорь, услышав от меня о беременности Даши, возрадовался, что все так отлично для нас устроил. Идиот! Ну а потом произошло то, что произошло.

Впрочем, Даша рассказала мне и кое-что новое. Тогда на вокзале у нее украли сумочку с деньгами, но паспорт остался в кармане куртки. Поэтому она постеснялась обращаться в милицию и добиралась в С. на электричках. Провинциальная дурочка! Несколько раз ее высаживали на промежуточных станциях контролеры. До С. она доехала на третьи сутки, едва живая от голода. Шатаясь, подошла к своему подъезду, а там на скамейке уже сидел Игорь. У Даши едва хватило сил послать его к черту.

— Да-а, — протяжно произносит Даша. — Но до какой же степени я не знала свою дочь! Пока я все это ей рассказывала, сама заплакала, а после стала просить у нее прощения за пощечину. Вика подошла ко мне сзади, обняла за плечи, и мы прорыдали так с полчаса. Потом Вика пошла извиняться к отцу. На следующий день Игорь погиб в автокатастрофе, а через день после его смерти ко мне пришел его адвокат и показал завещание, где Игорь все оставлял Вике. Оно было помечено первым января, ее днем рождения. Оказывается, основную часть своих активов Игорь хранил на Кипре, но об этом никто не знал. В тот день Вика стала одной из самых богатых девушек в Европе — так сказал адвокат. До Викиного совершеннолетия ее опекуном назначался Лев Варшавский. Поэтому он и заплатил все долги Игоря, понимал, что не прогадает. Теперь об этом уже можно говорить открыто.

— Почему — теперь? — спрашиваю я.

— Потому что второго января этого года Вика официально вступила в права наследования. Теперь у Вики есть кипрское гражданство — так что здесь ей ничего не угрожает...

— Понятно, зачем они летали на Кипр, — грустно усмехаюсь я. — Самая богатая девушка Европы, говоришь?

— Тебя это расстраивает?

— Меня это не касается...

— Ну во-от, — продолжает Даша. — Летом прошлого года мы полетели с ней в Москву. Вика возвращалась в Лондон, а я ее провожала. Два дня пошатались по столице, накупили разных тряпок...

— Разве вы не подавали документы в институт печати?

— Зачем ей институт печати? — удивляется Даша.

— В самом деле, зачем? Это я просто так спросил.

— ...Все было хорошо. Но тут, как на грех, мы увидели на Доме журналиста объявление о твоем вечере. Я, конечно, не хотела идти категорически, но Вика настаивала, а отпускать ее к тебе одну я побоялась. Я как чувствовала, что эта негодяйка что-то задумала!

— Да, у твоей Вики невероятно богатая фантазия.

— Согласна... Мы пришли и сели с Викой в заднем ряду. Ты говорил о памяти... Очень красиво и вдохновенно говорил.

— Это мы можем.

— Мне казалось, что Вика тоже заслушалась. Вдруг она наклонилась ко мне и прошептала: «Слушай, Даша, а он все-таки очень симпатичный мужчина! Хочешь, я его на себе женю, чтобы отомстить за твое унижение?» Я в шутку ударила ее ладонью по губам...

— Дальше я знаю, — говорю я. — Вы подошли за автографом, а я сказал: «Как вы похожи, мать и дочь! Вас просто не различить!»

— Ты это не только сказал, — говорит Даша, — ты написал это на титульной странице своей книги. Показать?

— Нет уж, уволь, пожалуйста!

— Я решила, что ты просто забыл обо мне. Ведь прошло столько лет. Но Вика подумала иначе. Вика решила, что ты издеваешься над нами. Скажи, а как было на самом деле?

— Ты права, Даша, я просто забыл.

— Конечно! Я была в этом уверена! Ну а потом, — продолжает Даша, — Лев Львович позвонил и сообщил мне, что Вика живет с тобой.

— Подожди, а как же Лондон?

— У Вики всегда было семь пятниц на неделе. Она отказалась лететь в Лондон. Вика сказала, что любит Россию и хочет поработать у дяди в издательстве. Пойти по моим стопам, так сказать. Мерзавка! Сказала, что, когда станет богатой, они с дядей откроют свое издательство, какое-то принципиально новое.

— Что-то такое я уже слышал...

— Ну во-от... Конечно, я не была в восторге от ее решения. Я имею в виду ее жизнь с тобой. Меня совсем не грела перспектива стать твоей тещей. К тому же ты женат, у тебя сын, у вас с Викой большая разница в возрасте... С другой стороны, как говорила моя покойная мама, все в этой жизни решаемо. Наверно, это генетическое. Все женщины в нашем роду влюблялись один раз и на всю жизнь.

— Я думал, так бывает только в любовных романах.

— Кеша, я не знаю, как бывает в любовных романах. Я их не читала.

— Странно! Одна умная и хорошо знакомая тебе девушка сказала: «Все женщины любят любовные романы, но не все в этом признаются».

— Ты ее не больно-то слушай. У нее не язык, а помело.

— Это чистая правда.

— Словом, я смирилась. К тому же Игумнов и Лев Львович отзывались о тебе как о глубоко порядочном человеке. Да ведь и я тебя неплохо знаю. Кеша, ты тогда совершил не подлость. Ты совершил глупость. Не знаю, был бы ты счастлив со мной? Но разве сейчас ты счастлив?

— Нет.

— И вот ты сидишь в моем доме, но это не твой дом. Тебе здесь хорошо?

— Да.

— Вот видишь. А это мог бы быть твой дом. А Вика могла бы быть твоей дочерью на самом деле. Ты никогда не жалел об этом?

— Нет, Дашенька, я все забыл.

— Ну и ладно. Я тебя прощаю.

— Спасибо, Даша! А где Вика?

— А это мы сейчас выясним! — зловещим шепотом произносит Даша. И вдруг кричит: — Спускайся вниз, засранка! Подслушивала нас?

Я с изумлением смотрю на Дашу... Я недооценивал эту женщину!

Со второго этажа раздается противный голосок Вики:

— Даша! Ведь я тебя просила!

Срываюсь с места и бегу на второй этаж. Вика заперлась в комнате на ключ.

— Открывай! — кричу я. — Открывай, или я выломаю дверь!

Слышу поворот ключа в замке. Выжидаю две минуты, чтобы выровнять дыхание.

Она сидит в кресле, укутавшись пледом.

— Пошел вон!

Сажусь с ней рядом на корточки, как в тот день, когда она впервые пришла ко мне и заснула на моем диване.

— Просто скажи мне, что ты еще ничего окончательно не решила.

— Решила! Этого не будет!

— Тогда, по крайней мере, выслушай меня. Ты, девочка, мстила не мне. Ты мстила своей матери за Игоря. И еще — себе за то, что он погиб. Но я через Игумнова навел справки. Игорь не покончил с собой. Игорь не мог этого сделать, потому что слишком любил тебя и Дашу. В машине просто отказали тормоза.

— Этого не будет, — повторяет Вика.

Даша с Лизой провожают меня через лес к трамвайной остановке. Даша хотела вызвать такси, но я отказался. Заказывать билет на самолет тоже отказался. Мне нужно привыкать к недорогому общественному транспорту. К простым людям.

— Может, заберешь Лизу с собой? — спрашивает Даша. — Она нас тут с Викой с ума свела! Вот уж кто тебя любит!

— Да, — говорю я. — Но это меня не утешает.

Когда подходит трамвай, Даша просит пропустить его и подождать следующего.

— Зачем?

Однако — пропускаю.

— Скажи, а у тебя есть дубликат ключей от твоей квартиры?

— Допустим, есть, — удивленно говорю я. — А что такое?

— Оставь мне свои ключи.

Смотрю Даше прямо в глаза. Это глаза Вики.

— Это то, что я сейчас подумал?

— А что ты сейчас подумал? — смеется Даша.

До Москвы добираюсь на электричках зайцем. Несколько раз меня высаживают контролеры, но почему-то мне это по кайфу. Никогда в жизни не путешествовал с таким азартом и удовольствием. Забираю у соседей запасные ключи, пытаюсь открыть дверь, но она заперта изнутри. Мое сердце подпрыгивает, а затем плавно спускается вниз, как на парашюте...

— Открывай! — кричу. — Или я сломаю дверь!

Вика сидит на диване в маминой ночнушке в своей классической позе, поджав коленки к голове и положив на них подбородок. Читает любовный роман.

— Что у нас сегодня? — спрашиваю. — Султан, горец, голубой ковбой? Нельзя ли что-нибудь новенькое?

— Роман про инцест, — говорит Вика. — Дочь мстила отцу за унижение матери и затащила его в постель.

— Я в восторге!

Жизнь прекрасна

Раньше я не понимал, до какой же степени медленно, словно улитка вверх по стволу дерева, ползла моя судьба после того, как я получил травму и потерял половину своей памяти. Хотя, возможно, в этом и заключалась магия моей прозы, которую уловил Ш. Читая мои (или Ш.) романы, читатели как бы выпадали из привычного темпа времени, и это, наверное, имело даже какой-то психотерапевтический эффект... Но с появлением в моей жизни Вики все изменилось.

Начало 2011 года было таким же сумасшедшим, как и вторая половина 2010-го. За несколько дней я приобрел дочь и потерял дочь. Я приобрел любимую женщину, и потерял, и снова приобрел. Но когда я сказал об этом Вике, она возмутилась: «Я не вещь и не собака, чтобы меня приобретать, терять и снова приобретать! Что за сексизм, папик?» Эта мерзавка продолжает называть меня папиком. Но я не бунтую. Папик так папик.

В феврале Максиму исполнилось восемнадцать лет, и мы с Тамарой пошли разводиться.

Работница загса удивленно посмотрела на круглый живот Тамары и попросила меня выйти на минутку из кабинета. Я вышел, но дверь закрыл не до конца.

— Гражданочка! Вы не хотите дождаться родов, чтобы заодно подать на алименты? Мы, женщины, такие доверчивые! Все мужики при разводе говорят одно, но потом получается совсем другое.

— Это не его ребенок, — отвечает Тамара.

— А чей же тогда? Впрочем, да, простите!

Работница вздыхает и приглашает меня в кабинет.

В начале апреля мы провожали Максима в армию.

На сборный пункт пришли я и Тамара под руку с Сергеем Петровичем. Мы с ним церемонно раскланялись, но руки ему я не подал. Вот еще! Спал с моей женой! Так сказать, по-соседски!

Максим, худой, коротко остриженный и оттого совсем не похожий на себя прежнего, выглядел трогательно и немного жалко. Мы с Тамарой не сговариваясь даже пустили слезу. Сергей Петрович хотел было сказать ему напутствие в своем духе, но Максим демонстративно отвернулся от него и подошел ко мне. Молодец, сын!

Я никаких напутствий давать не стал. Я обнял его, положил руку на его умную бритую голову и сказал:

— Прости меня, если можешь!

Максим покраснел.

— Проехали, пап! Береги Вику!

И тут примчалась сама Вика. А ведь я просил ее! Бросилась моему сыну на шею и тоже заплакала.

— Прости! Прости! — шептала она.

На нас уже неодобрительно посматривал прапорщик, новобранцы посмеивались и шушукались между собой …

— Эй, хватит! — сказал Максим. — Устроили здесь Прощеное воскресенье!

У Вики заметно круглился животик, и Максим это увидел. Потому-то я и просил Вику не приходить. Но она за моей спиной стакнулась с Тамарой и по телефону обсуждает с ней проблемы беременности. Даша, то есть моя теща, для Вики не авторитет в женских вопросах. Наверняка Тамара и сообщила адрес сборного пункта.

Я боялся реакции сына. Но Максим только широко улыбнулся.

— Кого ждем? — спросил он меня.

— Вика уверена, что будет девочка, — смущенно сказал я.

— Девочка, девочка! — уверенно подтвердила Вика.

— Клево! — воскликнул Максим. — Значит, когда я вернусь из армии, у меня будет сразу две сводные сестры? Ну вы, предки, блин, даете!

И ушел в строй.

В середине апреля Тамара родила дочь и назвала ее Марусей. Мария Сергеевна родилась чуть раньше положенного срока, но здоровенькой. Однако через две недели выяснилось, что никакая она не Сергеевна.

Звонок от Тамары раздался глубокой ночью, когда мы с Викой спали. Я взял телефон, тихонько вышел на кухню и включил связь, уже предчувствуя недоброе.

Тамара говорила шепотом, и в голосе ее слышался страх.

— Кешенька, помоги мне! Я не знаю, что делать! Сергей прописал в квартире какую-то молодую бабу из деревни. Он сказал, что это его сестра, а прописка ей нужна временно, чтобы устроиться на работу и снять свое жилье. Но, Кешенька, он живет с ней! Никакая она не сестра! Он с ней спит, а меня выселил в бывшую комнату Максима… И вообще, требует, чтобы я уходила жить в квартиру Максима, иначе грозит выселить меня в Капотню. Я не соглашаюсь, я не хочу терять свою жилплощадь. Но они третируют меня! Эта баба на меня орет, толкает локтями в коридоре и на кухне, плещется в ванной по два часа, а мне нужно дочь купать. Сергей молчит и глядит на меня зверем…

— Почему ты говоришь шепотом? — спрашиваю, хотя и сам говорю шепотом, чтобы не разбудить Вику. — Почему ночью?

Тамара рыдает.

— Потому что я их боюсь! Боюсь!

Ни хрена не понимаю!

— Погоди, Тамарочка! Но ведь Маруся — его дочь.

Тамара долго молчит, и это ее молчание пугает меня еще больше, чем предыдущая истерика.

— Это не его дочь, — наконец говорит она уже не шепотом. — У Сергея не может быть своих детей. Это последствие Чернобыля. Он мне и справку недавно предъявил.

— Какую справку? — кричу я. — Какую еще справку?! Он что, все знал и молчал? Ничего себе геройвертолетчик!

— Никакой он не вертолетчик, — усталым голосом говорит Тамара, — а заведующий хозчастью вертолетного отряда. Ни разу за штурвалом не сидел. Всего три дня провел в Чернобыле, сбежал и оформил себе пенсию по инвалидности. Бог с ним! Дело в том, что он отказывается регистрировать Марусю на свое имя. Требует генетической экспертизы. А я не позволю им брать кровь у малышки!

— Почему он раньше молчал?

— Думаю, боялся Максима.

— А меня он не боится? Напомни-ка мне, на каком этаже вы живете? На восьмом, не так ли? Я сейчас приеду и выброшу его из окна! Пускай раз в жизни сам полетает!

— Не делай этого! — испуганно просит Тамара. — Ты сядешь! Этого не нужно ни мне, ни нашей дочери.

— Какой еще нашей?! — опять кричу я.

В этот момент в кухню заглядывает Вика.

— Что случилось?

— Ничего, — говорю, зажав трубку ладонью. — У Тамары с Сергеем Петровичем прорвало водопровод. Залили соседей, и оба в панике. Иди спать.

— Ладно, — говорит Вика и уходит.

Я заметил: беременные женщины не чутки к чужим проблемам. Тем не менее я плотнее закрываю дверь.

— Какой еще нашей? Ты с ума сошла?

— Помнишь лето прошлого года? Помнишь морс? Сядь на стул, Кеша, если стоишь. Это твоя дочь.

— Значит так, Тамара, — спокойно говорю я. — Будем рассуждать здраво. Прошлого уже не вернешь. И к тебе вернуться я не могу. У меня другая жена, а у тебя другой муж.

— Он мне не муж.

— Что?!

— Мы не расписались. Сергей с этим тянул, объяснял какими-то дополнительными льготами, которые мы получим, а я, дура, ему верила. Теперь у меня нет мужа, а у Маруси нет отца.

— Что?!

— Это я тебя спрашиваю «что», — вдруг сердито говорит Тамара. — Заделал мне ребенка! И что мне теперь делать?

Ох, как мне хочется послать ее... к Сергею Петровичу! Хотя понимаю, сам виноват. Когда я ушел, в Тамаре взыграла женская обида, и назло мне она сошлась с вертолетчиком. Но дачная история жаркого прошлого лета на моей совести.

— Не реви! — говорю я. — К тебе я не вернусь, но дочь запишу на свое имя. И с вертолетчиком как-нибудь разберемся.

— Как?!

— Не твоего бабьего ума дело, — грубо отвечаю я.

Возвращаюсь в спальню. Вика не спит. Не знаю, слышала ли она наш разговор, но это неважно. Рассказываю как есть.

Странно, но Вика воспринимает новость абсолютно спокойно. Вот он, Дашкин характер. Железный!

— И что мы будем делать? — спрашивает Вика.

Мне нравится, что она спрашивает об этом во множественном числе. Значит, не оставит меня один на один с этой проблемой.

— Спать будем, — отвечаю я. — Утро вечера мудренее. И вообще, дорогая, тебе нельзя волноваться.

— Ты прав, как всегда, милый!

Утром Вика готовит на кухне завтрак, а я ищу на журнальном столике золотую визитку отца Нугзара.

— Все визитки лежат в твоем письменном столе в верхнем ящике! — кричит Вика, не выходя из кухни. — Я их собрала и стянула резинкой. Там и визитка Георгия Ашотовича!

— Его зовут Гиви, — возражаю я.

— Думаю, тебе стоит называть его полным именем!

Ого! Кажется, во второй раз я правильно женился.

Мне показалось, что Жвания ждал моего звонка.

— Здравствуй, Иннокентий! Почему не звонишь?

— Ну вот... Звоню...

— Э-э, нет, дорогой! Сейчас ты звонишь по делу. Почему просто так не звонишь? Обидно!

Начинаю издалека.

— Давно не видел Нугзара, — говорю я. — С вашим сыном все в порядке?

— Твоими молитвами, дорогой! С Нугзаром все отлично. Парень наконец понял, что чужого брать нельзя, но и своего упускать не надо. Спасибо тебе! От души! Нугзар остепенился и работает начальником моей охраны. Через год-другой хочу его в Лондон отправить. Большие дела у меня там намечаются. Страшный секрет тебе говорю, но ты же меня не выдашь?

Дальше наш разговор течет как по маслу. Жвания почему-то считает себя моим должником. Рассказываю ему ситуацию с Тамарой во всех подробностях.

— Я услышал тебя, — говорит он. — Сделаем! Куда, говоришь, он хочет переселить Тамару с дочерью?

— В Капотню.

Звучит отбой связи. Вечером мне звонит Тамара и удивленным голосом сообщает, что Сергей Петрович «с бабой» собирают вещи и переезжают в Капотню.

— Как, уже сегодня?

— Да, они очень спешат, представляешь! Сергей Петрович говорит, что если сейчас он упустит такое выгодное предложение, то не простит себе. А из моей квартиры они выпишутся на днях.

Опять звоню Жвании.

— Георгий Ашотович! Может быть, не надо так жестоко? Пусть этот тип переедет обратно в свою квартиру на нашем этаже. Это его квартира.

— Запомни, Иннокентий! — строго говорит Жвания. — Никогда не бери чужого, но не упускай своего. Зачем вертолетчику хорошая квартира в хорошем районе? Его дом — небо! Мы предложили ему прописку сразу на небесах, а он отказался. Вернется из армии твой сын. Молодой парень, красивый, завидный жених со своей квартирой. Зачем ему жить с матерью, сам подумай! — И неожиданно приглашает меня поработать в его бизнесе.

Весьма странное предложение!

— Что я буду делать? — усмехаюсь я. — Я только романы писать умею, да и то, как оказалось... не умею.

— Э-э, ерунда! — смеется Жвания. — Для умного человека с умной женой всегда найдется работа!

— При чем тут моя жена?

— Вика тебе не говорила?

— Нет.

— Плохо! Жена всегда должна говорить мужу о своих делах. В отличие от мужа — понимаешь?

Пока я разговариваю с Жванией, Вика сидит напротив меня на диване и читает любовный роман. Закончив разговор, я смотрю на нее. Смотрю в глаза.

— Что это значит? Какие дела у тебя с этим грузином? Тебе не хватило общения с его сыном?

Каштановые глаза делаются ледяными. Или стальными.

— Это не твои дела, папик, — говорит она. — Это наши дела.

— Может, все-таки объяснишь мне?

— Не объясню! И ты все равно ничего не поймешь.

Приплыли, поручик!..

Мы с Тамарой пришли оформлять Марусю на мое имя. Как назло, в кабинете сидит та же работница загса.

— Передумали? — спрашивает она. — Снова хотите оформить брак? Так часто бывает. Разводятся, а через месяц женятся.

Объясняю, в чем дело.

— Надо же! — говорит. — Просто роман какой-то!

— Еще какой! — соглашаюсь я. — А вы любите любовные романы?

— Люблю, — говорит, — но такие, которые со счастливым концом.

— Они все со счастливым концом, — говорю я. — Иначе не бывает.

В начале октября едем забирать Вику из родильного отделения. Лев Львович — за границей по делам. Даша прилетела из С., но в самолете успела подхватить какой-то вирус, и Вика запретила ей даже приближаться к новорожденной, пока не выздоровеет. За рулем «мерседеса» Варшавского — Георгий Константинович Жуков.

— Скажите, маршал, как ваших родителей угораздило назвать вас Георгием? Нет, я понимаю, звучит гордо. Но вас такая комбинация не смущает?

— Отца идея, царство ему небесное! — ворчит охранник. — Наверное, думал, что буду маршалом.

— А кем был ваш родитель?

— Истопником в кочегарке.

По заданию Вики я везу два больших пакета с любовными романами. Они нами уже прочитаны, и Вика хочет одарить ими медсестер и нянечек. Заглянув в пакеты, Георгий Константинович неожиданно тоже проявляет к ним интерес.

— Можно взять парочку? — смущенно говорит он.

— Берите, маршал!

Стою в выписном холле с букетом алых роз в одной руке и пакетами любовного чтива — в другой. Чувствую себя дураком.

— Что это у вас в пакетах? — спрашивает вышедшая ко мне старшая медсестра.

— Книги, — растерянно говорю я. — Жена просила принести для персонала.

Медсестра заглядывает в один пакет и тут же отбирает у меня оба.

— Сама раздам! — говорит она и торопливо удаляется.

— Эй! — кричу я. — Здесь роддом или библиотека? Где моя дочь?

— Не беспокойтесь, мужчина! — отвечает медсестра. — Сейчас ваша дочь с вашей внучкой выйдет. А папа где?

— В Караганде.

— Мог бы и приехать!

Открывается дверь, и ко мне выходит нарядная Вика. Рядом с ней идет незнакомая медсестра с белым свертком в руках, перевязанным розовым бантом. Вика чмокает меня в щеку и указывает глазами на медсестру.

— Конверт! — шепчет она.

Ох, черт, совсем забыл!

Достаю из кармана конверт с пятью тысячами и протягиваю медсестре. Та передает мне сверток и заглядывает в конверт.

— Надо же! — удивленно говорит она. — За девочек обычно меньше дают. Спасибочки!

Вика хохочет и отбирает у меня букет роз. Осторожно заглядываю в лицо Маруси. Маруся! Я же просил Вику не называть дочь Марусей! Но разве она когда-нибудь кого-нибудь слушала?

Маруся спит. Идем к машине. Маршал Жуков стоит навытяжку и держит открытой заднюю дверь.

— На кого она похожа? — задаю в машине неизбежный глупый вопрос, который задают, кажется, все папаши.

— Вылитая ты! — говорит Вика. — Неужели не видишь?

— Почему не вижу? Вижу.

И тут Маруся открывает глазки и смотрит на меня очень внимательно. Весьма странно, потому что у новорожденных не бывает такого прозрачного и разумного взгляда.

— О чем она сейчас думает? — спрашиваю я Вику.

— Она думает о том, какой интересный мужчина на нее смотрит. Вот вырасту, думает она, и сяду ему на шею. Буду им помыкать, он будет исполнять мои капризы, покупать мне самые дорогие тряпки и украшения, а моя мама начнет ревновать его ко мне.

— Правильно, — говорю. — Ведь мама станет старой и некрасивой. Зачем она будет мне нужна, когда рядом со мной такая красивая и молодая? Да, Маруся?

— Напугал, — говорит Вика. — У кого-то к этому времени уже песок с головы будет сыпаться.

Но в квартире Вика перестает на меня сердиться.

— Не знала, что у нашего папика есть художественный вкус, — говорит она, осмотрев кроватку, которую я купил и приготовил для Маруси, украсив бантами и погремушками.

— Послушай, Вика! — возмущаюсь я. — Ты можешь хотя бы теперь не называть меня папиком?

— Почему нет? — удивляется Вика. — Как раз теперь ты и стал настоящим папиком.

Почему я ее не убил?

Вика стоит над кроваткой, где спит Маруся, слегка покачивает ее и пристально смотрит в лицо нашей дочери. Сижу в кресле и потягиваю белое вино из бокала.

— Выслушай меня, Кеша, — вдруг произносит Вика каким-то странным голосом. — Я должна признаться. Не знаю, как ты это выдержишь, но лучше сразу сказать тебе правду, чем лгать всю жизнь. Скажи, ты готов меня выслушать?

Стекло бокала звякает о мои зубы.

— Говори.

— Ты готов это выслушать и принять?

— Говори.

— Видишь ли, Кешенька... Мне стыдно в этом признаться, но рано или поздно мне пришлось бы это сделать.

— Да говори же, черт тебя возьми!

— Я ненавижу любовные романы.

Щупаю пульс. Двести, не меньше.

— Зачем же ты ими занимаешься?

— Бизнес, ничего личного, папик.

— И это все? — спрашиваю я.

— Ты меня простишь, Кеша?

— Ни за что, — отвечаю я. — Не знаю, что я сделаю, но я тебе: а) отомщу, б) скоро отомщу и в) страшно отомщу!

Улыбаюсь. Как идиот. Жизнь прекрасна!

Первый эпилог

— Ну и как вам мои записки? — спрашивает Иноземцев. — Понравились?

— Вы хотите услышать правду? — спрашиваю я.

— Конечно.

— Они отвратительны!

— Вот как? Но почему?

Мы сидим с ним на той же лавочке у пруда. Перед Иноземцевым розовая коляска с Марусей, возле ног сидит трехногая Лиза и маслянисто-черными глазками умоляет хозяина взять ее на колени, что он в конце концов и делает.

— Зачем, — говорю я, — вы мне солгали? Ведь это никакие не записки к роману, а сам роман.

— Браво! — восклицает Иноземцев. — Видите, я в вас не ошибся. Рыбак рыбака видит издалека.

— Разные мы с вами рыбаки, — говорю. — Разную мы с вами рыбу ловим и в разных водоемах.

— Раз вы так проницательны, то догадались, что над этим текстом тоже работал Ш.?

— Догадался. Но как он оказался у вас?

— Бедный Ш.! — вздыхает Иноземцев. — Он сам прислал мне его на почту, чтобы я узнал о своей бездарности. Но это не принесло ему облегчения. На днях в издательстве «ВЕ» мы оказались с ним вдвоем в лифте. Мы не могли смотреть друг на друга. Мы стеснялись, как две голые монахини. Выходя из лифта первым, он обернулся и сказал: «Я тебя ненавижу, Иноземцев! Ты сломал всю мою жизнь!»

— Интересно, а что вы делали в издательстве? — язвительно спрашиваю я. — Вы же как бы на писательскую пенсию вышли.

— Да, вышел. Но иногда забредаю к Игумнову по-приятельски. Жена категорически запрещает мне пить, а у Славы всегда в запасе хороший коньячок-с.

— Коньячок-с... — повторяю я за ним. — Вы способны пить с ним коньячок-с... После того, что сделали с людьми и написали об этом бездарный роман!

— Ну, во-первых, — возражает Иноземцев, — не так уж он и бездарен. Все-таки чувствуется рука Ш., а он даровитый писатель. Во-вторых... А как вы догадались, что это не записки, а роман и что с ним работал Ш.?

— Я понял это, когда Ш. с неприязнью стал описывать вашу внешность в середине романа. В записках не описывают свою внешность. К тому же Ш. изобразил вас слишком карикатурно. На самом деле вы не носите очки, у вас спортивное телосложение, и вообще, вы такой фактурный мужчина, какими бывают, как правило, бездарные актеры. Они всегда играют героические роли и поэтому так нравятся разным глупеньким девочкам.

— А вы злой, молодой человек!

— Я еще не все вам высказал... Но сначала ответьте на вопрос: почему Игумнов не издал этот роман?

— Во-первых, потому что Ш. обозлился. Ему надоело писать романы, слава за которые достается мне. Ш. стал откровенно халтурить и почти ничего не изменил в записках, только стиль немного поправил.

Во-вторых, в главе «Бездарность» он вынес сор из избы Игумнова — а Игумнову это было не нужно. Все равно после сокращений он выпустил бы роман под моим громким именем. Но права на роман выкупила Вика. Она деловая женщина. У нее репутация… у нее только начинается жизнь.

— Какая же это жизнь, — говорю я, — если это жизнь с вами? Вы построили свое счастье на руинах жизни других людей.

— Кого же именно?

— Да всех, кто был с вами рядом. Даши и Игоря. Вики и Максима. Тамары и Сергея Петровича, которого ваша бывшая жена не любила, но собиралась выйти за него замуж, потому что натерпелась с вами. В итоге вертолетчик лишился своей квартиры и живет в Капотне. Он неприятный тип, но, в отличие от вас, он все-таки любил свою жену. Вы хотите правды? Что ж, я скажу. Вы мне отвратительны! Желаю, чтобы Вика вас тоже бросила и вы остались бы вдвоем с вашей собачкой, которая не понимает, кто вы такой на самом деле.

— Пожалуй, вы правы, — соглашается он. — Мне тоже очень не нравится этот роман.

— Какой роман? — возмущаюсь я. — Вот он, ваш роман, сопит в коляске. А другой роман живет с матерью-одиночкой в пустой трехкомнатной квартире. И вы еще имеете наглость говорить, что ваш роман вам не нравится? Вы чудовище, Иноземцев! Заберите рукопись, и мы не знакомы…

— Вы поспешны в суждениях, как все молодые люди, — вздыхает Иноземцев.

И в этот момент я замечаю, что к нам по дорожке приближается женская фигура.

— Вот и наша мама идет, — говорит Иноземцев. — Вы ведь, кажется, хотели ее видеть?

К нам подходит красивая женщина средних лет с моложавым и миловидным лицом.

— Где у тебя совесть, Кеша? — сердито говорит она. — Ты смотришь на часы? Ты же Марусю заморозил совсем!

— Ну что ты такое говоришь, Тамарочка! — оправдывается Иноземцев. — Тепло на улице, и воздух такой хороший, свежий... Посмотри, как Марусенька сладко спит.

— А ты ее нос проверял, папаша? — И с подозрением смотрит на меня: — Вы тут что, пили?

— Отнюдь, — возражаю я. — Если честно, я предлагал вашему мужу, но он у вас кремень.

— А ну марш домой, кремень! — командует Тамара.

Прощаясь, Иноземцев подмигивает мне голубым глазом. Наклоняется ко мне и шепчет на ухо:

— Вы невнимательно читали мою рукопись, молодой человек! А ту ночь с Викой — это Ш. придумал. Он известный педофил.

Они не спеша удаляются по дорожке. Левой рукой Иноземцев толкает коляску и держит поводок с Лизой, правую согнул кренделем. В нее обеими руками вцепилась жена, прижавшись к мужу плечом.

— Максим с Викой звонили из Нью-Йорка, — говорит она.

— Как они там?

— Прекрасно! Завтра улетают в Сан-Франциско. Представляешь, Максима берут на работу в Долину!

— Мальчик рад?

— Он на седьмом небе!

— А Вика?

— По телефону старательно делала вид, что довольна. Ты же знаешь, она невозможная гордячка!

— В тебе, Тамарочка, говорит свекровь и ревнивая мать. Наши дети любят друг друга, что может быть прекрасней?

— Вы с Максимом оба помешались на этой Вике!

— Ты меня ревнуешь?

Тамара тихо смеется в ответ. Они о чем-то продолжают говорить, но я их больше не слышу.

Что это сейчас было?

Второй эпилог

Прошло два года. Я больше не работаю фрилансе-ром. Фрилансер — это собачья должность. Ощуще-ние безнадеги или, как пишет Иноземцев (или Ш. — неважно), полного метафизического ужаса. Вот миска, она пустая. А теперь немного полная. Но от тебя это мало зависит. Ты, наоборот, зависим от всех, кто волен дать тебе работу. Захочет — даст, не захочет — не даст. Холодильник ненадолго откры-вается, и тебе достают оттуда банку собачьего кор-ма: на, покушай, чтобы с голода не сдох. Или холо-дильник не открывается, и тогда сиди с урчащим животом.

После того как жена в очередной раз закатила мне грандиозный скандал, сказав, что ей надоело жить в беспросветной нужде, что, выходя за меня замуж, она не подписывалась на жизнь с нищим гением, я, конечно, сходил в парк зализать душевные раны, но все-таки задумался о штатной работе. И тут я по-знакомился с Игумновым.

На книжной ярмарке я брал у него интервью для газеты «Культура», и Вячеслав Олегович изволили пригласить меня в шашлычную на ВВЦ.

— Писатель? — спросил он меня после того, как мы съели по порции шашлыка и выпили по бокалу крымского коньяка.

— Так точно! — по-армейски ответил я. — Только меня никто не печатает.

— А много ли написал? — уточнил Игумнов.

— Три романа уже, — пожаловался я.

— Много! — сказал он. — Дай почитать тот, который считаешь лучшим.

— Вам его по электронной почте прислать? — осведомился я.

— Нет! — Игумнов поморщился. — Я из старых метранпажей и предпочитаю рукописи. Которые не горят...

Я занес в издательство «ВЕ» свою рукопись, а уже через два дня мне позвонила секретарша: Вячеслав Олегович Игумнов ожидают-с меня к такому-то часу, и чтобы я не опаздывал, потому что Вячеслав Олегович этого крайне не любят-с. Нужно ли говорить, что я летел в издательство «ВЕ» как на крыльях. В голове моей рисовались самые радужные картины. Вот моя книга выходит и, разумеется, сразу становится бестселлером. Вот в Доме Пашкова мне вручают первую премию «Большой книги». Вот у меня появляется свой литературный агент за рубежом, и мой роман переводится в двадцати странах, в том числе и на самые экзотические языки. Вот моим романом заинтересовался отечественный, нет, лучше голливудский продюсер. Плохо, что я не владею свободно английским. Ничего, найму переводчика. Нет, лучше красивую молодую переводчицу. Я не буду с ходу подписывать договор, мы еще поторгуемся!

Впрочем, Игумнов быстро остудил мой пыл.

— В тебе определенно есть писательский талант, малыш! — сказал он. — Но издаваться тебе еще рано.

— Лучше рано, чем поздно, — возразил я.

— Это правда, — не стал спорить Игумнов, — но я советую тебе не спешить. Ну, допустим, издам я твой опус тиражом три тысячи. Ну ладно, пять тысяч. Думаешь, он разойдется? Ни хрена он не разойдется! Читателей все меньше, а писателей — все больше.

— Что же мне делать? — закручинился я. — Жена ругается, дочка новое платьице просит, а папка пишет третий роман подряд, но его никто не печатает. И вы тоже.

— Иди ко мне на работу, малыш, — предлагает вдруг Игумнов. — Чем-то ты мне приглянулся.

— Надеюсь, штатным редактором? — нагло спрашиваю я, помня о том, что сейчас везде нужно набивать себе цену. — Имейте в виду, я стою не менее восьмидесяти тысяч.

— В год? — Игумнов хохочет. — Ты пока ничего не стоишь, малыш, — серьезным голосом продолжает он. — Но будешь меня слушать, я подниму твою цену не до восьмидесяти тысяч, а, скажем, до миллиона.

— Долларов? — продолжаю наглеть я.

Игумнов опять смеется.

— Нет, ты определенно нравишься мне, малыш! Но запомни, никто из нас не знает, сколько он стоит, пока кто-то не выставил его на рынок. Но не рынок определяет твою цену, а твой продавец. Знаешь старый анекдот про человека, который продавал курицу и просил за нее миллион? Все крутили пальцем у виска и отходили от него. Но один любопытный все-таки спросил: «Почему за миллион?» — «Мне надо», — ответил продавец. Но это не конец анекдота. Конец анекдота в том, что купили его курицу. За миллион. А почему? Да потому, что пока он требовал за нее миллион, ее цена росла, росла... И выросла до миллиона.

Предложение, которое сделал мне Игумнов, повергло меня в шок. Он предложил мне стать руководителем редакции любовных романов. Прежний руководитель Лев Варшавский уехал за границу к богатой племяннице и *замутил* с ней агентство по скупке опционов на отечественные литературные тексты, которые он собирается впаривать зарубежным продюсерам для экранизации. Дело это, как считает Игумнов, вроде бы совершенно тухлое. Но, хорошо зная Варшавского, он не исключает...

— Слышал о нем?

— Ну как же! — отвечаю я. — Конечно, слышал! Издательский гений!

Игумнову это не нравится.

— Запомни, малыш, в издательстве «ВЕ» есть только один издательский гений, не будем поминать его имя всуе.

— Я вас понимаю.

— Вот и прекрасно! Сто пятьдесят тысяч в месяц твою душу устроит?

— Двести, — продолжаю наглеть я.

— Сто пятьдесят, малыш, сто пятьдесят с налогом. Задача твоя простая — ничего не трогать в схеме, которую разработал Варшавский. Просто ничего в ней не трогать. Знаешь, почему я беру тебя на эту должность? Потому что ты профан и ничего не смыслишь в издательском деле. Стало быть, есть надежда, что не будешь слишком усердствовать, предлагать мне какие-то перемены, пудрить мозги завиральными проектами, которые мне придется отвергать и тратить на тебя свое драгоценное время. Ты просто пока поработаешь тенью Варшавского. Просто будешь следить за тем, чтобы запущенный им конвейер вдруг не остановился. Ну а потом... Возможно, у меня будут на тебя другие планы. Признаюсь тебе откровенно — мне понравился твой роман. Но именно поэтому я не буду его печатать — то есть выбрасывать в никуда.

— А теперь я вас совсем не понимаю...

— А тебе и не нужно пока ничего понимать, малыш. Просто слушайся старика Игумнова, и благо ти будет!

Когда я сообщил жене, что устроился в штат на сто пятьдесят тысяч, она мне сначала не поверила, а потом полдня что-то считала на своем калькуляторе. Ночью у нас с женой был, кажется, самый бурный секс за все шесть лет совместного проживания. А после, как водится, началась сказка Пушкина о рыбаке и рыбке.

Мы взяли в ипотеку квартиру в элитном жилом комплексе и машину в кредит. Потом жена смущенно сообщила мне, что взяла в кредит машину еще и себе.

— Ах, — сказала она, — Nissan Juke — это такое чудо! Ну просто лупоглазая божья коровка! Первый взнос — ноль процентов, ты представляешь! Выплачивать придется десять с половиной тысяч в месяц — это же копейки для нас! Кстати, ты помнишь, что нашей дочери в этом году идти в школу? Я нашла ей гимназию с изучением английского и китайского языков. Говорят, сейчас это перспективно.

— Надеюсь, первый взнос там тоже ноль процентов? — спросил я.

— Нет, там что-то порядка ста тысяч. Сразу, а потом в год. Но если это разделить на двенадцать — выходят сущие копейки.

В общем, я вспомнил про свой любимый парк, купил фляжку водки «Флагман» и ириски «Meller» и отправился ностальгировать по старым добрым временам. На одной из дорожек я неожиданно встретил Тамару с розовой прогулочной коляской, на которой восседала довольно упитанная и миловидная девочка, очень похожая на мать. Рядом с ними скакала на тонком, как провод, поводке с автоматической подачей расстояния Лиза. Мы с Тамарой раскланялись, и я уже хотел пройти мимо, но мне не позволила Лиза. Она завизжала, бросилась ко мне, встала на задние лапки и стала откровенно проситься на руки.

— Лиза! — урезонивала ее Тамара. — Отстань от человека!

Но Лиза продолжала крутиться вокруг моих ног как юла, запутала их поводком и чуть не задушила себя ошейником.

— Наверное, вспомнила, как вы встречались с Иннокентием, — скорбным голосом произнесла Тамара.

— А что с ним? — испуганно спросил я.

Но Тамара махнула рукой, распутала поводок и отправилась гулять с дочкой дальше.

Вернувшись домой, я сразу включил компьютер и набрал в поисковике «Иннокентий Иноземцев». Нет, слава богу, в Википедии даты его смерти пока нет.

«Иннокентий Платонович Иноземцев — русский и американский писатель, сценарист. Родился в С. 14 октября 1960 года в семье геологов. Служил в армии. Учился на геологическом факультете С-ского государственного университета, но не окончил его. Увлекался горным туризмом. В 1992 году окончил Литературный институт им. Горького. Автор шести романов, имевших широкий успех (перечисляются). По новелле Иноземцева культовый режиссер Кирилл Злотников поставил на сцене Школы-студии МХТ спектакль "Швейцарский нож" в жанре театра абсурда. Имеет двоих детей: сына Максима (ныне проживает в США) и дочь Марию. В 2015 году покинул Россию и поселился в США, в Лос-Анджелесе. В настоящее время по роману Иноземцева "Любовное чтиво" в Голливуде снимается фильм, продюсером которого выступает Виктория Варшавская, входящая в топ-100 самых богатых женщин мира».

На фотографии в Википедии Иноземцев стоит на фоне собственного дома в Беверли-Хиллз, абсолютно седой, с загорелым лицом. Рядом с ним стоит молодая женщина с веснушчатым носом, узкими плечами и широкими бедрами. Подпись под снимком: «Писатель Иннокентий Иноземцев с продюсером». У продюсерши деловой вид, а Иноземцев по-прежнему похож на идиота, но только совсем уж счастливого идиота, которому в жизни больше ничего не надо, кроме солнца и этой женщины.

«Вот оно, значит, как, — подумал я. — Вот и счастливый конец романа, вот и развязка».

Прежде чем выключить компьютер, замечаю в новостях Яндекс.Дзен информацию, которая привлекает мое внимание. «В Москве задержан международный мошенник по кличке Мефистофель, несколько лет разыскиваемый Интерполом. Скрываясь под разными именами и используя поддельные дипломы частного психоаналитика, он втирался в доверие богатых клиентов в США и Европе, с помощью гипноза выведывал их финансовые и интимные секреты и продавал их заинтересованным людям. Последние пять лет практиковал в Москве, и его жертвами становились весьма влиятельные предприниматели, политики, представители шоу-бизнеса и знаменитые телеведущие. Имена их не раскрываются в интересах следствия».

Открываю верхний ящик своего письменного стола и достаю папку с рукописью «Любовного чтива». Не понимаю, зачем я хранил ее целых два года? Ведь это же не про меня. Это же совсем не про меня. Но что-то мешало мне избавиться от рукописи.

Через полгода работы в издательстве «ВЕ» я окончательно запутался в своих семейных финансах и понял, что малые деньги создают малые проблемы, большие деньги — большие проблемы, но нет ничего хуже того, что посередине. Это вообще полный писец!

Вот тогда Игумнов и вызвал меня в свой кабинет.

Игумнов сама любезность. Угощает дорогим коньяком. Красивая секретарша Аля готовит нам настоящий кубинский кофе. На стенах кабинета по-прежнему друг против друга висят портреты Че Гевары и Хемингуэя. Все в издательстве в курсе, что свой отпуск Игумнов проводит на Кубе и что любит не места, а людей.

— Малыш, — говорит он, — не хочешь сигару?

— Вы знаете, что я не курю, — осторожно отвечаю я, почему-то чувствуя, что мне не нравится его предложение.

— Сигара — не курение, — говорит Игумнов.

— Вы хотите сказать, она открывает чакры?

— Откуда ты знаешь? — удивляется он и приносит из бара коробку с кубинскими сигарами. — Не возражаешь, я раскурю тебе сам? Это не так просто, как кажется.

— Сделайте одолжение...

Игумнов отрезает сигаре кончик специальной машинкой, забавно похожей на маленькую гильотину.

— Опустить попку в коньяк?

— А ты соображаешь, малыш!

Я окунаю кончик сигары в бокал с коньяком и правильно выпускаю облако ароматного дыма.

— Забыл предупредить, — говорит Игумнов. — Сигарами не затягиваются.

— Я знаю.

— Откуда?

— Прочитал где-то, — говорю я. — Кажется, у того же старика Хэма.

— Обожаю старика! — восклицает Игумнов. — Когда я учился в Литературном институте, мы фанатели от его прозы. Для нас он был кумир, мачо! А потом я узнал, что дядюшка Хэм был очень болезненный и мнительный тип. Он постоянно простужался, ломал себе кости, которые у него были хрупкие, как у древнего старца. Он покончил с собой, потому что не мог пережить собственной импотенции.

— Вы имеете в виду в творческом плане? — деликатничаю я.

— Нет — в буквальном.

— Вячеслав Олегович, зачем вы меня вызвали? — спрашиваю я. — Не справляюсь со своей работой? Хотите нежно меня уволить?

— Ты не угадал, малыш, — отвечает он. — Я хочу предложить тебе более интересную должность.

— Вашим заместителем?

— Не борзей, малыш!

Игумнов внимательно смотрит мне в глаза, словно пытаясь разобраться, что у меня в голове.

— Ты слышал, что фильм по роману Иннокентия Иноземцева получил в Каннах «Золотую пальмовую ветвь»?

— Нет.

— Это плохо! Писатели должны интересоваться успехами своих коллег. Читал книги Иноземцева?

— Да.

— Как они тебе?

— На любителя.

— Не ответ профессионала! — строгим голосом говорит Игумнов. — Это ответ институтки, малыш!

— Простите, — говорю. — В романах Иноземцева чувствуется рука мастера, во всех, кроме первого. Но и там есть потрясающая новелла про швейцарский нож. И еще мне нравится, что он пишет так, как снимает свои фильмы Тарантино. Только Тарантино может позволить себе такие длинные диалоги и монологи. Помните финал «Kill Bill — 2»?

— Еще бы! — говорит Игумнов, продолжая смотреть мне прямо в глаза. — Кто не помнит финала «Kill Bill — 2»? А знаешь, что Иноземцев мой самый близкий друг?

— Откуда?

— Ты читал о скандале, который разразился вокруг его успеха в Каннах? Писатель Ш. заявил, что все романы Иноземцева, кроме первого, ну, того, который тебе особенно понравился, написал не Иноземцев, а он. Этот скандал сейчас все обсуждают.

— Ничего не слышал, — признаюсь я.

— Может, это и хорошо... — задумчиво произносит Игумнов, не сводя с меня глаз. — Может, хорошо, что ты такой талантливый, но дремучий. Да, это грандиозный скандал! Ш. сделал публичное заявление, что я купил его в качестве литературного негра, чтобы он переписывал романы моего приятеля. Что он раскаивается в этом и готов публично принести извинения за наши с ним махинации. Разумеется, ему никто не поверил, уж больно кстати он сделал это заявление — на пике триумфа Иноземцева. Тогда Ш. потребовал провести лингвистическую экспертизу. Она показала, что — да! — на девяносто процентов есть уверенность, что книги Ш. и Иноземцева написаны одним лицом. И тогда мне пришлось дать свою пресс-конференцию. Не буду скромничать, я размазал Ш. по стенке! Я заявил, что зависть — худшее, что может терзать творческого человека. Это страшное чувство, оно пожирает творческую личность изнутри. Я заявил, что Ш. всегда завидовал славе Иноземцева и, увы, слишком уж старательно подражал его стилю. Немудрено, что итоги экспертизы показали нам некоторую идентичность их текстов. Но при этом все понимают, что такое романы Иноземцева и что такое романы Ш. Между ними примерно такая же разница, как между гениальным артистом и его бездарным, но старательным клоном-подражателем. Ты согласен с моим мнением, малыш?

— Вам виднее, — уклончиво отвечаю я.

— Но вот что интересно, — продолжает Игумнов. — В конце пресс-конференции я был уверен, что Ш. больше нет. Я имею в виду, что его больше нет в литературе. Ничего подобного! Рейтинг книг Ш. стремительно взлетел в той же примерно пропорции, как и рейтинг романов Иноземцева. Вот что значит публичный скандал! Они оба оказались в выигрыше. Фильм по роману Иноземцева на днях поступит в отечественный прокат, и прокатчики заранее прогнозируют ему самые высокие сборы. Но и Ш. купается в славе, хотя и весьма сомнительной. Это, конечно, ненадолго, но это — так!

— Очень поучительная история, — говорю. — Зачем вызывали, Вячеслав Олегович? Ведь не сигары же курить?

И тут по лицу Игумнова замечаю, что он принял для себя какое-то очень важное решение. Он подвигает ко мне через стол картонную папку, завязанную простыми тесемками...

— Что это?

— Продолжение романа Иноземцева «Любовное чтиво», — говорит он. — По первой части снят тот самый фильм, а это — вторая часть. Продюсером фильма выступила племянница Варшавского Виктория Иноземцева, она же бывшая жена сына Иноземцева, она же продюсер Иноземцева и она же новая супруга Иноземцева...

— Как это нас касается?

— А касается нас то, что я провел переговоры с Викторией и выкупил у нее за огромные, между прочим, деньги эксклюзивное право на издание всех новых книг Иноземцева.

— Выгодная сделка? — спрашиваю я.

— Пока не знаю, — говорит Игумнов. — Тут многое зависит от тебя, малыш...

У меня кружится голова. Я знаю, о чем речь. И мне заранее становится тошно.

— Вячеслав Олегович... Дело в том, что я... знаком с вашим другом. И я... читал роман «Любовное чтиво».

— Это невозможно, — говорит Игумнов, — он же еще не издан. Фильм вышел, а книга еще нет — права у Виктории, а она придерживает публикацию романа до выхода фильма.

— Рукопись романа лежит в верхнем ящике моего письменного стола, — признаюсь я. — И лежит уже два года.

Игумнов встает и начинает нервно ходить по кабинету.

— Вот как! — восклицает он. — Прекрасно! Значит, я не ошибся в тебе, малыш! Я чувствовал, чувствовал, что ты не такой простой парень, каким пытаешься казаться! Ну что ж, тогда — все карты на стол! Ты понимаешь, к чему я клоню?

— Вы клоните к тому, чтобы сделать из меня второго Ш. Но — я с этим не согласен. Я вам не негр!

Игумнов смеется.

— Ты будешь не простым негром, малыш. Ты будешь эксклюзивным негром.

— Негром-альбиносом?

— Это ты сказал.

— Нет, увольте! — говорю я. — Все, кто имел дело с Иноземцевым, становились несчастными людьми. И я не стану губить свою душу вашей дьявольской сделкой.

— Фу, как пафосно! — говорит Игумнов и морщится. — Не разочаровывай меня, малыш!

— Я вам не малыш!

— Я слышал, у тебя финансовые проблемы намечаются? Что, нахватал кредитов сгоряча?

— Это не ваше дело.

— Ой ли! А если так?

Игумнов берет лист бумаги и рисует там семизначное число.

У меня еще сильнее кружится голова. Глядя на эти нолики, я понимаю, что мои финансовые проблемы они решают, и решают надолго.

— Так как? — ухмыляется Игумнов. — Ты поторопись! Ш. тоже долго думал. Так долго, что я уже хотел нанять другого негра.

— Господи, — говорю, — отпустите! Зачем я вам сдался? Я ведь никому не известный начинающий писатель...

— Все мы когда-то начинали... — вздыхает Игумнов и пририсовывает еще один ноль. — Но если ты думаешь, малыш, что я буду рисовать их бесконечно, ты ошибаешься. Это был последний ноль.

— Вы думаете, я с этим справлюсь? — обреченно спрашиваю я. — А вдруг я вас подведу?

Он приближается ко мне и нежно треплет меня ладонью по щеке.

— Ты справишься. Я верю в тебя, малыш!

Я уже собираюсь уходить, когда Игумнов жестом останавливает меня, открывает ящик стола и достает оттуда швейцарский нож с алюминиевой рукоятью.

— Держи...

— Что это?

— Не прикидывайся, что не знаешь.

— Вы же подарили его Иноземцеву.

— Подарил... А Иноземцев вернул мне его вместе с рукописью последнего романа. Вернее — предпоследнего.

— Зачем?

— Иноземцев сказал, что все вспомнил и больше не нуждается в подсказках. Занятная вещь, не так ли?

— Кто же его все-таки украл тогда?

— Ты еще не понял? Да не было никакого ножа. Это была единственная история, которую Иноземцев полностью придумал в первом романе. Единственная история, на которую хватило его бедной фантазии. И это был лучший сюжет его книги.

— Тогда этот нож откуда взялся? Вы его специально купили? С намеком?

— Сюжет со швейцарским ножом один только и заинтересовал Ш. С этой отправной точки он и начал создавать нового Иноземцева. Теперь твоя очередь!

Возвращаюсь в свой кабинет и открываю папку. С первых же страниц понимаю, что задача передо мной стоит куда более сложная, чем та, что стояла перед бедным Ш.

В дом на Беверли-Хиллз я влюбился с первого взгляда и снял его как убежище, куда можно иногда сбегать из семьи, но затем переселился сюда надолго, если не навсегда.

Пропускаю несколько страниц.

Толстенькая Джинна танцует перед зеркалом с закрытыми глазами в короткой майке и трусиках. Оригинально: танцевать перед зеркалом с закрытыми глазами!

Пропускаю несколько страниц.

Сегодня Джинна притащила в мой дом добермана, у которого не хватает правой передней лапы.

Господи! Во что я ввязался! Теперь мне предстоит создать *нового* Иноземцева из *старого* романа Ш.

Это называется — приготовить новое блюдо по старому рецепту. Тень Варшавского витает надо мной.

В этот вечер я напился в хлам, поругался с женой и отправился в парк. Как назло, на дорожке мне встретились Тамара с Марусей и Лизой. Собачка завизжала, бросилась ко мне и стала проситься на руки. Я поднял ее, и она облизала мне все лицо.

— Иннокентий сегодня прислал электронное письмо, — неожиданно разоткровенничалась со мной Тамара. — Почему-то мне кажется, что он несчастен с этой Викой.

— Не хочу вас расстраивать, — говорю я, — но вы ошибаетесь. Ваш муж принадлежит к редкой породе абсолютно счастливых людей. Такие люди идут по жизни, убивая вокруг себя все живое и не слыша ничьих воплей. Они слышат только божественную музыку и уверены, что это боги поют им гимны. Но беда в том, что у них нет музыкального слуха. Тамара, ответьте мне на один вопрос: за что четыре умные, красивые женщины любят этого человека? В чем его секрет? В чем?

Тамара задумывается.

— Может, в том, что мы вкладываем в него самих себя? В том, что он позволяет нам себя любить, сам не прилагая к этому никаких усилий. Но почему вы говорите о четырех женщинах? Я, Даша, Вика… Кто еще?

— Постарайтесь его забыть и не мучайте себя! Иноземцева вообще не существует. Скажу вам странную вещь: с сегодняшнего дня Иноземцев — это я...

Тамара грустно улыбается.

— Вы просто очень много выпили, молодой человек.

— Да, я выпил... — говорю я. — Отдайте мне Лизу!

— Да ради бога! — радостно восклицает Тамара. — Конечно, забирайте! Смотрите, как Лиза ластится к вам! Так она ластилась только к Кеше. Мне кажется, вы и правда ей его напоминаете. А нас с Маруськой она просто измучила! Скулит ночами. Спать не дает...

— Да... — вздыхаю я. — Бедная Лиза! Бедная Лиза!

КОНЕЦ РОМАНА

— Фу, какая кислятина, — говорит Вика, пригубив бокал с красным сухим вином. — Это невозможно пить! Закажи мне другое, папик, а я пока пойду припудрю носик...

— Во-первых, — отвечаю я, — не смей называть меня папиком! Какой я тебе папик! Во-вторых, это прекрасное французское вино. И, кстати, ты сама выбрала его из меню. Подозреваю, потому, что самое дорогое. В-третьих, какого черта мы прилетели в Таллин в январе? Почему не Куба, не Багамы, они и ближе?

Вика капризно надувает губки.

— Ты ничего не понимаешь в свадебных путешествиях. Куба, Багамы — это банально. Мне давно хотелось увидеть Таллин зимой.

— Можно подумать, ты была здесь летом, осенью и весной.

— Не спорь со мной, папик! Я пошла пудрить носик, а ты пока закажи приличное вино, на свой вкус.

Уходит с оскорбленным видом.

Значит, на мой вкус? Отлично!

Подзываю официанта. Молодой эстонец, говорящий по-русски. В последнее время все официанты Таллина говорят по-русски. Профессия обязывает, а русских туристов в Эстонии сейчас больше, чем

других. Если, конечно, не считать финнов, приплы-
вающих в Таллин, чтобы надраться дешевым алкого-
лем и покуролесить.

Официант вежливо склоняет голову и спрашивает, что еще желают господин и его леди. Назвать
Вику женой он на всякий случай опасается. Староват
я уже для такой жены. Ох, староват!

Делаю важное лицо.

— Моя супруга желает поменять вино. Это вино
не нравится ей.

— Но какое вино предпочитает ваша супруга?
Она же заказала лучшее вино из нашего погреба.

Прошу его наклониться ближе.

— Принеси-ка нам, братец, самое-самое-самое отвратительное пойло, которое есть в вашем погребе.

— Это шутка? — спрашивает он.

— Я серьезен, как кот перед кастрацией, — говорю я. — Принеси самое мерзкое, самое дешевое
и невкусное вино. В России это называется шмурдяк.
Понимаешь меня?

— Нет, — печально отвечает официант, — но я уз-
на́ю, есть ли у нас вино с таким названием.

— Не нужно ничего узнавать, — говорю я и уже
начинаю сердиться. — Шмурдяк — это что-то вроде
чернил, разбавленных водой. Теперь понимаешь?

Выражение лица официанта становится все груст-
нее. Он явно недавно устроился на работу и не хочет
ее терять.

— Тогда принеси нам русское вино.

Парень совсем растерялся.

— У нас нет русского вина. Не хотите, например,
чилийского?

— Нет, братец, — говорю я. — Чилийское вино, может, и грубоватое, но вполне приличное. Понимаешь, мне нужно такое вино, которое в рот нельзя взять.

— Да, я найду.

— И отлично! Ты настоящий профессионал, я сразу это заметил.

Парень расплывается в улыбке и уходит искать шмурдяк. А я с тоской смотрю за окно. Какая же мерзкая погода! Только идиот поедет зимой в Таллин. Здесь зимний климат хуже, чем в Питере. За окном несет мокрой гадостью, и даже отсюда слышно, как противно трубит ветер с залива.

Через несколько минут официант приносит бокал какого-то пойла — даже не красного, а грязно-бурого цвета, какой бывает у дешевого чая из пакетиков.

— Что это? — спрашиваю.

— Это вино делает наш сторож. Он недавно приехал из деревни и не может привыкнуть к нашим напиткам. Он прогоняет это через самогонный аппарат и...

— То что надо, — говорю.

Возвращается Вика. Пригубливает принесенную бурду и шепчет:

— Ну во-от! Совсем другой букет! У тебя прекрасный вкус, папик! Как оно называется?

— Оно называется шмурдяк, — отвечаю я. — Коллекционная вещь! Оно даже в меню не значится. Но если б ты знала, сколько оно стоит! Целое состояние!

— Какой ты щедрый, папик! — благодарно всхлипывает Вика. — Я без ума от твоей щедрости!

Официант слышит нас, но даже не улыбается. Скорее, он сильно удивлен. У эстонцев нет чувства юмора. Нашего чувства юмора. Русского чувства черного юмора.

Конечно, я замечаю, что Вике не нравится это пойло. Но жена настояла на своем и довольна.

— Что-то мы с тобой засиделись здесь, — вдруг говорит Вика. — Лучше пойдем прогуляемся.

— Разве что до ближайшей гильотины, — возражаю я. — По такой погоде гильотина — это самое лучшее.

— Разве в Эстонии есть гильотина?

— А как же! Ты, небось, думала, что гильотину изобрели во Франции? Нет. Родина гильотины — Эстония.

— И она до сих пор у них действует?

— А как же! Гильотина — любимое развлечение туристов в Эстонии в зимний период. Так идем?

— Нет, лучше в отель, — говорит жена. — Что-то я устала сегодня.

Блин, от чего она устала?

Подзываю официанта и вдруг понимаю, что забыл в номере портмоне с карточками. Даю ему визитку нашего отеля. Самого дорогого и пафосного в Таллине.

— Запишите на счет отеля, — важно говорю я. — На чаевые у меня есть.

— Извините, — говорит официант. — На чье имя выписать счет?

— На имя Иннокентия Иноземцева. Слышали о таком?

Он качает головой. Вот деревня! Не знает Иноземцева!

Мы с Викой выходим из ресторана и оба хохочем. Нет, мы никого не обманули. Мы за все заплатим. Просто нам хорошо вдвоем. В зимнем Таллине, на

Багамах — какая, на хрен, разница! Не знаю, счастлива ли она со мной, но я счастлив с ней бесконечно.
И это уже пожизненно. Тем более что моя жизнь будет гораздо короче, чем ее. Это единственное чувство, которое меня угнетает...

Литературно-художественное издание

Басинский Павел Валерьевич
ЛЮБОВНОЕ ЧТИВО
Роман-фейк

Содержит нецензурную брань

Главный редактор *Елена Шубина*
Литературный редактор *Галина Беляева*
Выпускающий редактор *Вера Копылова*
Художественный редактор *Константин Парсаданян*
Корректоры *Ирина Волохова, Ольга Грецова*
Компьютерная вёрстка *Елены Илюшиной*

http://facebook.com/shubinabooks

http://vk.com/shubinabooks

Подписано в печать 21.08.2020. Формат 84х108/32.
Печать офсетная. Усл. печ. л. 21,84.
Тираж 5000 экз. Заказ № 7073.

Отпечатано с готовых файлов заказчика
в АО «Первая Образцовая типография»,
филиал «УЛЬЯНОВСКИЙ ДОМ ПЕЧАТИ»
432980, Россия, г. Ульяновск, ул. Гончарова, 14

Общероссийский классификатор продукции
ОК-034-2014 (КПЕС 2008); 58.11.1 — книги, брошюры печатные

Произведено в Российской Федерации
Изготовлено в 2020 г.

ООО «Издательство АСТ»
129085, г. Москва, Звёздный бульвар, дом 21, строение 1, комната 705,
пом. I, 7 этаж
Наш электронный адрес: www.ast.ru
Интернет-магазин: www.book24.ru

«Баспа Аста» деген ООО
129085, Мәскеу қ., Звёздный бульвары, 21-үй, 1-құрылыс, 705-бөлме,
I жай, 7-қабат

Біздің электрондық мекенжайымыз: www.ast.ru
E-mail: astpub@aha.ru
Интернет-магазин: www.book24.kz
Интернет-дүкен: www.book24.kz
Импортёр в Республику Казахстан ТОО «РДЦ-Алматы».
Қазақстан Республик сындағы импорттаушы «РДЦ-Алматы» ЖШС.
Дистрибьютор и представитель по приему претензий на продукцию
в Республике Казахстан: ТОО «РДЦ-Алматы»

Қазақстан Республикасында дистрибьютор және өнім
бойынша арыз-талаптардықабылдаушыныңөкілі
«РДЦ-Алматы» ЖШС, Алматы қ., Домбровский көш., 3 «а», литер Б, офис 1.
Тел.: +8(727) 2515989, 90, 91, 92, факс: +8(727) 2515812, доб. 107
E-mail: RDC-Almaty@eksmo.kz
Өнімнің жарамдылық мерзімі шектелмеген.

Өндірген мемлекет: Ресей

Павел Басинский
ПОСМОТРИТЕ НА МЕНЯ

1902 год. Австрия. Тироль... Русская студентка Сорбонны Лиза Дьяконова уходит одна гулять в горы и не возвращается. Только через месяц местный пастух находит ее тело на краю уступа водопада. Она была голая, одежда лежала рядом. В дорожном сундучке Дьяконовой обнаружат рукопись, озаглавленную «Дневник русской женщины». Дневник будет опубликован и вызовет шквал откликов. Василий Розанов назовет его лучшим произведением в отечественной литературе, написанным женщиной

Павел Басинский на материале «Дневника» и архива Дьяконовой построил «невымышленный роман» о судьбе одной из первых русских феминисток, пытавшейся что-то доказать миру...

Павел Басинский
БЕГСТВО ИЗ РАЯ

Ровно 100 лет назад в Ясной Поляне случилось событие, которое потрясло весь мир. Восьмидесятидвухлетний писатель граф Л. Н. Толстой ночью, тайно бежал из своего дома в неизвестном направлении. С тех пор обстоятельства ухода и смерти великого старца породили множество мифов и легенд…

Известный писатель и журналист Павел Басинский на основании строго документального материала, в том числе архивного, предлагает не свою версию этого события, а его живую реконструкцию. Шаг за шагом вы можете проследить всю жизнь и уход Льва Толстого, разобраться в причинах его семейной драмы и тайнах подписания им духовного завещания. Книга иллюстрирована редкими фотографиями из архива музея-усадьбы «Ясная Поляна» и Государственного музея Л.Н.Толстого.

Павел Басинский

ЛЕВ В ТЕНИ ЛЬВА

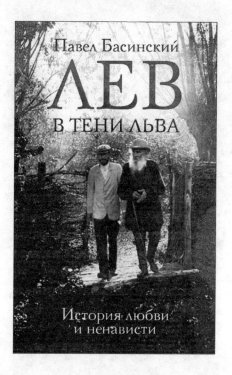

В 1869 году в семье Льва Николаевича и Софьи Андреевны Толстых родился третий сын, которому дали имя отца. Быть сыном Толстого, вторым Львом Толстым, — великая ответственность и крест. Он хорошо понимал это и не желал мириться: пытался стать врачом, писателем (!), скульптором, общественно-политическим деятелем. Но везде его принимали только как сына великого писателя, Льва Толстого-маленького. В шутку называли Тигр Тигрович. В итоге — несбывшиеся мечты и сломанная жизнь. Любовь к отцу переросла в ненависть...

История об отце и сыне, об отношениях Толстого со своими детьми в новой книге Павла Басинского, известного писателя и журналиста, автора бестселлера «Лев Толстой: бегство из рая» (премия «БОЛЬШАЯ КНИГА») и «Святой против Льва».